THOMAS KERNERT

DICKE LEDER HOSE

DAS PRINZIP BAYERN – EIN ERKLÄRUNGSVERSUCH

RIEMANN
VERLAG

MIX
Papier aus verantwor-
tungsvollen Quellen
FSC® C083411

Verlagsgruppe Random House FSC® N001967

1. Auflage
Originalausgabe
© 2016 Riemann Verlag, München
in der Verlagsgruppe Random House GmbH,
Neumarkter Straße 28, 81673 München
Lektorat: Ralf Lay, Mönchengladbach
Umschlaggestaltung: Stephan Heering, Berlin
Umschlagmotiv: iStockphoto/alzee
Satz: Satzwerk Huber, Germering
Druck und Bindung: CPI books GmbH, Leck
ISBN 978-3-570-50197-9

www.riemann-verlag.de

Inhalt

Liebe Leserin, lieber Leser 9

Erste Blicke 10
1. Auf Frauenchiemsee 10
2. Mit Irmingard und Tassilo im Klosterladen 12
3. Im DEZ 15
4. Auf Mauritius 21
5. In Fröttmaning 25
6. In Ruhpolding 29

Essentials 32
1. Im Erdinger Moos 32
2. Bei Augsburg 35
3. In Weltenburg 39
4. Unter dem Pflaster 43
5. In Amberg 46
6. Auf der A 9, Kilometer 521 51
7. In Dorfen 52
8. In Bayrischzell 56
9. Im Trachten-Outletstore 60

Sozialverhalten 63
1. In Landshut 63
2. Bei den Wittelsbachern 66
3. In Münchham 70
4. Im Wilden Westen 73
5. In Lohberg 76

6. Bei den Abbas.   79
7. Im Hofoldinger Forst   83

Privates   89
1. Auf der Eckbank.   89
2. In der Badewanne   94
3. Im Schlafzimmer.   99
4. Im Garten. 108
5. Bei Buddha 110

Ästhetik, Humor und Verkehr 114
1. In Regensburg 114
2. In Königsberg. 115
3. In Bamberg. 118
4. Im Gesicht. 121
5. In Lübeck 123
6. In einer stillen Seitenkapelle 125
7. In Passau. 126
8. Am Rhein 128
9. An der Grenze 130
10. In Altötting. 131
11. In Olching. 133
12. In Oettingen. 135
13. An der Eschenrieder Spange 136

Konflikte 139
1. Bei den Indianern 139
2. In Ascha 142
3. Am Boden. 144
4. Im bairischen Hemdladen 145
5. Beim Franz 148
6. Bei Asterix 150
7. In Gröbenzell 152
8. In Gammelsdorf 154

9. Am Kreuz 157
10. In der Nähe von Bad Reichenhall 160

Erste Hilfe 163
1. Beim Bäcker 163
2. Beim Metzger 166
3. Im Norden 169
4. In Paris 172
5. In Friedberg 173
6. In Zorneding 176
7. Auf der Wies 180
8. Vor dem Spiegel 182
9. Hinter der Maske 184

Simulationen 189
1. In Panama 189
2. In Freiburg 191
3. Beim Baden 194
4. Auf der Liste 198
5. In Elmau 202
6. In Pisa 203
7. In China 207
8. In Gelsenkirchen 211

Einrahmungen 214
1. In Neuburg 214
2. In the Air 216
3. In Haidhausen 218
4. In Neuschwanstein 221
5. In Deggendorf 222
6. Im Münchner Kessel 223
7. In Klein-Venedig 225
8. In Langenzenn, Lichtenegg und Lichtenfels 228
9. Im Bild 230

10. Auf der Wiesn.................................. 232
11. Im Schottenhammel 236

Ehrenrunde....................................... 239
  1. In Mariabrunn................................. 239
  2. Bei den Siegern 241
  3. In Oberaudorf 244
  4. Bei den Fröschen 246
  5. In Nördlingen.................................. 248
  6. Noch einmal in Mauritius 250

Liebe Leserin, lieber Leser,

um Sie gleich von Anfang an für dieses Buch zu begeistern, versichere ich Ihnen: Es handelt selbstverständlich nicht von dicken Lederhosen. »Dicke Lederhose«, das klingt nach RTL oder *Bild*. Warum aber dann dieser Titel?

Weil dieses Buch selbstverständlich von dicken Lederhosen handelt! Der Grund ist ganz einfach: Niemand steht, geht und sitzt so rund und dick in seinen Lederhosen wie der Bayer.

Sie schließen daraus, dass dieses Buch ein Widerspruch sei? Sie haben recht. Aber schminken Sie sich diesen Einwand schnellstmöglich ab. Wer mit Widersprüchen Schwierigkeiten hat, sollte sich sowohl von Bayern als auch von diesem Buch fernhalten.

Hinzu kommt ein epistemologischer Grund: Bayern besteht in erster Linie nicht aus Maßkrügen, Ansichtskarten und dummen Sprüchen, sondern aus Menschen. Ihnen gebührt Respekt. Nicht der vordergründige Respekt widerspruchsfreier »Armchair-Anthropology«, sondern der frische Kuhfladen im Gesicht, frei nach dem Motto Herbert Achternbuschs: »Solange etwas, das den Menschen betrifft, logisch bleibt, ist es oberflächlich!«

Puchheim, im Juni 2016

Erste Blicke

Erstes Kapitel, in dem der Rundheit Bayerns zunächst auf einer Insel, dann in einem Einkaufszentrum, dann in einem tropischen Nest und schließlich, nach einer kurzen Betrachtung heiliger Klangkörper, in einem Pornofilm gehuldigt wird.

1. Auf Frauenchiemsee

Zu den größten Irrtümern bezüglich Bayerns zählt die Annahme, dass Bayern ein Land sei. Sicherlich, man kann Bayern auf einer Landkarte mühelos lokalisieren, gefunden hat man damit jedoch nichts. Auch kann man sich in ein Verkehrsmittel setzen und durch Bayern fahren, gesehen hat man es trotzdem nicht. Man kann sogar aussteigen, sich in einem einschlägigen Trachtengeschäft einschlägig einkleiden, ins Hofbräuhaus pilgern, ein Almochsengulasch verspeisen, fünf Maß Bier hinterherschütten und irgendwann vom Stuhl kippen – gespürt hat man den Fußboden vom Hofbräuhaus, doch nicht Bayern.

Was aber ist Bayern dann? Ein Traum, ein Mythos, ein Irrtum, ein guter Witz, ein schlechter Scherz, eine clevere Idee, ein Versehen? »Nix Gwiss woaß ma ned«, lautet die bayerische Variante jener berühmten sokratischen Phrase, mit der der alte Grieche einst die prinzipielle Unmöglichkeit eines absoluten menschlichen Wissensbesitzes konstatierte, mit der er aber gleichermaßen das Nichtwissen auf paradoxe Weise relativierte. »Nix Gwiss woaß ma ned« bestreitet zwar endgültige Gewissheit, nicht aber das Recht auf spekulative Abenteuer. Schließlich weiß man in Bayern auch: »Zwoamoi schiaf is aa grod!«

Ganz in diesem die euklidische Geometrie sprengenden Sinn vertritt das vorliegende Buch die ziemlich steile These, dass Bayern ein eckiger Kreis sei. Das klingt dubios und ist es auch, weshalb wir zunächst einmal ganz entspannt zum Chiemsee fahren und mit einem Schiff der Chiemsee-Schifffahrt zur Fraueninsel übersetzen wollen. Frauenchiemsee gehört zur nicht ganz ungefährlichen Kategorie der sogenannten oberbayerischen Kleinode. Natürlich ist es Sommer und Ferienzeit und Samstag und herrlichstes Wetter, weshalb man vor lauter Menschenleibern weder den Chiemsee noch die Chiemgauer Berge oder das Schiff sehen kann, das den Besucher zur Fraueninsel übersetzt, die ebenfalls nicht sichtbar ist. Eingezwängt zwischen transpirierenden Bäuchen und Rücken wird man sodann mit sanfter Gewalt auf einem schmalen Weg unaufhörlich vorwärtsgeschoben, vorbei an Gartenzäunen, Bootshäusern, voll besetzten Biergärten, voll besetzten Wiesen, voll besetzten Bänken und voll besetzten Schiffsstegen.

Nach etwa einer halben Stunde beschleicht einen erstmals ein seltsames Gefühl, eine Art Déjà-vu-Effekt: Irgendwie glaubt man, Gartenzäune, Bootshäuser, voll besetzte Biergärten und ebensolche Wiesen schon einmal gesehen zu haben. Und auch den kleinen überlaufenen Töpferladen erkennt man wieder ... Spätestens nachdem man zum dritten Mal die Außenfassaden eines klosterartigen Gebäudes passiert hat, beginnt man zu erahnen, dass man sich ganz offensichtlich im Kreis bewegt. Also hält man, eingezwängt zwischen fremden Bäuchen und Rücken, Ausschau nach einer Möglichkeit, diesem Circulus vitiosus zu entkommen und erst einmal zu pausieren. Allein die Bäuche und Rücken lassen einem keine Chance. Unaufhörlich nötigen sie einen weiter und weiter und weiter. Und auch die voll besetzten Biergärten,

die voll besetzten Wiesen, die voll besetzten Bänke und die voll
besetzten Stege reduzieren die Chancen, einen Abstellplatz für
seinen eigenen, mittlerweile ebenfalls heftig transpirierenden
Körper zu ergattern, auf null. Also geht man weiter und weiter
und weiter.

Und weiter: Nach der zehnten Umrundung denkt man an ein
Formel-1-Rennen, nach der elften an den Film »Und täglich grüßt
das Murmeltier«, nach der zwölften an Buddhas Lehre vom ewigen
Kreislauf des Seins, aus dem auszubrechen nur dem Erleuchteten
gelingt, nach der dreizehnten an nichts mehr. Und so findet man
sich irgendwann auf dem Abfahrtssteg der Chiemsee-Schifffahrt
wieder, wo man, eingekeilt zwischen schwitzenden Bäuchen und
Rücken, zwei Stunden lang in absoluter Bewegungslosigkeit ver-
harrt, bevor man schließlich in der Abenddämmerung auf einem
unsichtbaren Schiff Frauenchiemsee wieder verlässt.

2. Mit Irmingard und Tassilo im Klosterladen

Zu Hause angekommen empfiehlt es sich unbedingt nachzu-
lesen, woran man einen herrlichen Sommertag lang vorbeige-
laufen ist: Da wäre zum Beispiel die Benediktinerinnenabtei
Frauenwörth, ein Frauenkloster, dessen Geschichte bis ins
8. Jahrhundert zurückreicht. Die selige Irmingard, Schutzpatro-
nin des Chiemgaus, verbrachte dort ihr knapp 35 Jahre währen-
des gottgefälliges Erdendasein. Als Tote musste sie anschließend
freilich gut 900 Jahre lang ohne Kopf in ihrem Marmorsarg liegen. Ein Bischof hatte ihn, den Kopf, im 11. Jahrhundert zur Ver-
ehrung ins nahe Kloster Seeon bringen lassen, von wo er erst im
20. Jahrhundert wieder zurückkehrte. Heute ruhen ihre voll-
ständigen, DNA-geprüften Gebeine in einem edlen Glasschrein.
Unter Wallfahrern besitzt die selige Irmingard Kultstatus.

Kultstatus besitzt auch Tassilo III., der Stifter von Frauenwörth und letzte Agilolfingerherzog. Er war einer der mächtigs-

ten Bayernherzöge aller Zeiten. Seine zahlreichen Klostergrün-
dungen legen beredtes Zeugnis davon ab. Er war aber auch einer
der bayerischsten Bayernherzöge aller Zeiten, ein Umstand, der
sich vor allem darin äußerte, dass er an akuten Subordinationsschwierigkeiten litt. Lehensrechtlich an Karl den Großen gebun-
den verweigerte er sich diesem wiederholt und kochte lieber sein
eigenes, bayerisches Süppchen. Dem großen Karl gefiel das gar
nicht, und so kam es zum offenen Streit, an dessen Ende Tassilo
seiner Herzogswürde verlustig ging und »gemöncht«, will heißen
kahl rasiert, in ein Kloster gesteckt wurde. Klöster waren damals
nicht nur heilige, sondern auch sichere Orte, sprich Staatsge-
fängnisse. Die selige Irmingard war übrigens eine Urenkelin
Karls des Großen. So klein kann die Welt mitunter sein: Ein paar
Hektar Land im Chiemsee genügen, um hautnah mit Bayerns
Heiligkeit, Bayerns Kopflosigkeit, Bayerns Renitenz sowie Bayerns seltsamem Verhältnis zu anderen in Berührung zu kommen.

Wobei das Benediktinerinnenkloster nur knapp ein Drittel der
Insel beansprucht und mitnichten die Hauptattraktion darstellt.
Glaubt man den Bildern in diversen Reiseführern und einschlägigen Internetplattformen, so besteht der Rest – der selbstverständlich alles andere als ein »Rest« ist – aus einer atemberau-
benden Mischung aus Dorfidylle und Gemütlichkeit. Natürlich
nur, sofern keine Besucher anwesend sind, die, wenn sie denn da
sind, prinzipiell in Heuschreckenformation über die Insel herfal-
len, weshalb es von jener Dorfidylle und jener Gemütlichkeit der
Insel folgerichtig nur Fotos geben kann. Fotos, auf denen einsame Ufer zu blauen Blicken und einsame Wiesen zu grünen Träumen einladen. Fotos, deren bukolische Intensität fast schon weh-
tut. Fotos, die jeden zivilisierten Romantiker augenblicklich dazu
zwingen, sich auf diese Insel zu wünschen, um dort im dottergel-
ben Spätnachmittagslicht in einem der Biergärten zu sitzen und
mit dem lieben Gott oder ersatzweise einem urigen Eingebore-
nen zu plaudern. Doch ist er dann dort, sind alle dort, und die
Fotos – sind weg.

Was unweigerlich die Frage aufwirft, warum dennoch so viele Menschen die Fraueninsel besuchen? Ist es Naivität? Oder gar vorsätzliche Realitätsverweigerung? Kann man als durchtrainierter, mit allen Wassern der postmodernen Imagewerbung gewaschener Konsument ernsthaft noch an sentimentale Fotos glauben? Und schlimmer noch: Kann man als realitätsoffener, selbstkritischer Wochenendausflügler auch nur für einen Sekundenbruchteil den Gedanken hegen, an einem sonnigen Bilderbuchsamstag ein Ausflugsziel der nicht ganz ungefährlichen Kategorie »oberbayerisches Kleinod« in besinnlicher Einsamkeit anzutreffen? Oder aber geht es dem Gros der Besucher womöglich gar nicht um ein derartiges Unterfangen, sondern lediglich um den banalen Vollzug eines touristischen Rituals, das im geduldigen Abklappern von im Reiseführer aufgelisteten »Sehenswürdigkeiten« besteht? Herrenchiemsee, die andere große Inselattraktion im Chiemsee mit ihrem Märchenschloss, ihrem Schlosspark, ihrer Spiegelgalerie und ihrem »Tischlein deck dich«, liegt quasi »um die Ecke«. Da bietet sich ein Abstecher an. Digitalkameras sind immer hungrig. Warum nicht nach dem verrückten Märchenkönig noch ein bisschen Irmingard und Tassilo auf die Speicherkarte laden, eingerahmt von mittelalterlichem Trödel und einem gut sortierten Klosterladen, der neben Holzkreuzen, Bienenwachskerzen und Meditations-CDs (»Klänge des Labyrinths«) eine beeindruckende Kollektion an Kräuterlikören und Magenbittern führt? »Maßvoll genossen erfreuen sie das Herz und sind der Gesundheit zuträglich«, belehrt ein Schild an einem der Verkaufstresen.

Keine Frage, Romantiker, Wochenendausflügler und Touristen sind grundsätzlich zu allem fähig. Ausgerüstet mit den unterschiedlichsten Motiven suchen sie Glück, Unterhaltung oder Klosterlikör. Und finden sich, sofern sie Frauenchiemsee an einem sonnigen Feriensamstag die Ehre erweisen, doch nur Bauch an Rücken, Rücken an Bauch, mit anderen Romantikern, Wochenendausflüglern und Touristen in einer anonymen, heftig transpirierenden Menschenmasse wieder, welche langsam und geduldig, Schritt für Schritt, voll besetzte Biergärten, voll besetzte Wiesen und voll besetzte Bänke umkreist, immer und immer wieder. Wenn das nicht gaga ist!

Und das Erstaunlichste daran: Sie tun es ohne Murren, ohne Klagen, ohne Anzeichen von Protest. Friedlich, fast meditativ, umrunden sie das ovale Eiland zehnmal und öfter. Blickt man in ihre Gesichter, so entdeckt man nur höchst selten Groll oder Hader, ja noch nicht einmal die Schatten stiller Resignation. Im Gegenteil: Die meisten Gesichter präsentieren sich erstaunlich aufgeräumt, egal, ob sie aus Bayern, Brandenburg oder Asien stammen. Nicht nur der Schweiß glänzt in ihnen, sondern auch ein gewisses unterschwelliges Behagen. Gut möglich, dass sie subliminal ihr Kreisen genießen, dass ihr orbikulares Gehen sie gar in eine Art Trance versetzt, in der sie ebenso deutlich wie verschwommen etwas zu erahnen vermögen, was sich durchaus »bayerisch« anfühlt. Auch wenn dieses »Bayerische« weder im Gewand historischer Sehenswürdigkeiten noch als ländliche Pittoreske in Erscheinung tritt und auch auf keiner Landkarte lokalisiert und in keinem Text dezidiert nachgelesen werden kann, so ist es doch ganz offensichtlich fähig, Geist und Gemüt sowohl von Bayern als auch von Nichtbayern auf geheimnisvolle Weise zum Drehen zu bringen.

3. Im DEZ

Verlassen wir an dieser Stelle Frauenchiemsee und seine geheimnisvoll kreisenden Massen und beamen wir uns in den Norden der einstmals Freien Reichsstadt Regensburg, nach Weichs und ins dortige DEZ. Was immer das DEZ soziologisch und mentalitätsgeschichtlich ist, es ist mit hundertprozentiger Sicherheit kein »bayerisches Kleinod«, sondern genauso öde wie alle Einkaufszentren in Deutschland, Europa und weltweit. Eine gewisse Berühmtheit besitzt das DEZ, das Donau-Einkaufs-Zentrum, lediglich insofern, als es, 1967 gegründet, zu den Pionieren der Langeweile in Deutschland gehört. Auf einer Mietfläche von 82 000 Quadratmetern befinden sich 135 Handels- und Dienstleistungsunternehmen, die täglich von gut 30 000 Konsumenten besucht oder besser »frequentiert« werden. Mit Bayern hat das DEZ weniger noch als der Marmorkuchen mit Carrara zu tun.

Und natürlich ist auch das Konsumieren, ästhetisch betrachtet, keine spezifisch bayerische Tätigkeit. Konsumenten sehen weltweit alle ziemlich gleich aus: hektisch und eckig. Während die Konsumartikel einfach nur Dinge sind, die träge und selbstgefällig in ihren Regalen oder Vitrinen liegen, besteht die Rolle des Konsumenten darin, wie ein Clown kreuz und quer zwischen ebendiesen Regalen oder Vitrinen umherzuirren. Je länger und intensiver er dies tut, desto mehr verliert er seine natürliche menschliche Gestalt und wird – hektisch und eckig.

Sehr anschaulich lässt sich das Verhältnis zwischen Dingen und Konsumenten auch in den zahlreichen Schnellimbissen studieren, die in Einkaufszentren wie Schimmelpilze wachsen. Tote, träge Nahrungsmittel werden dort von hektischen Kiefern zu unförmigem Brei zermalmt und von ungeduldigen Kehlen gierig verschluckt. Fast scheint es, als würden sich die Konsumenten derart an den Fressalien für ihr deformierendes Herumirren rächen wollen. Vergeblich freilich, denn das Bild, das die Besitzer jener Kiefer und Kehlen bei ihrer vermeintlichen Vergeltungsaktion abgeben, ist – hektisch und eckig.

Dies fällt immer dann ganz besonders grausam auf, wenn sich, wie und warum auch immer, ein Nichtkonsument in einen DEZ-Schnellimbiss verirrt und dasitzt, als befände er sich nicht in einem hektischen, eckigen DEZ-Schnellimbiss, sondern in einem runden, sonnigen Biergarten, allein mit sich und seinem Weißbier. Keine Frage, so ein Typ kann nerven. Nicht nur, weil er stundenlang einen nicht für das stundenlange Verweilen vorgesehenen Schnellimbiss-Sitzplatz blockiert, sondern auch und vor allem, weil seine kantenlose Bierruhe beunruhigt. Letztere ist so extrem rund, dass sie alles um sich herum ganz besonders eckig und DEZ-artig aussehen lässt. Andererseits fasziniert er auch. Was macht diesen vor Seelenruhe strotzenden Kerl so unverschämt rund? Und wer ist er überhaupt? Natürlich, er könnte ein Buddhist sein. Aber Buddhisten sitzen erstens nicht oder nur höchst selten vor Weißbiergläsern herum, und zweitens handelt dieses Buch von Bayern, weshalb die Vermutung naheliegt, dass es sich bei unserem vermeintlichen Buddhisten um einen Bayern handelt (einen »bayerischen Sokrates« vielleicht). Eine Kugel ist ein völlig gleichmäßig in sich ruhender Körper ohne Ecken und Kanten. Ein Weißbier trinkender Bayer (beziehungsweise »bayerischer Sokrates«) ist ebenfalls ein völlig gleichmäßig in sich ruhender Körper ohne Ecken und Kanten. Nicht, weil er bis zum Brechreiz mit Lebensmitteln angefüllt wäre und dadurch eine konzentrische Körperform angenommen hätte, sondern weil seine Körpersprache, seine Gesten rund sind. Letztere sind rund, weil ihr Mittelpunkt, die Seele, in einer stabilen Lage ruht und sich das Gehirn in einer Art Sleep-Modus befindet und somit keine Impulse für hektische oder eckige Bewegungen aussendet. Alles harmoniert mit allem, das Sitzfleisch mit der Sitzunterlage, die Hände mit dem Weißbierglas, das Weißbier mit den Geschmackspapillen. Der unförmige Gedanke, dass auch der Bayer existenziell zur instabilen Gattung der DEZ-Konsumenten gehören könnte (und dies faktisch auch tut), getrieben von stets neuen Bedürfnissen nach neuen Dingen, kann von einer Kugel vor einem Weißbierglas nicht gedacht werden, weshalb man darüber schweigen muss.

Schweigen, um auf einer anderen, höheren respektive tieferen Ebene weiterreden zu können. Selbstverständlich nicht über Konsumartikel oder das DEZ, sondern über Rundes. Zum Beispiel über ... die Zeit. Für den Sokrates-Schüler Platon war die Zeit einst nur ein schwaches Abbild der Ewigkeit. Über ihre grundsätzliche Gestalt machte er keine genaueren Angaben. Für Christen, Marxisten und Kapitalisten hingegen besitzt die Zeit eine ziemlich eindeutige Gestalt: Sie ist eine Linie, eine ansteigende Linie. Am Anfang erschuf Gott die Welt, am Ende wird er sie richten. Am Anfang verdinglichte der Herr den Knecht, am Ende wird der Sozialismus die Menschheit von allen Klassen und Rassen befreien. Am Anfang sammelte der Mensch Beeren, am Ende wird er im Apple-Store digital rundum versorgt werden. Auch im DEZ ist die Zeit eine ansteigende Linie: Ein Sonderangebot jagt das nächste; und wer morgen noch mehr konsumieren will, muss heute schon ordentlich zugreifen.

Unseren runden, seelenruhigen Bayer scheint das nicht zu interessieren. Auf die Frage, was er als Nächstes zu tun beabsichtige, würde er ganz bestimmt keine Einkaufsliste präsentieren. Höchstwahrscheinlich würde er nur freundlich grinsen und uns sodann mit einem alten Beckenbauer-Klassiker beglücken: »Schaumamal!« – »Schaumamal« heißt sinngemäß übersetzt: Es kommt, wie es kommt; und wenn's anders kommt, kommt's auch! Der reine Nettoinformationsgehalt von »Schaumamal« deckt sich in etwa mit der Geste des Schulter- beziehungsweise Achselzuckens. Letztere ist eine ritualisierte Ausdrucksbewegung, die angeblich das »Abwerfen einer Last« imitiert. Welche Last wirft der runde Bayer ab? Die Last der linearen Zeit? Muss er die abwerfen? Fühlt er sie überhaupt?

Eine Linie scheint für ihn die Zeit eher nicht zu sein. Und auch kein Fluss, der gnadenlos fließt und jede verpasste Gelegenheit definitiv mit sich fortreißt, sondern eher ein Rad, das sich dreht. Auf Tag folgt Nacht, und auf Nacht folgt Tag; auf Sommer folgt Winter, und auf Winter folgt Sommer. Nach der Wiesn ist vor der Wiesn. Alles wiederholt sich und wird dabei größer und runder. Die Flusszeit führt zum Herzinfarkt, die Radzeit zur heiteren, leicht adipösen Gelassenheit.

Wer dick und gelassen ist, kann warten. Die Redewendung »Schaumamal« appelliert deshalb auch und vor allem an die Kunst des Wartens. So gesehen ist das Achselzucken des gelassen Wartenden keine Geste des Abwerfens, sondern eher eine Geste des Vertrauens in die Radzeit. Dass diese Geste in der heute alles beherrschenden Flusszeit, in der sich die Welt angeblich in fünfzehn Minuten irreversibel verändern kann, mitunter auf Missverständnisse stößt, überrascht nicht. Die Beschleunigung ist zum Tyrannen der postmodernen Existenz (und zum Lieblingsthema vieler Soziologen und Philosophen) geworden. Niemand kann noch mickrige vierzig Minuten auf eine Münchner S-Bahn warten, ohne gleich finstere Mordpläne zu schmieden. Niemand kann noch eine lächerliche Stunde lang in der Warteschleife einer Hotline hängen, ohne dabei einen Heulkrampf zu bekommen.

Der sokratische Radzeit-Bayer kann. Zumindest an guten, an Radzeit-Tagen ... Er kann es, weil er das Warten über Jahrhunderte hinweg systematisch erlernt hat. Das Sein bestimmt das Bewusstsein, heißt es. Das Sein, welches das bayerische Bewusstsein die längste Zeit über bestimmt hatte, war die Agrikultur. Seit den Tagen der Kelten und Römer formte der gezielte Anbau von Nutzpflanzen Leben, Denken und Fühlen der endemischen Bevölkerung. Und er tat dies auch dann noch, als die meisten Nachbarvölker bereits ihre ersten intensiven Erfahrungen mit der urbanen Massenzivilisation hinter sich gebracht hatten. Bayern war und blieb »Bauernland«, das Land der sanft wogenden Rapsfelder, der friedlich vor sich hin dampfenden Misthaufen, der Bauernquadratschädel und der vollbusigen Sennerinnen. Zwar nahm die Zahl der landwirtschaftlichen Betriebe auch hierzulande in den letzten 200 Jahren kontinuierlich ab, dennoch hatte das »soziale Gefüge der ländlich-dörflich-bäuerischen Welt«, so Max Spindler, bis in die Mitte des 20. Jahrhunderts hinein Bestand. Böse Zungen behaupten gar, dass besagte »ländlich-dörflich-bäuerische Welt« bis heute in den Kandidatengesichtern auf den Landtagswahlplakaten von CSU und SPD Bestand habe.

Will heißen: Bis heute ist der repräsentative Bayer, zumindest physiognomisch, ein Bauer, ein Pflanzer. Was aber macht ein Pflanzer? Antwort: Ein Pflanzer pflanzt und wartet. Genauer gesagt: Er er-wartet. Sein Warten ist mitnichten ein sinn- beziehungsweise zweckloses Vor-sich-hin-Brüten, sondern eine sehr genau kalkulierte Tätigkeit. Es ist ein produktives Warten. Als in der Radzeit lebendes Wesen weiß der Pflanzer genau, dass sich alles wiederholt, dass auf den Tag die Nacht, auf den Winter der Sommer, auf die Saat die Ernte folgt. Ebendeshalb sät er, ebendeshalb erntet er.

Die Geste des erwartenden Wartens hat indes nicht allein die Gesichter, sondern mit ihnen den gesamten seelischen Apparat des Bayern affiziert. Allein ein so hingebungsvoll pflanzendes, erntendes und sich im Kreis drehendes Volk wie das bayerische konnte beispielsweise jenes imposante Gottvertrauen entwickeln, das im Freistaat bis heute wirksam ist. Um den rechten Glauben musste hier nie ernsthaft gerungen werden, weshalb die bayerische Frömmigkeit stets locker, lustig und allgegenwärtig blieb. Zwar erlitten auch hierzulande einst heilige Männer den Märtyrertod, doch nur, damit ihre Reliquien umso gnadenreichere Wunder vollbringen konnten. Zwar sagen sich auch hier seit einiger Zeit Frauen und Männer von der einzig rechtmäßigen Kirche los, doch nur, um von der gesparten Kirchensteuer den Jahresbeitrag für den einzig rechtmäßigen FC Bayern berappen zu können. Die über die Jahrhunderte gewachsene positive Grundhaltung Bayerns ist unerschütterlich rund.

Irgendwann meldet sich die lineare DEZ-Zeit dann doch wieder zurück: Flauschige Lautsprecherstimmen erinnern freundlich, aber bestimmt an die bevorstehende Ladenschließung und verabschieden sich von ihren »sehr verehrten« und »lieben« Kunden. Man blinzelt ins Grelle und schaut leicht fassungslos den sich leerenden Shoppingkorridor hinunter. Kann das sein? Eingeschlafen im DEZ! Der große Pflanzer und Radzeit-Sokrates ist selbstverständlich längst verschwunden. Also steht man hektisch und eckig auf und hastet Richtung Ausgang.

4. Auf Mauritius

Abwesenheit ist mitunter die beste Form der Anwesenheit. Erst abwesend von einem Ort kann man wirklich beurteilen, was einem ein Ort bedeutet. Erst abwesend lassen sich auch dessen versteckte Eigen- und Abarten erahnen. Heidegger würde sagen: Erst abwesend west der Ort àn. Fritz aus Berlin würde sagen: Erst in Istanbul weiß man, wie gut der Döner bei Tadim am Kottbusser Tor schmeckt!

Weshalb wir an dieser Stelle nicht nach Frauenchiemsee zurückkehren, sondern in den Indischen Ozean, nach Mauritius fliegen wollen. Warum ausgerechnet nach Mauritius? Vor einiger Zeit veranstaltete die Wochenzeitung *Die Zeit* ein faszinierend schräges Gedankenspiel: Die Frage lautete:»Wie müssten die deutschen Bundesländer heißen, wenn sie den Namen eines Landes zu tragen hätten, das genauso hoch beziehungsweise moderat verschuldet ist wie sie?« Als Maßstab wurde die Pro-Kopf-Verschuldung veranschlagt. Brandenburg entpuppte sich als Slowenien, Sachsen als Jordanien, Bremen als Frankreich und Bayern – mit der bundesweit niedrigsten Pro-Kopf-Verschuldung – als Mauritius.

Doch nicht nur als schräger Schuldenimitator Bayerns taugt dieses idyllische Eiland im Indischen Ozean. Während das kantige Sachsen und das sandige Jordanien zwei ziemlich unterschiedliche Länder sind und einem zu Bremen so gut wie nichts einfällt, was die Heimat von»Kohl und Pinkel« mit dem lukullischen Frankreich verbinden könnte (am ehesten vielleicht noch die sogenannte Bremer Franzosenzeit Anfang des 19. Jahrhunderts, als Bremen acht Jahre lang unter französischer Besatzung stand), können Mauritius und Bayern zumindest eine weitere, sehr markante Gemeinsamkeit vorweisen: Beide besitzen einen hohen Klischeefaktor. Mit seinen Bacardi-Stränden, seinen Martini-Sonnenuntergängen und seinen roten und blauen Briefmarken erfüllt Mauritius zweifelsfrei alle erforderlichen Kriterien für einen erlesenen »Tropical-Island-Traum«. Mauritius steht für bunte Hochglanzexotik im luxuriösen All-inclusive-Ressort. Und Bayern? Den Mangel an Palmenhainen, Hibiskusgirlanden und klebrigen rumhaltigen Getränken gleicht Bayern mit deftiger Nadelwaldromantik sowie würziger Blasmusik aus. Bayerns »Schwarzer Einser« ist ähnlich alt wie die »Blaue Mauritius«. Und wenn Bayern seinen Stimmungsturbo hochfährt, dann blüht der metaphysische Alpenkitsch. Am Westufer des Starnberger Sees sitzend, stammelte der metaphysisch stark angetrunkene Berliner Alfred Kerr einst folgende Worte in sein Notizheft: »Bernried! Unvergessliches – im Schatten alter Bäume; dem Irren und Streben entrückt. Das alte kleine Schloß steht zwischen dem Wasser und ansteigend schweren Wiesen. Das Kirchlein auch. Allerhand Häusel sind hie und da verstreut, jedes mit Blumen, jedes einsam. Die Leut' dort, denk ich mir, leben nicht wach, sondern in einer Art Halbtraum – so schön ist es! Friedvoll und düster zugleich. Vermählung von Herrlichkeit und Trauer. Von Glanz und Dahingleiten!«

Bayern und Mauritius, zwei weltberühmte Klischeefabrikate, knapp 9000 Kilometer voneinander entfernt: Für den Bayern ergibt sich daraus die interessante Möglichkeit, in der Fremde gewissermaßen zu Hause zu sein. Auch wenn diese Fremde weder jodelt noch Wadlstrümpfe trägt, präsentiert sie sich in ihrer Klischeehaftigkeit doch sehr bayerisch. Wodurch der Bayer am anderen Ende der Welt erlebt, wie herrlich die Welt sein kann, wenn sie genau so ist, wie man glaubt, dass sie sein müsse: Bacardi-Strände, Martini-Sonnenuntergänge, rote und blaue Briefmarken ... So oder so ähnlich und doch ganz anders muss sich der Nichtbayer fühlen, wenn er an einem lauen Sommerabend entspannt durch Bernried flaniert oder die Fraueninsel umkreist.

Apropos »umkreisen«: Sowohl auf Mauritius als auch in Bayern kann man sich so richtig rund fühlen. Sowohl auf Mauritius als auch in Bayern ist es kein Problem, die lineare Zeit vorübergehend zu vergessen und sich ganz der schönen runden und behaglichen Urlaubs-Radzeit hinzugeben. Freilich ist sowohl in Mauritius als auch in Bayern die Zeit nur eine Koordinate im vierdimensionalen Raum-Zeit-Kontinuum. Will sagen: Im Zweifelsfall kann die Zeit noch so rund daherkommen, fühlt sich der dazugehörige Raum wie das DEZ in Regensburg-Weichs an, so bleibt man als Alltagsbayer, vor allem aber als Brandenburger, Sachse oder Bremer, ein eckiger DEZ-Kunde. Andererseits: Gleicht er, der Raum, Frauenchiemsee, so fühlt man sich augenblicklich wie in Mauritius. Wie also muss der ideale Klischeeraum beschaffen sein?

Antwort: »Ganz einfach – so wie Mauritius und Frauenchiemsee.« Legen Sie dazu am besten die Umrisse von Mauritius und Frauenchiemsee einmal übereinander. Was stellen Sie fest? Abgesehen von ihrer Größe – Mauritius umfasst gut 2000 Quadratkilometer, Frauenchiemsee lediglich 15 Hektar – sind sie fast deckungsgleich. Bei beiden handelt es sich um relativ ovale, fast runde Gebilde mit einem etwas spitzeren Norden und einem etwas bauchigeren Süden. Beide sind von Wasser umgeben. Beide sind Juwelen. – Zufall?

Natürlich nicht. Die runde Zeit braucht den runden Raum. Nur in dieser Konstellation lässt sich etwas so Rundes wie Behagen generieren beziehungsweise konservieren. Behagen ist Zuflucht. Nur im Runden fühlen sich die Triebkräfte der Zurückgezogenheit wohl. Nur das Runde bietet jenen intrauterinen Schutz, den die Tiere in ihren vorzugsweise runden Behausungen oder Nestern empfinden. Das runde Nest, der runde Nestraum, verspricht Geborgenheit im Vertrauten, im Klischeehaften. »Das Nest-Haus ist niemals jung«, heißt es in der berühmten *Poetik des Raumes* des französischen Philosophen und Literaturtheoretikers Gaston Bachelard. »Man kehrt dahin zurück, man träumt davon zurückzukehren, wie der Vogel in sein Nest zurückkehrt.«

Kehren wir, an einem Traumstrand am Indischen Ozean liegend, wie ein Vogel nach Bayern zurück. Trotz seiner Landesfläche von gut 70 000 Quadratkilometern ist Bayern extrem kleinräumig. Bayern gilt innerhalb Deutschlands als Flächenstaat, tatsächlich jedoch ist es eine Art Nest, genauer gesagt: eine dichte Ansammlung von Nestern, jedes mehr oder minder kreisrund und mit einem Kirchturm in der Mitte. Selbst die Landeshauptstadt, bekanntermaßen eine der am schnellsten wachsenden Metropolen Europas mit dem Mietpreisniveau eines Juwelierhändlers an der Fifth Avenue, ist ein Nest und wird immer ein Nest bleiben. Man positioniere sich nur einmal an einem beliebigen Samstagvormittag in ihrem merkantilen Zentrum, auf dem Viktualienmarkt. Der Viktualienmarkt ist extrem teuer und wird von vielen Kaschmiranzugträgern und Innenstadtyuppies regelmäßig heimgesucht. Sein Angebot an exotischen Früchten und Gewürzen, die mit Bayern absolut nichts zu tun haben, ist beachtlich. Der Versuch, mit einem Marktbesucher ins Gespräch zu kommen, ist nur möglich, sofern man Japanisch, Chinesisch oder wenigstens Südstaatenamerikanisch beherrscht. Und trotzdem imitiert alles hier ziemlich überzeugend ein Nest: der runde Platz, die Häuser rundherum, die niedrigen Buden und Stände, die runden Marktweiber, der extrem burschikose Ton, mit dem besagte Marktweiber ihre Kunden verwöhnen, die unter alten Rosskastanien stehenden Biertische, an denen die Zeit zu vertrödeln so behaglich ist, dass man sitzen bleibt und sitzen bleibt und sitzen bleibt ...

Und schon befindet man sich wieder an einem tropischen Bacardi-Strand, flach hingestreckt, liebkost von UV-Strahlen und angenehmen Gedanken, im Ohr die Geräusche der Meeresbrandung und den Sprechgesang gut gelaunter Strandhändler, die einem bunte Badetücher, Kokosnüsse und bunte Briefmarken feilbieten. Nestraum und Radzeit paaren sich in Herz und Seele, und heraus kommt ein behagliches Grunzen. Sie ist schon verdammt schön, die Welt, wenn sie so ist, wie sie sein soll. Und weil das Wunderbare meistens nicht allein kommt, hat man plötzlich auch noch eine Vision und begreift, warum in Frauenchiemsee die Massen klaglos im Kreise herumgehen und warum

der »Schaumamal«-Bayer selbst im DEZ eine so gute Figur ab-
gibt, warum nirgendwo anders die Kartoffeln größer sind und die
Misthaufen und Klischees herrlicher dampfen. Der Grund ist
ganz einfach: weil Bayern als Ganzes rund ist! Rund ist die bayerische Radzeit, rund ist der bayerische Nestraum, rund ist die
bayerische Gottesfurcht, rund ist die bayerische Landwirtschaft,
rund ist die bayerische Bierruhe, rund ist die bayerische Wampe,
rund ist der bayerische Semmelknödel.

Semmelknödel? Gibt es auf Mauritius Semmelknödel? »Kaum
irgendwo auf der Welt ist die Palette an indischen, kreolischen,
chinesischen und französischen Menüs größer als hier«, versi-
chert der einschlägige Reiseführer streberhaft. Die *pommes
d'amour*, die Liebesäpfel, freilich sind keine Knödel, sondern stink-
normale Tomaten; und auch die *boulettes chinoises*, kleine frittier-
te Teigkügelchen, besitzen wenig Überzeugungskraft. Zu Sem-
melknödeln verhalten sie sich in etwa so wie Tischtennisbälle zu
Massivholzmöbeln. Ihre Rundheit besitzt kein Volumen, keine
Potenz, keine Substanz. Die chinesische Bulette ist rund, weil es
der Zufall so will. Der Semmelknödel hingegen ist rund, weil es
seine Bestimmung a priori ist. Er ist, im Kant'schen Sinn, ein
Produkt der reinen Geometrie, geboren aus dem reinen runden
Raum und der reinen runden Zeit. Wer in einen Semmelknödel beißt, beißt in Bayern. Und wer zwei Wochen lang keine
Möglichkeit dazu hat, bekommt irgendwann, selbst auf Mauritius, dem tropischen Alter Ego Bayerns – Heimweh! Jetzt heißt
es warten, erwarten. Wem das Runde schlägt, der muss tapfer
sein ...

5. In Fröttmaning

Zu den großen weltberühmten Manifestationen des Runden gehört in Bayern neben dem Semmelknödel beziehungsweise seinen Derivaten – dem Kartoffel-, dem Leber-, dem Speck- und

dem Zwetschgenknödel – noch ein weiteres Phänomen, das man sehr leicht übersieht, da es weder sichtbar noch schmeckbar und begeh- oder betastbar ist. In Mauritius jedoch fehlt es in weiten Teilen des Landes, weshalb es ähnlich wie der Semmelknödel, der keine *boulette chinoise* ist, virulent werden und Entzugserscheinungen auslösen kann. Die Rede ist vom Klang der Kirchenglocken. Der Freistaat ist kirchenglockenklangmäßig hervorragend aufgestellt und ausgerüstet. Von so gut wie jedem Punkt aus lassen sich zur Viertelstunde, zur halben Stunde, zur vollen Stunde, zur Messe am Morgen, zur Messe am Mittag, zur Messe am Abend, zum Angelusgebet, zur Maiandacht und zu den diversen Taufen und Beerdigungen Glocken vernehmen. Fast pausenlos weht ihr Klang über Wiesen und Wälder, durch Schluchten und Täler, unter Autobahnbrücken hindurch und in die Gehörgänge der verzweifelt um Schlaf Ringenden hinein. Und wenn an einem sonnigen, samtig weichen Herbstnachmittag der Anblick Bernrieds und Tausender anderer Dörfer zwischen Aschaffenburg und Berchtesgaden das Auge des Betrachters mit Tränen der Wonne füllt, so fehlt nur noch der sanft vibrierende, summende, sich kreisförmig ausbreitende, runde Klang einer entfernten Kirchturmglocke, und selbst marxistisch-leninistisch durchtrainierte Atheisten fallen andächtig auf die Knie und stammeln: »Heilig, heilig, heilig ...« Wie viele mit glockenförmigen Klangkörpern bestückte Kirchen Bayern genau zählt, weiß allein der liebe Gott. Böse Zungen behaupten: eine pro Einwohner.

Auch Fröttmaning hat eine Kirche, was insofern bemerkenswert ist, als es Fröttmaning selbst eigentlich gar nicht mehr gibt. Das alte, im Jahr 815 erstmals urkundlich erwähnte Dörfchen (»... in loco Freddimaringa ...«) existiert nur noch dem Namen nach. An seiner Stelle befinden sich heute ein Schuttberg, ein Klärwerk, ein riesiges Autobahnkreuz, ein gigantisches Parkhaus für rund 11 000 Pkws sowie ein noch gigantischeres Fußballstadion für den gigantischsten aller Fußballclubs, den FC Bayern München. Natürlich, auch die Münchner »Allianz Arena« ist rund, schrecklich rund sogar. Nicht umsonst wurde sie bereits zu einer der hässlichsten Wettkampfstätten der Welt gekürt. Mit ihrer Schwimmreifenästhetik beweist sie, dass auch in Bayern der schlechte Geschmack niemals in Seenot geraten, geschweige denn untergehen wird. Oberflächlich betrachtet könnte man sie für ein Nest halten, aber das ist sie mitnichten. Ihre Rundheit ist nicht beschützend, sondern totalitär. Sie erzeugt keinen behaglichen, sondern einen geschlossenen Raum, in dem sich eine brüllende Menge ganz auf sich und die 22 Männer auf dem Rasen konzentrieren und alles andere vergessen kann. Diese Rundheit gibt es in ähnlicher Form überall auf der Welt, in London, Madrid, Rio oder Tokio; und sie dient überall dem nämlichen Zweck: dem Zweck des Ausschlusses. Wo ein Fußballstadion steht, heißt die Losung: »Alles andere vergessen und nur noch an das eine Runde denken, das in eins der zwei Eckigen muss.«

Die bayerische Rundheit ist von entschieden anderer Art und Funktion. Weder Frauenchiemsee noch der Semmelknödel wollen ausschließen. Ihr Bestreben ist diametral entgegengesetzt: Sie wollen einladen, animieren, verführen, becircen. Wenn Bierzelte längst wegen Überfüllung geschlossen werden, empfängt Frauenchiemsee seine Gäste immer noch klaglos. Wenn die braune Bratensoße noch so verdächtig grün schimmert, versucht der Semmelknödel trotzdem, eine sexy Pose einzunehmen. Und auch wenn das DEZ seine Besucher in eckige hektische Monster verwandelt, genügt ein rundes »Schaumamal«, und alle 90-Grad-Winkel zerfallen zu Staub. Mit anderen Worten: Bayern ist eine Einladung an die Welt, sich positiv manipulieren zu lassen. Bayerns Rundheit will alle und jeden umarmen. Die flächendeckend effizienteste Art der akustischen Umarmung ist das bayerische Kirchenglockennetz.

Dass die Kirche von Fröttmaning noch steht, gleicht einem Wunder. Seit Fröttmaning zu München gehört, seit 1931, stand sie dem urbanen Fortschritt eigentlich immer nur im Weg. Vor allem nach dem Zweiten Weltkrieg, als man die nördlichen Teile der Stadt mit viel Eifer von einer bewohnbaren Kulturlandschaft in eine unbewohnbare Wüstung umgestaltete, bereitete sie nichts als Probleme: Ihretwegen musste das Autobahnkreuz anders geplant werden, der Schuttberg musste anders gelegt und die Rettungsstraße für die Allianz Arena anders konstruiert werden. Das hat sie nun davon: Die Heilig-Kreuz-Kirche von Fröttmaning, die älteste Kirche Münchens, steht immer noch. Und um sie herum tobt das 21. Jahrhundert in voller Laut- und Lichtstärke: Keine 500 Meter vom Anstoßpunkt in der Allianz Arena entfernt wird sie mal in nuttiges Rot, mal in kränkliches Blau, mal in leichenblasses Weiß getaucht.

Dabei ist sie eigentlich eine ganz schlichte Seele, nichts Besonderes, architektonisch eher eine gedrungene Bäuerin und ganz bestimmt keine schicke Spielerbraut in High Heels. Sich zu profilieren liegt ihr völlig fern, auch wenn der sie umgebende Friedhof in jedem Heimatfilm eine Hauptrolle übernehmen könnte. Gottesdienste finden in ihr nur noch ganz selten statt, im Sommer einmal pro Monat. Dann allerdings ertönen ihre beiden neuen Glocken (die alten, aus dem 15. Jahrhundert stammenden wurden irgendwann geklaut), und wenn man Glück hat, keine Fußballfans grölen, der Verkehr auf der nahen Autobahn ausnahmsweise einmal nicht heult und der Wind richtig steht, so kann man sie, vor der Allianz Arena stehend, aus der Ferne hören.

Zwei Welten prallen dann frontal aufeinander: hier der introvertierte Koloss aus Beton, Stahl und Tetrafluorethylen, dort die wie Seifenblasen durch die Luft schwebenden, sanft verhallenden Glockenklänge; hier das trotz seiner geometrischen Rundheit eckige Monstrum, dort ein gehauchtes, sanftes, fast jenseitiges Lächeln, das den Raum nur für Sekunden erfüllt und gleichwohl akustisch zu entschleunigen vermag. Und schon entkrampft sich das Eckige – selbst in Fröttmaning, wo es so eckig ist, dass es schon wieder rund ist – und wird locker, leicht und auf eine ästhetisch ziemlich komplexe Weise fast schön. Ja, es ist ein Wunder, und es hat keinen Sinn, dieses Wunder zu leugnen:

Bayerns Kirchenglocken können schartige, nachhaltig verwüstete Landschaften mit ein paar Schallwellen harmonisieren und rund machen, müssen folglich substanziell mindestens so rund wie Semmelknödel sein. Quod erat demonstrandum!

6. In Ruhpolding

Der Super-GAU ist erreicht, wenn plötzlich alles nur noch rund ist. Wenn man in einem ganz normalen Wirtshaus sitzt und nur noch kreisende Traumbilder, Trugbilder, Wahnbilder wahrnimmt: Bilder von fröhlichen, fetten Menschen, die in geselliger Runde zusammensitzen und sich kugelige Speisen einführen. Menschen mit voller, runder Gesichtsbildung, starker Nackenmuskulatur und barocken Bauchpartien, gekleidet in fesche Dirndl oder Miesbacher Trachtenanzüge. Menschen, die einander herzlichst zugetan sind, weil sie in einer vokalreichen, mit urigen Diphthongen und rollenden, runden »R«s angereicherten Sprache kommunizieren. Menschen, deren Denkstil feist, deren Problembewusstsein kantenlos und deren Humor ziemlich geräuschvoll ist.

Umrahmt werden diese Menschen von einer fast paradiesischen Flora und Fauna: Edelweiß, Enzian, Geranien, Kuckucksuhren, Flaschenöffner mit Hirschgeweihgriffen, König-Ludwig-Tassen. Ein dichter Ring von Benediktinerabteien, Schützen- und Fingerhaklervereinen sowie bissigen Dackeln sorgt für die Sicherheit, ohne die keine Nestwärme entstehen könnte. Lüftlmaler, Herrgottsschnitzer sowie sandalentragende Mundartdichter kämpfen im Schichtbetrieb für den Stillstand der Zeit. Großkarierte Tischdecken, runde Soßenflecken und die Dekolletés übergewichtiger Kellnerinnen unterstützen sie dabei. Und über allem thront, zur höheren Ehre Gottes und der bayerischen Tourismusindustrie, das mit locker-leichten Sahnewölkchen bestückte Blau des bayerischen Himmels.

Kurzum: Der Super-GAU ist erreicht, wenn man sich, wie und warum auch immer, nach Ruhpolding verirrt hat, in die Hölle des bayerischen Paradieses. Mindestens eine Million Menschen aus aller Welt tun dies Jahr für Jahr. Ruhpolding lebt zu 80 Prozent vom Tourismus. Zum Vergleich: In Venedig sind es lediglich 50 Prozent. Schuld an dieser Bayern gewordenen Katastrophe soll angeblich ein gewisser Josef Lumberger gewesen sein, der einem gewissen Carl Degener 1932 den arglosen, gleichwohl verhängnisvollen Rat gegeben hatte: »Wenn du mal einen schönen Urlaub machen willst, dann fahr nach Ruhpolding!« Josef Lumberger war damals der Wirt der Bahnhofswirtschaft von Landshut, Carl Degener ein Berliner Reisebüroinhaber, der sich darauf spezialisiert hatte, Preußen in großer Stückzahl von Berlin ins österreichische Golling und zurück zu transportieren. Da er bei seinen Reisen nach und von Golling stets in Landshut umsteigen musste, hatte er dort den Bahnhofswirt Josef Lumberger kennen- und schätzen gelernt. Als der böse Hitler 1933 Österreich seine Muskeln zeigen wollte, indem er den deutschen Österreichtourismus mit einer »Ausreisegebühr« von 1000 Mark pro Nase belastete, suchte Carl Degener, der seine 79-Mark-Wochenurlaube in Gefahr sah, nach einer deutschen, sprich bayerischen Lösung des Problems und erinnerte sich an – Josef Lumbergers Tipp.

Und so kam es schließlich zum Ernstfall: Am 22. Mai 1933, kurz vorm Zwölfuhrläuten, klingelte beim Goldschmiedemeister Kögel in Ruhpolding das Telefon. Am Apparat war Carl Degener, der sich erkundigte, ob das Dorf in der Lage sei, kurzfristig 500 Berliner aufzunehmen und sie mit Nahrung, Blasmusik und Schuhplattlerdarbietungen zu versorgen. Das Dorf kratzte sich kurz am Kopf und telegrafierte knapp zurück: »Ruhpolding einverstanden.« Seitdem geht es rund in Ruhpolding – und nicht nur dort, sondern auch überall anderswo, wo man leichtsinnigerweise die Herausforderung angenommen hat, sich 500 Berlinern (sowohl die Zahl »500« als auch das Nomen »Berliner« sind hier metaphorisch gemeint) in vermeintlich typisch bayerischer Rundheit zu präsentieren. Seitdem ist alles rundherum rund: die Maßkrüge, die Bierfilzl, der Klosterlikör, die Weißwürste, die Lederhosen, die Wiesn, die Volksmusik, die CSU, der Bayerische Rundfunk, die bayerische Schulpolitik, die bayerische Umweltpolitik, die bayerische Polizei, die bayerische Justiz, die bayerische Schweinefleischindustrie etc. pp. Aus Bayern wurde ein – Porno.

»Liebesgrüße aus der Lederhose« hieß der erste Bayernporno 1973. Und er war – wen wundert's? – ein ebenso runder Erfolg wie Ruhpolding 1933. Das Rammeln im Heuschober oder in karierter Bettwäsche simulierte Nestwärme, die abgestandenen Witze Radzeit. Einer der letzten »großen« Lederhosenfilme erschien 1992 und hieß »Kokosnüsse und Bananen«. Er spielte nicht auf Mauritius. – Oder doch …?

Essentials

Zweites Kapitel, in dem wir zusammen mit dem amerikanischen Präsidenten Urviechern, Klostergärtnern, Ketzern, Bierrebellen, Lederhosenlätzen und Nazidirndln die Hand schütteln.

1. Im Erdinger Moos

G7-Gipfel in Bayern: Der Franz-Josef-Strauß-Flughafen, einer der größten Hubs Europas mit jährlich vierzig Millionen Passagieren, ist mit gefühlten vierzig Millionen Polizisten, Scharfschützen und Secret-Service-Mitarbeitern bis auf den letzten Quadratmillimeter ausgefüllt. Von einem noch etwas verschlafenen Sommerhimmel lacht eine frisch polierte Morgensonne herab und verwandelt die Tragflächen der soeben gelandeten Air Force One des amerikanischen Präsidenten in bedrohlich aufblitzende, überdimensionale Fleischermesser. Die Nerven aller Beteiligten vibrieren. Doch dann ist es endlich so weit: Die vorgesehene Parkposition ist erreicht, die Gangways werden angedockt, die vordere Türe öffnet sich, die vierzig Millionen Sicherheitskräfte, die Honoratioren und der rote Teppich nehmen Haltung an, und schon tänzelt Mister Obama im schwarzen Maßanzug lächelnd die Stufen herab, direkt in die Arme des bayerischen Ministerpräsidenten. Keine Frage, hier findet Weltgeschichte statt: Horst und Barack *face to face!*

Noch leicht benommen wendet sich der Präsident alsdann dem roten Teppich zu. Er weiß, was er jetzt üblicherweise zu tun hat: Hände von Ministern, geistlichen Würdenträgern, militärischen Ordensträgern und anderen wichtigen Funktionsträgern ergreifen, kurz drücken und schütteln. Doch nein, was ist das? Die ihm entgegengestreckten Pranken lugen nicht aus Nadelstreifenanzügen, Uniformen oder Kirchengewändern hervor, sondern aus grauen Trachtenjankern. Und auch die aus den Krägen besagter Trachtenjanker emporragenden Köpfe schauen nicht aus wie die von Staatssekretären, Kardinälen, Generälen oder Steuergeldvernichtern, sondern wie ... ja wie eigentlich? Während sich Obama noch leicht verwirrt fragt, wo er hier genau gelandet ist, macht die Zeit auch schon einen verrückten Salto, rollt sich dabei im Flug zusammen und verwandelt den riesigen Airport mit seinen vierzig Millionen Besuchern und Polizisten und seinen 380 000 Flugbewegungen pro Jahr für ein paar Millisekunden in das, was hier war, bevor hier überhaupt irgendetwas war: in eine vorsintflutliche Moorlandschaft, über der allein der Geist Gottes in alttestamentarischer Weise schwebte. Wüst und leer war das Land, Finsternis lag über dem Abgrund. Bis schließlich eine Trachtengruppe mit dem Namen »die Bajuwaren« vorbeikam und sich häuslich niederließ.

Wie gesagt, das Ganze dauert nur einige Millisekunden, dann hat auch der amerikanische Präsident begriffen, dass hier lediglich eine amtlich zertifizierte Eingeborenentruppe zur Begrüßung einbestellt wurde. Als gebürtiger Hawaiianer hat er keine Probleme damit. Ein bisschen Folklore gehört zur Show, für Amis nicht der Rede wert. Wahrscheinlich ist Obama am Ende nur heilfroh, dass die Trachtler nicht plötzlich zu jodeln begannen und in Schuhplattlermanier wild um sich schlugen. Wie leicht hätte das zu einem Missverständnis bei seinen stets schussbereiten Bodyguards und Secret-Service-Mitarbeitern führen können. So aber war alles okay, und die zwei Dutzend Hände waren schnell absolviert.

Und trotzdem war es kein Spiel, das hier stattfand, sondern blutiger Ernst. Zumindest aus bayerischer Sicht. Tracht ist in Bayern grundsätzlich kein Scherz, sondern immer ein Glaubensbekenntnis. Wer eine bayerische Tracht trägt, ist entweder ein »Saupreiß« und insofern weder zurechnungs- noch satisfaktionsfähig oder aber ein sich zum bayerischen Mythos bekennender, ernsthafter Patriot. Wie jeder Mythos erzählt auch der bayerische Mythos eine Geschichte, genauer: eine Geschichte über die Geschichte. Und die geht wie folgt:

Am Anfang war Gott. Dieser erschuf die Bajuwaren, eine monotypische Gattung Mensch. Diese bevölkerten Bayern, eine monotypische Gattung Land. Da die Bayern frömmer noch als fromm waren und viele Klöster und Kirchen bauten, beschenkte sie Gott mit Bier und einem schlauen Verstand. Mit Letzterem kreierten sie die bayerische Tracht und zahlreiche andere Dinge, darunter den ersten BMW. Von da an ging's mit Vollgas voran, und ehe man sich's versah, stand man auch schon auf einem riesigen Airport und blickte auf etwas absolut Göttliches zurück: auf 1500 Jahre bayerische Geschichte!!

Da dieser Mythos mit starken Schlüsselreizen arbeitet, ist er äußerst wirkmächtig und omnipräsent im Land. Es braucht nur einen Schluck Bier, und jeder bayerische Patriot denkt sofort an Klöster, Biergärten, Reinheitsgebot und 1500 Jahre Geschichte. Ein Dirndl im Blickfeld, und jeder denkt ebenfalls sogleich an Reinheit, Lederhosen, Bier und 1500 Jahre Geschichte. Sitzen eine Lederhose und ein Dirndl in einem BMW, sind erstens jene legendären zwei Maß Bier, die laut Altministerpräsident Günther Beckstein der allgemeinen Fahrtüchtigkeit keinerlei Abbruch tun, gedanklich unmittelbar präsent und zweitens die 1500 Jahre bayerische Geschichte, die wie keine andere die urige vormoderne Dirndl- und Lederhosenwelt mit der postmodernen, globalisierten BMW-Welt aufs Harmonischste verbindet. Steht ein Trachtler auf dem Vorfeld des Münchner Großflughafens, so kollabiert die Zeit, und der Trachtler mutiert für Millisekunden zu einer 1500 Jahre alten Ikone. Zum Vergleich: Ein Berliner auf dem Willy-Brandt-Flughafen erinnert nur an einen Witz. Man könnte diese assoziativen Verknüpfungen obsessiv nennen. Man könnte sich aber auch an den alten scholastischen Lehrsatz erinnern, der da lautet:»Bonum est diffusivum sui«, was so viel bedeutet wie:»Das Gute hat die unmittelbare Tendenz, sich auszubreiten.« Der bayerische Geschichtsmythos hat diese Tendenz, also ist er gut und rund.

2. Bei Augsburg

Er besitzt lediglich einen Nachteil: Die bayerische Geschichte hat mit dem bayerischen Geschichtsmythos absolut nichts zu tun. Um es klar und deutlich zu sagen: Nichts spricht dafür, dass der liebe Gott jemals auf die Idee gekommen wäre, Bajuwaren zu erschaffen. Weder theologisch noch faktisch sind derlei Vermutungen haltbar. Zwar kennt die Bibel »Völker« beziehungsweise »Stämme«, doch von einer dezidierten Erschaffung dieser durch Gott weiß sie nichts. Völker beziehungsweise Stämme verdanken sich, wie in der Antike üblich, so auch in der Bibel sogenannten Stammvätern. So stammen die Hellenen von Hellen (nicht zu verwechseln mit »dem Hellen«, einer strohgelben Biersorte) ab, die Römer von Mars (dem Gott, nicht dem Riegel) und die Juden von Abraham und dessen Mischpoke. Gibt es insofern wenigstens einen großen Urbayern, ein wie auch immer geartetes »Urviech« aller Bayern?

Um es gleich vorwegzunehmen: Franz Josef Strauß war es nicht, auch nicht der Märchenkönig und erst recht nicht Garibald I., der mutmaßlich erste Herzog Bayerns, geboren irgendwann nach dem Jahr 500 n. Chr. Seinen Mitte des 6. Jahrhunderts erhaltenen Herzogtitel verdankte er weder sagenhaften Kräften noch himmlischen Mächten, sondern allein einem fränkischen König aus dem Geschlecht der Merowinger. Für stolze Bayern oder Bajuwaren keine sehr schmeichelhafte Legitimation. Und als Garibald vierzig Jahre später seines Throns dann wieder verlustig ging, sollen angeblich erneut die Franken ihre Finger im Spiel gehabt haben, was die Sache nur noch peinlicher macht. In der Gattung der spätantiken Politiker, so viel lässt sich insofern reinen Gewissens sagen, braucht man den großen urbajuwarischen Stammvater nicht zu suchen.

Wo aber dann? Vielleicht auf der Straße, mitten im Volk, dort, wo seit jeher das Urige angeblich ganz besonders intensiv zu Hause ist? Zu den allerersten schriftlichen Quellen, in denen unzweifelhaft von »Bayern« beziehungsweise »Bajuwaren« die Rede ist, gehört der Reisebericht eines italienischen Dichters namens Venantius Fortunatus, in Fachkreisen auch als der »letzte römische Dichter der Spätantike« und der »erste Dichter des Mittelalters« bekannt. Dieses italienische Übergangsphänomen war sehr fromm, weshalb es zwischen 565 und 571 eine Wallfahrt zum Grab des heiligen Martin nach Tours an der Loire unternahm. Seine elegante Dichtkunst und sein südländischer Charme öffneten ihm auf dieser Reise viele aristokratische und bischöfliche Tore. Überall gewährte man ihm freundlichst Zutritt. Allein in Augsburg, wo Venantius das Grab der heiligen Afra besuchte, stand plötzlich ein »Baiovarius« auf der Lechstraße und versperrte ihm breitbeinig den Weg. Was dieser Baiovarius genau begehrte, lässt Venantius unerwähnt, doch kann man davon ausgehen, dass er auf seinen Forderungen apodiktisch beharrte, er folglich ein extrem sturer Hund gewesen sein muss. Wahrscheinlich begehrte er Wegzoll oder etwas Ähnliches, ob legal oder illegal, wissen wir nicht. Sein harsches Auftreten jedoch zeigt frappante Ähnlichkeiten mit Verhaltensweisen, wie man sie bis heute beispielsweise von bayerischen Türstehern, bayerischen Hausmeistern, bayerischen Polizisten und bayerischen Verkehrsministern her bestens kennt. Hier trat ein Mann in Aktion, der wie ein vorsintflutlicher Monolith in sich ruhte und sich deshalb von nichts irritieren ließ, weder von irgendwelchen Skrupeln noch von italienischem Süßholzgeraspel. Kurzum: ein echter Bayer, wie er im Bilderbuch steht.

Was die Frage in den Raum stellt: Haben wir es bei Venantius' ominösem Baiovarius, wenn nicht mit »dem«, so zumindest mit »einem« bayerischen Stammvater zu tun? Mit einem literarisch fixierten Prachtexemplar jener sagenhaften wilden Kerle aus dem Urvolk der Bajuwaren, das sich am Ende der Völkerwanderung mit nachtwandlerischer Nonchalance an einer der schönsten Stellen Mitteleuropas niederließ und sogleich damit begann, sich Reisenden in den Weg zu stellen und Mautgebühren zu erheben? Wenn das so gewesen sein sollte, woher kam dieser im 6. nachchristlichen Jahrhundert plötzlich und ohne Vorwarnung ins Licht der Geschichte tretende wilde Haufen?

Aventinus, der vielbeschworene »Vater der bayerischen Geschichtsschreibung«, gab vor 500 Jahren eine sehr verlockende Antwort auf diese Frage: Angeblich seien die Bajuwaren einst »aus dem Böhmischen Wald über die Donau in das alte Römische Reich über die alten Christen hergefallen«. »Verlockend« klingt diese Antwort vor allem deshalb, weil sie die Bajuwaren als ein mehr oder minder ethnisch homogenes Volk darstellt, das sich zwar reichlich unchristlich, dafür aber sehr selbstbewusst einen Platz an der mitteleuropäischen Sonne suchte und ihn auch fand. Einem derartigen Volk kann man trotz mancher spätantiker Blutspritzer seine grundsätzliche Bewunderung nicht vorenthalten. Ein solches Volk hat es verdient, bis heute zu wohnen, wo es wohnt, nämlich mitten im »isarflimmernden« Paradies. Weshalb es auch nur noch eine Frage der Zeit sein kann, bis endlich ein Asterix-Band mit dem Titel *Bei den Bajuwaren* erscheint: Obelix fällt in einen Bierkessel und verliebt sich in Gloria von Thurn und Taxis, während Asterix die Zugspitze erklimmt und mit dem dort hausenden Zugspitzgeist das Schafkopfen erfindet.

Alle nichtbayerischen Asterix-Freunde dürfen wir an dieser Stelle beruhigen: Ein solcher Band wird nie erscheinen, da jene »aventinischen« Bajuwaren weder zu Cäsars noch zu anderen Zeiten je existierten. Viel wahrscheinlicher ist es nach gegenwärtigem Stand der Forschung, dass sich nach dem Abzug der Römer aus den Provinzen Raetia secunda und Noricum Ripense alle möglichen Freaks, sprich Reströmer, versprengte germanische Söldner, Sueben, Langobarden, Markomannen, Thüringer, Heruler, Skiren, Slawen, Schlawuzis, Hallodris und polnische Stripteasetänzerinnen ohne rechtsgültige Aufenthaltsgenehmigung hier niederließen und sich so lange reproduzierten, bis die Bevölkerungsdichte ansatzweise Grund dazu gab, von einem »Volk«, den »Bajuwaren«, zu sprechen. Als Zufallsprodukt eines mehr oder minder illegalen Zuzugs waren sie demnach nie eine ethnisch lupenreine, woher auch immer stammende, Christen massakrierende Tätergemeinschaft, sondern eher das, was die bairische Sprache so liebevoll unter dem Ausdruck »Gschwerl« subsumiert: ein Haufen von aus allen Windrichtungen zusammengelaufenen, ziemlich zweifelhaften Subjekten mit anarchistischen Dispositionen! Ein echter Bayer, der heutzutage von »Gschwerl« redet, gleicht insofern einem Mann vor dem Spiegel.

Will man die bayerische Bevölkerung der ersten Stunde etwas blumiger umschreiben, so böte sich freilich auch das Bild einer satten, artenreichen Bergwiese an. Aus vielen unterschiedlichen Krautpflanzen bestehend begrünt sie gleichwohl einheitlich die Flur. Wie meint der Dichter: »Ob Butterblume, Hahnenfuß / Zum Anschaun bist du ein Genuss.«

Bis heute gedenkt der Bayer seiner wiesenartigen Ethnogenese, wenn auch meist subliminal: Sein größtes Bacchanal heißt nicht umsonst »Wiesn«. Besagte Wiesn zeichnet sich freilich nicht durch Sauerklee-, Pfennigkraut- oder Kuckucksnelkenbewuchs aus, sondern durch eine baumartige Mischvegetation, bestehend aus Bierzelten, Geisterbahnen und vollelektronischen Menschenschleudermaschinen. Die Heterogenität ihrer Besucher an einem sonnigen Wiesnsonntag dürfte jedoch in etwa der Bevölkerungsstruktur der ersten Bajuwaren entsprechen. Echte Wald-, Berg- und Parkwiesen sucht der Bayer vorzugsweise dann auf, wenn ihm der Sinn weniger nach alkoholischer als nach meditativer Versenkung steht. Erblickt er in dieser Gemütsverfassung eine sonnenüberflutete, mit weit ausgebreiteten Armen genießerisch daliegende Almwiese, so übermannt ihn schnell ein abgrundtiefes Gefühl der Mattheit, und er kann sich der Erdanziehungskräfte nicht mehr erwehren. Und schon taucht er ab in das grüne Glück, streckt seine Extremitäten behaglich grunzend aus und murmelt nur noch leise: Leck mich am Arsch!

3. In Weltenburg

Bleiben wir auf der Wiese. Wiesen animieren nicht nur zu müßiggängerischen Ausschweifungen, sondern ebenso zur emsigen Bebauung. Auf Wiesen wachsen außer Wiesenschaumkraut, Zahnwurz und Spitzwegerich über kurz oder lang auch Einkaufszentren, Fußballstadien, Atomkraftwerke sowie Kirchen und Klöster. Eines der imposantesten und ältesten Klöster Bayerns ist Kloster Weltenburg. Bereits um das Jahr 700 soll der heilige Rupert, einer der Lichtgestalten der bayerischen Christianisierung, an besagter Stelle eine Klosterkirche geweiht haben, im 8. Jahrhundert führten die ansässigen Mönche erstmals die benediktinischen Regeln ein, Mitte des 11. Jahrhunderts nahm die Klosterbrauerei ihren Betrieb auf. Letztere behauptet heute, die »älteste Klosterbrauerei der Welt« zu sein, was man glauben kann oder auch nicht. Glauben ist eine Frage des Könnens beziehungsweise Wollens, nicht der Wahrheit.

Das Spektakulärste an Weltenburg ist freilich nicht die Brauerei, sondern seine Lage direkt am Kiesstrand der Donau, umgeben von Wasser und steil abfallenden Jurafelsen. Die meisten Touristen, die heute hierherkommen, besuchen das Kloster auf dem Wasserweg. Das Schiff schlängelt sich von Kelheim kommend durch den nahen Donaudurchbruch direkt auf die Fassade des Klosters zu. Der erste Gedanke, der einen dabei touchiert:

Wer hier wohnt, muss nicht nur glauben wollen, sondern auch nasse Füße haben können ...

Perspektivisch wesentlich »trockener« ist der Fußweg vom nahen Ort Weltenburg Richtung Kloster. Dafür aber historisch auch wertvoller: Je mehr man sich nämlich der Spitze der durch die enge Donauschlinge geformten Halbinsel nähert, an die sich das Kloster schmiegt, desto stärker gewinnt man den Eindruck, als wüchse da etwas Gigantisches aus der bayerischen Flora empor. Dieses Etwas ist, rein äußerlich betrachtet, natürlich nichts anderes als der riesige Gebäudekomplex des Klosters, aber eben nicht nur er, sondern auch und vor allem der bayerische Glaube, die bayerische Frömmigkeit. In Weltenburg wächst – und dies ist das eigentlich Monströs-Verrückte an dieser Gegend – der bayerische Glaube noch heute sichtbar im wahrsten Sinne des Wortes direkt aus Wald und Wiese, so wie im frühesten Mittelalter, als iroschottische Mönche, allen voran Emmeram, Rupert und Korbinian, damit begannen, die noch unkultivierte bayerische Völkerwiese christlich zu beackern und zu bebauen. Aus Kraut und Rüben stampften sie und andere mit viel Fleiß sowie der unentbehrlichen Hilfe transzendentaler Mächte etwas Paradiesisches aus dem Boden, einen geistigen, geistlichen und steinernen Überbau, der selbst dem stumpfsinnigsten Heiden Bewunderung abrang und ihn auf die Knie zwang.

Das Epizentrum dieses einmaligen Verparadisierungsprozesses war die Institution Kloster und in diesem vor allem der Klostergarten. Der Begriff »Paradies« geht auf die altiranische Bezeichnung für ein fest umgrenztes oder eingehegtes Gebiet zurück, einen Garten. Der Garten ist die »andere« Natur, die planmäßig separierte, die behütete, die veredelte Natur. Sie ist kein utopischer Ort, kein »Nirgendwo«, sondern ein heterotopischer Ort, ein »Anderswo«. Anderswo, weil außerhalb des Kontingenten, Zufälligen und Planlosen, keine wild wuchernde Wiese mehr, wie es sie letztendlich überall gibt, sondern ein exklusiver Ort, wie er nur innerhalb fester Glaubensmauern gedeiht.

Bayerns Klöster waren standardmäßig mit Klostergärten aus-
gestattet. Noch heute gehören viele von ihnen zu den Highlights
der bayerischen Zivilisation. Der Klostergarten diente dem Anbau von Obst und Gemüse, war also ein Nutzgarten. Gleichzeitig
wurden in ihm Heil- und Arzneikräuter sowie Zierpflanzen kulti-
viert. Dies machte ihn zu einer Art Apotheke, aber auch zu einem
Ort exklusiver Schönheit und in letzter Konsequenz zu einem
Ort der Meditation, zu einem Refugium für Geist und Seele. Im
Klostergarten vereinigten sich Ökonomie, Pharmazie, Ästhetik
und Theologie. Die meist unmittelbar benachbarte Klosterkirche
ist, wenn man so will, sein überdachtes Spiegelbild: ein Ort der
Versenkung, eine Oase der Gottseligkeit, aber auch ein aufwendig inszenierter, mit zahlreichen floralen Ornamenten ausgestat-
teter Schmuckraum sowie eine Apotheke, in der die Seelen der
Gläubigen mit erlesenen Rauschmitteln versorgt werden. Der
unübersehbare Opferstock am Ausgang gemahnt sodann den
Gläubigen, sich für die empfangenen Genüsse im Diesseits pekuniär nützlich zu machen. Diese glückliche Symbiose von Gar-
ten- und Glaubenskultur wirkte über Jahrhunderte hinweg auf
den Bajuwaren ein und transformierte ihn schließlich in einen
gottgefälligen Bayern. Kulturanthropologisch gilt: Der wilde Bajuware verhält sich zum frommen Bayern wie die Wiese zum
Klostergarten.

Rein morphologisch zeigt sich die Klostergartenstruktur heutzutage am deutlichsten in der öffentlichen Grünanlage. Die
Grünanlage ist die meditative Oase des postmodernen Stadtneu-
rotikers. Selbst in bayerischen Kleinstädten breitet sie sich mittlerweile epidemisch aus: Der Hofer Bürgerpark Theresienstein
wurde 2003 von einem amerikanischen Unternehmen für Gar-
tengerätemotoren mit dem Titel »Schönster Park Deutschlands«
ausgezeichnet. 2002 ging nämliche Auszeichnung an den Felsen-
garten Sanspareil in Kulmbach. Einen Zustand paradiesischer
beziehungsweise klösterlicher Entrückung kann man aber mühelos auch im Kurpark von Bad Aibling, im Bamberger Stadtpark

Hain oder im Augsburger Wittelsbacher Park erreichen. Weltberühmt ist der Englische Garten in der Landeshauptstadt, die erste städtische Parkanlage dieser Art in Europa überhaupt. Wer's lieber bunt und infantil mag, besuche den »Bayern-Park« im südniederbayerischen Reisbach, betrieben von der »Freizeitparadies GmbH«. Zu seinen sensationellen Höhepunkten zählen ein Minizoo, eine Trampolinanlage sowie eine Eselreitbahn.

So fleißig die bayerische Grünanlagenkultur an die alten Klostergärten erinnert, viel gravierender für das kulturelle Klima Bayerns war und ist freilich der Klostergarten im Kopf. Seit anderthalb Jahrtausenden bereits sorgt er dafür, dass Bayern seiner selbstgewählten Aufgabe als Bollwerk des rechten Glaubens gerecht zu werden vermag. Eine Führungspersönlichkeit wie Kurfürst Maximilian I. (1573–1651) etwa, dessen Frömmigkeit von meterhohen Mauern umgürtet wurde, war nicht nur einer der Verursacher des Dreißigjährigen Krieges, der auch beflissen Hexen verbrennen ließ, sondern verbot gar seinen oberbayerischen Landsleuten aus religiösen Gründen das Schuhplatteln. Weiter musste jeder Untertan fortan einen Rosenkranz besitzen und fleißig wallfahren. Kein Wunder, dass sich eine derartige religiöse Militanz mit der Zeit in die bayerische Gesichtsphysiognomie einbrannte: »Wenn sie in die Kirche treten / Ist das Herze voller Beten / Voller Andacht das Gesicht ...«, dichtete im 18. Jahrhundert der »arme Poet« Matthias Etenhueber. Bis heute gehört ein frommes »Gschau« zu den Hauptqualifikationen für eine erfolgreiche Karriere in bayerischen Institutionen. Im öffentlich-rechtlichen Klostergarten des Bayerischen Rundfunks beispielsweise tummeln sich erfrischend viele christliche Simulanten und äußern sich vor laufenden Kameras zu allem und nichts. Geschuldet ist dieses Überangebot sowohl ihrer Gesichtsmuskulatur als auch ihrer Sachkompetenz. Bayerns Theologen gehörten schon immer zur Crème de la Crème der gelehrten Frömmigkeit: Williram von Ebersberg, Albert von Lauingen, Julius Echter von Mespelbrunn, Joseph Aloisius von Marktl genießen weltweit größte Anerkennung. Und auch wenn es laut Artikel 142 Absatz 1 der bayerischen Verfassung selbstverständlich keine »Staatskirche« gibt, werden auf staatlichen und halbstaatlichen Empfängen stets erfreulich viele fromme Gesichter der römischen Kirche gesichtet. Das ist gut so, denn eine gangbare Alternative gibt es nicht. Der bekannte bayerische Volkskundler und »Chronist des bäuerlichen Lebens« Joseph Schlicht brachte es vor Jahren bereits auf den Punkt: »Von einem Geist werden wir Menschen regiert. Das weiß der katholische Bayer aus der Glaubenslehre und aus der Erfahrung, die er mit sich selbst und anderen Menschen macht. Regiert uns nicht der Heilige Geist aus den lichten Höhen des Himmels, so regiert uns dafür der unheilige Geist aus den dunklen Tiefen des Abgrundes.«

4. Unter dem Pflaster

»Unter dem Pflaster liegt der Strand« lautete eine spätneuzeitliche Sponti-Weisheit. Unter dem Pflaster des bayerischen Klostergartenkatholizismus liegen die »dunklen Tiefen des Abgrunds«, auch »Hölle« genannt. Einen besonders tiefen Eindruck auf alle potenziellen bayerischen Sünder machten im 17. Jahrhundert die Ausführungen des Barockpredigers und Augustiner-Barfüßers Abraham a Santa Clara. Dessen *Grammatica Religiosa* zufolge erwarten den Verdammten im Höllenschlund die heißeste Hitze, die kälteste Kälte, der furchtbarste Gestank sowie – grauenvolle, wirbellose Raubtiere: »Wie mehr sich nun der Mensch im Leben mit schändlichen, unnatürlichen und unmäßig großen Lastern versündiget hat; je mehr wird er in jener Welt von den wunderseltsamen, grausamen und entsetzlichen Würmern zerbissen werden.«

Abraham a Santa Clara wusste, warum er so dick auftrug: Auch wenn der christliche Glaube hierzulande zweifelsohne fugenrein verlegt worden war, lässt sich nicht leugnen, dass auch der Teufel, wie jeder andere Preuße, in Bayern gern Urlaub macht: So gefestigt die »Durchchristlichung« Bayerns auch war und ist, so intensiv ereilten und ereilen den Bayern immer wieder regressive Schübe heidnischer Verwilderung. Liegt es an seiner »disparaten« Herkunft? Liegt es an seiner Vorliebe, sich in grüne Wiesen zu legen?

Die Rede sei hier weniger von den beiden historischen Großangriffen des Antichristen auf die heilige Kirche, der Reformation im 16. und 17. Jahrhundert sowie der Säkularisation Anfang des 19. Jahrhunderts, bei der über 150 bayerische Klöster von bayerischen Behörden mit großer Hingabe enteignet wurden. Auch wollen wir hier nicht näher auf die grausamen Details beim von Bajuwaren im Jahr 652 verursachten Märtyrertod des heiligen Emmeram (»Heimrammi«) in Kleinhelfendorf südlich von München eingehen. Bleiben wir im Alltag, bleiben wir bei den zahlreichen individuellen Glaubensverirrungen, denen viele Bayern so überraschend mühelos immer wieder anheimfallen. Auch in Bayern tanzt der Teufel auf leisen Sohlen munter durchs Land, auch in Bayern hat das 20. Jahrhundert stattgefunden und mit ihm eine neue Kalibrierung der Werte, weg von den Tröstungen durch die Religion, hin zu den Produkten von Aldi, Ikea und TUI. Der Sonntagsgottesdienst, noch in den fünfziger Jahren alternativlos, läuft heute selbst auf dem Land bestenfalls unter der Kategorie »Freizeitangebote«. Wer noch aus religiösen Gründen fastet, läuft Gefahr, für einen radikalisierten Moslem gehalten zu werden. Entsprechend endet der einst selbstmörderische Versuch, am Freitag Fleisch zu essen, heute nicht mehr tödlich, sondern ist nicht einmal mehr einen Versuch wert. Der Kirchenaustritt, früher ein Superlativ unter den Todsünden und fast so schlimm wie Mord und Totschlag, genießt heute auch in Bayern den Ruf eines beliebten Steuersparmodells. Steuerberater müssen ihre Mandanten laut Gericht ungefragt darauf hinweisen, wollen sie Haftungsgefahren vermeiden. Woraus folgt: Der Glaube ist keine existenzielle Bejahung des Numinosen mehr, sondern lediglich noch ein – nicht ganz billiges – Hobby. Zwar gibt es neuerdings wieder Stimmen, die für das 21. Jahrhundert eine »Umkehrung des Säkularisierungsprozesses« prognostizieren und von einem »neoreligiösen Zeitalter« sprechen, die Frage freilich ist, ob hier seriös diagnostiziert oder lediglich spekulativ »dialektisiert« wird. Fakt ist: Auch in Bayern wissen immer weniger Bewohner die Hypostasen der göttlichen Trinität zu benennen.

Erschwerend kommt hinzu, dass Bayerns Behörden den Kampf gegen den postmodernen Alltagsnihilismus de facto längst aufgegeben haben. Zwar existiert noch so etwas wie das »Gesetz zum Schutz der Sonn- und Feiertage«, das unter anderem Tanzveranstaltungen an Aschermittwochen und Karfreitagen untersagt, sehr nachdrücklich wird es indes nicht zur Anwendung gebracht. Und auch die regelmäßig inszenierten Empörungsaktionen über angeblich verunglimpfte religiöse Gefühle schaffen es selbst im *Bayernkurier* kaum noch auf die erste Seite. Als der ehemalige Ministerpräsident Edmund Stoiber (»das blonde Fallbeil«), von Temperament, Intelligenz und Physiognomie her sicherlich für eine Stelle als Großinquisitor geeignet, 2006 in der *Bild Zeitung* ein schärferes Vorgehen gegen das »Herumtrampeln« auf religiösen Gefühlen in Aussicht stellte, erntete er nicht nur vonseiten der deutschen Bischofskonferenz ein müdes Lächeln. Was waren das noch für orientierungskompetente Zeiten, als Ludwig Thoma zu sechs Wochen Stadelheim verurteilt wurde, nur weil er das bayerische Kirchenpersonal weitläufig mit dem Reproduktionsverhalten von langohrigen Fluchttieren in Verbindung brachte (Stichwort: »Pastoren-Kaninchentriebe«)! Oder allein der erigierte Zeigefinger des legendären Kultusministers Alois Hundhammer genügte, um Werner Egks Ballett »Abraxas« vom Spielplan der Bayerischen Staatsoper zu verbannen! Grund: die zaghafte pantomimische Andeutung eines Koitus zwischen einer Frau und dem Unaussprechlichen.

Als Herbert Achternbusch 1982 mit aller Gewalt versuchte, mit seinem Film »Das Gespenst« in Thomas beziehungsweise

Egks Fußstapfen zu treten, scheiterte er kläglich. Obgleich er mehrfach und mutwillig das Wort »Scheiße« mit dem Erlöser höchstselbst in Verbindung brachte, hatte er keine Chance: Die Anklage wegen Verstoßes gegen Paragraf 166 (»Beschimpfung von Bekenntnissen, Religionsgemeinschaften und Weltanschauungsgemeinschaften«) wurde einfach abgewiesen. Begründung: Achternbuschs Gespenster-Film sei gar kein Film, sondern etwas mehr oder minder Undefinierbares, was unter die »Kategorie des Dürftigen, Läppischen, Albernen und Geschmacklosen« falle: Klappe zu, Hase tot!

Am Ende waren es über tausend empörungsbereite katholische Pfadfinder, die Achternbuschs Böse-Buben-Ehre zumindest unfreiwillig retteten, indem sie bei einer Sühneprozession in München um Vergebung für den Autor beteten. In Stadelheim lachten sie nur laut ...

5. In Amberg

... und noch mehr in Amberg. Zu den Sehenswürdigkeiten der oberpfälzischen Garnisonsstadt Amberg gehört unter anderem eine fast intakte Stadtmauer sowie ein ebensolches Gefängnis. Seit 2013 ist die Amberger Fronfeste ein sogenanntes Themenhotel. Wer eine Schwäche für schwedische Gardinen und gesiebte Luft hat, kann sich entweder in psychotherapeutische Behandlung begeben oder aber im Amberger Knast sehr schick Rast machen: die Nacht für unter 100 Euro inklusive Bad, vergittertem Außenfenster, TV, WLAN und Frühstücksbuffet. Im Jahr 1895 saß dort Oskar Panizza ein Jahr lang sehr unschick in Einzelhaft. Danach war er ein gebrochener Mann.

Leider gibt es heutzutage weder Oskar-Panizza-Schulen noch -Straßen oder -Plätze in Bayern und auch keinen Oskar-Panizza-Preis, sodass er noch immer ein skandalumwitterter Kinderschreck und kein Klassiker ist. Dabei schrieb er eins der baye-

rischsten Stücke überhaupt: Gern wird *Das Liebeskonzil* als
»antikatholische Groteske« bezeichnet, was es auch ist, aber eben
nicht nur. Literarisch betrachtet ist es eher konventionell: ein
fünfaktiges Schau- beziehungsweise Mysterienspiel, »Himmels-
tragödie« genannt. Worum geht's? Der Teufel ersinnt ein Mittel,
das einerseits die Körper der Menschen vergiftet, andererseits
deren Seelen zu reumütiger Verzweiflung animiert: die Syphilis.
Zu diesem Behufe zeugt er eine ebenso hübsche wie höllische
Barbiepuppe, die besagte Epidemie mit viel Hüftschwung und
lüsternem Augenaufschlag unter die Röcke und Kutten der
abendländischen Christenheit bringt. Die Krux an der Sache: Der
Auftraggeber dieser unappetitlichen Angelegenheit ist die göttliche Dreifaltigkeit plus deren weiblicher Annex, die Jungfrau Maria. Grund: Das himmlische Gruppenbild mit Dame fühlte sich
von den Irdischen massiv vernachlässigt.

Was daran bayerisch ist? Zunächst einmal die Reaktion der Behörden, als Letztere noch ohne Multikultiskrupel Gott verteidigen durften. Die Staatsanwaltschaft am Landgericht München I
war begeistert! Endlich mal wieder so ein richtig schönes,
schmutziges, gemeingefährliches, irrenhausbewohnerähnliches,
gotteslästerliches Werk! Endlich konnte man sich wieder einmal
in voller Robe und kugelsicherem Paragrafenkettenhemd als Ver-
teidiger des wahren Glaubens in Szene setzen und seine breite,
väterliche Amtsstubenbrust all denjenigen schützend zur Verfügung stellen, deren religiöse Gefühle sich durch Panizzas Uner-
träglichkeiten brüskiert fühlten.

Dass sich von den zwei Dutzend Münchnern, die das 1894 in
Zürich erschienene Bändchen gekauft hatten, niemand verletzt
fühlen wollte, irritierte den Staatsanwalt zunächst kaum. Erst als
man die Polizei bayernweit und systematisch nach Verwundeten
fahnden ließ und niemanden finden konnte, kam Unruhe auf.
Weshalb man sich schließlich mit der Bitte um Amtshilfe und
dem Vermerk »Sehr dringend!« ans nichtbayerische Ausland
wandte. Und siehe da: Im allerletzten Moment konnte im schö-

nen Leipzig ein Polizist namens Müller eruiert werden, der glaubhaft versichern zu können bereit war, seit der Lektüre des Panizza'schen Dramas eine religiöse Blessur sein Eigen zu nennen. Letztere wurde in München gewogen, vermessen, begutachtet und zu den Akten genommen. Woraufhin der »Königliche Erste Staatsanwalt«, ein gewisser Freiherr von Sartor, endlich hysterisch frömmelnd zu kläffen beginnen durfte.

Und er machte Panizzas *Liebeskonzil* alle Ehre, denn er denunzierte mindestens so katholisch, wie Panizza antikatholisch polemisiert hatte. Was ein bezeichnendes Licht auf die bayerische Frömmigkeit an sich wirft: Ob sie in katholischer oder antikatholischer Spielart in Erscheinung tritt, spätestens wenn sie auf Konfrontationskurs geht, hat sie etwas unangenehm Stures, Engstirniges und Rechthaberisches an sich. Tritt sie katholisch auf, so kennt sie allein Ruhe, Ordnung und Unterwürfigkeit, reitet sie auf einem antikatholischen Pferd, so muss sie auf alles eindreschen, was nur im Entferntesten nach Weihrauch riecht. So oder so, der bayerische Glaube braucht ganz offensichtlich hohe Mauern respektive starke Scheuklappen. Auch wenn sich der Klostergarten dadurch sukzessive in einen Gefängnishof und noch Schlimmeres verwandelt.

In seinen *Amberger Notizen* schildert Panizza seine Eindrücke, als er zum ersten Mal den Gefängnishof der Amberger Fronfeste betrat und sich von »einer Herde eingefangener Gorillas« umgeben sah: »Trotz meines sehr geweckten anthropologischen Interesses konnte ich es wochenlang nicht übers Herz bringen, diese Visagen auf ihre wissenschaftlichen Indices zu prüfen. Nur auf die Schatten wagte ich zunächst meine Neugier zu richten, die mich hier umgaukelten ... Gott! Was ist denn das? Was ist denn das für ein Schatten mit dem krummen Bein da? Diese verzwickte Silhouette? Gott, das bist ja du! Du bist ja auch ein Gorilla. Im Leinenkittel. Und sieh nur, wie die anderen herüberfletschen. Die haben dich längst erkannt! Um Gottes willen ruhig! Ruhig! Wir sind hier auf der zoologischen Station. Es ist hier eine Art Urzustand der Menschheit ...«

Urzustand nach damals bereits 1400 Jahren Christentum? Nehmen wir Panizzas Zoobericht ernst, so können wir nur konstatieren: Fortschritt sieht anders aus. Nehmen wir seine Zustandsbeschreibung nicht ganz so ernst, so müssen wir uns trotzdem fragen, woher diese seltsame Affenbrut stammt. Warum ist der eine ein dumpfer Erfüllungsgehilfe des Status quo und der andere das absolute Gegenteil? Warum vergisst der eine Bayer vor lauter Angepasstheit und Gottgefälligkeit seine Gefängnisexistenz, während der andere an seinem Freiheitsdrang zu ersticken droht? Liegt es wirklich an Gott? Ist er dem Land und seinen Bewohnern gegenüber womöglich beleidigt, weil immer wieder Einzelne gegen seine Produkte (die Bibel, die Kirche, die Heiligen) zu kämpfen versuchen? Sigi Zimmerschied, einer der begabtesten »Enkel« Panizzas (hat nach eigenen Angaben bereits als Vierjähriger Krippenfiguren stranguliert), gab in einem Interview zu bedenken, dass Gott grundsätzlich viel zu groß für kleine Scherze sei und insofern keine Schuld trage. Wer aber dann?

Den bayerischen Ketzern immerhin kann attestiert werden: Sie leiden an hartnäckigen Subordinationsschwierigkeiten. Irgendwie muss sich dieser Gendefekt beim großen Gangbang im 4. und 5. nachchristlichen Jahrhundert in die göttliche Idee »Bayern« eingeschlichen haben. Schon der bereits erwähnte Bayernherzog Tassilo III. litt massiv daran, und das war, lange bevor der Teufel 1495 die Syphilis erfand. Subordinationsbeschwerden gehören somit zu den Kinderkrankheiten des »runden« Bayers. Und sie gehören eindeutig zu den unangenehmsten Erbkrankheiten überhaupt. Immer wieder brechen sie von Generation zu Generation auf und verpfuschen Lebensentwürfe und Lebensläufe. Und brechen sie nicht auf, so steht zu befürchten, dass die armen Kinder der Kinder der Kinder mit hoher Wahrscheinlichkeit irgendwann Mitglieder der Jungen Union werden. »Was dann ...?«, fragt der Erzähler in Prokofjews *Peter und der Wolf*. Und es antwortet der Wolf aus Amberg:

»Das liebste sind mir stets die Feinde,
ihr höhnisch Grinsen, ihre Gier,
was jeder spricht – und was er meinte –
macht stets die größte Freude mir.
Und Freunde, hast du keine Freunde?
Nein, Leser, ich weiß keinen schier!
Für unsereinen ist zu wagen
Das Beste noch in Kampf und Strauß:
Pack deinen Feind nur flott beim Kragen
Und reiß ihm dann die Hoden aus!«

Die gewaltsame Entfernung der Testikel tut verdammt weh. Vielleicht jedoch entspricht dieser Schmerz exakt dem Selbsthass, den ein Volk seit Jahrhunderten inwendig fühlt, das erstens gar kein Volk und zweitens zwar fromm, aber eben nicht wirklich fromm ist. Dicke Eier bekommt der Bayer beim Beten jedenfalls keine.

Als einer der führenden Schriftgelehrten des Volkes mehr oder minder versehentlich zum Bischof von Rom gewählt wurde, sabberten Kirche, Politik und Presse kurzzeitig vor Frömmigkeit. Als sich anschließend herausstellte, dass der Mann nicht übers Wasser gehen und keine Toten auferwecken konnte, sondern »nur« ein strammer Katholik war, ließ der Trubel schnell nach. Und als sich der Schriftgelehrte nach ein paar Jahren in den prämortalen Ruhestand verabschiedete, gab's von allen Seiten viel Lob. Wie sagt der Volksmund? »Bergab schiebn alle Deifi, bergauf huift koa Heiliga!« Vielleicht braucht ein derartiges scheinfrommes Nichtvolk ganz einfach Schreie, Schreie à la Panizza, Schreie à la Thoma, Schreie auch von Achternbusch und all den anderen, die im Zweifelsfall gar nicht schreien, sondern lediglich ratlos die Achseln zucken. Vielleicht muss sich dieses scheinheilige Nichtvolk, so inbrünstig es auch nach Andechs und Altötting wallfahrt, in seinen Ketzern austoben und beweisen, dass es doch noch am Leben ist.

6. Auf der A9, Kilometer 521

Am Leben zu sein heißt in Bayern immer auch, fressen und saufen zu können. Funktioniert die Verdauung, funktioniert das Land. Fressende Hunde beißen nicht, verdauende Landeskinder sündigen nicht. Um einen gewissen Ausgleich in der Ernährung zu erzielen, werden die meist recht schwer bekömmlichen bayerischen Speisen mit viel Flüssigkeit eingenommen, wobei bekanntlich der Gerstensaft als vollwertiger Nahrungsmittelersatz gilt. Die permanente Zufuhr von Bier wird als angenehm, gesund und reinigend empfunden. Mit Bier »schwoabt ma sein Grant obi«, es dient also als natürliches Antidepressivum. Gleichzeitig hilft es gegen Schlafstörungen, ist aber auch ein schneller Energiespender, und das ausschließlich im Hopfen vorkommende Xanthohumol soll nach neuesten Erkenntnissen gar die Nervenzellen im Gehirn schützen und so die Ausbreitung von Alzheimer und Parkinson verlangsamen. Darüber hinaus ist Bier cholesterinfrei und enthält kein Gramm Fett.

Dass ein so gesundes Nahrungssubstitut, in größeren Mengen genossen, auch negative Folgen haben kann, wird in Bayern nicht wirklich zur Kenntnis genommen. Als der ehemalige CSU-Generalsekretär und Strauß-Intimus Otto Wiesheu 1983 unter Alkoholeinfluss auf der A9 bei Kilometer 521 einen Verkehrsunfall mit einem Toten und einem Schwerverletzten verursachte, wurde er zwar zu einer Bewährungsstrafe und einer Geldstrafe von 20 000 D-Mark verurteilt, 1993 jedoch vom Ministerpräsidenten Stoiber zum bayerischen Minister für Wirtschaft und – was sonst? – Verkehr ernannt! Ende gut, alles gut, zumal Wiesheu glaubhaft versichern konnte: »Man kann in der Politik nicht monatelang trocken umeinandlaufen.«

Und so sitzt das fromme Volk der Bajuwaren, ob jung oder alt, arm oder reich, seit uralten Zeiten in riesigen Trinkhallen beieinander und trinkt und trinkt und trinkt … Bier ist ein Glücklichmacher, aber auch ein Gleichmacher, flüssiger Sozialismus, wenn man so will. 1894 schwärmte die *Frankfurter Zeitung:* »Das Hofbräuhaus ist ein besuchter Hauptort für Fremde und Einheimische. Hier gibt es keine Rangunterschiede, keine Standesbevorzugung. Der General oder Oberst sitzt neben dem gewöhnlichen Schreiber, der Collegialdirektor oder Magistratsrath neben dem Packträger, der Geldaristokrat neben dem Proletarier, der Hochadel neben dem Plebejer. Hier allein ist echte Freiheit, Gleichheit, Brüderlichkeit. Hier allein ist das deutsche Volk einig.«

So erbaulich dies klingt, es stimmt – wie die Sache mit den Bajuwaren und deren Frömmigkeit – leider nicht einmal zur Hälfte. Viele der Damen und Herren Generäle, Collegialdirektoren und Geldaristokraten fraternisierten weder beim Schwein noch beim Bier mit der Plebs, sondern saßen an eigenen Tischen, in eigenen Logen, in eigenen Stübchen neben, hinter oder über den Schwemmen des Volkes. Darüber hinaus hat das Bier, das die Menschen im 12. oder 13. Jahrhundert inkorporierten, wenig bis nichts mit dem im 18. und 19. und schon gar nichts mit dem im späten 20. und frühen 21. Jahrhundert zu tun. Die Rede ist hier nicht von den unterschiedlichen Herstellungsverfahren, von malzigsüßlichem Dunkelbier im Unterschied zu stärker gehopften, herberen und kräftiger schäumenden Sorten, sondern von historischen, sozialen und kulturellen Differenzen. Auch wenn es komisch klingen mag: »Das« bayerische Bier gab und gibt es in Bayern nicht, sondern mindestens deren drei.

7. In Dorfen

Bier als alkoholhaltiges Getränk ist uralt, Bier als »flüssiges Brot« hingegen wurde erst von den Mönchen erfunden. Da die benediktinische Ordensregel den Mönchen nur eine feste Tagesmahlzeit während der Fastenzeit gestattete, sannen Kopf und Magen über fromme Alternativen nach. Fünf bis zehn »Zumessungen« an flüssigem Brot durfte der mittelalterliche Mönch pro Tag verköstigen, ohne dem Fastengebot zuwiderzuhandeln. Eine »Zumessung« entsprach in etwa einem Liter. Über den genauen Alkoholgehalt des mittelalterlichen Bieres ist wenig bekannt. Ganz offensichtlich gab es in den Klöstern anno dazumal drei Sorten von Bier: Den Conventus, einen mit Wasser gestreckten Haferaufguss, schenkte man an Pilger und Bettler aus. Der einfache Mönch bekam die Cervisia, einen Sud aus Hafer und Gerste. Äbte, Patres und Promis erhielten die Celia, ein aus Gerste gebrautes Premiumbier. Zehn Celiae am Tag, davon darf ausgegangen werden, transponierten die bayerische Fastenzeit in ein intensives spirituelles Erlebnis. »Wer fastet, ist den Engeln ähnlich«, dozierte der Kirchenvater Basilius, was immer er damit meinte.

Womit wir auch schon beim höheren Zweck dieser Soße wären: Das Bier der Mönche suchte nie die Gemeinschaft mit anderen Menschen, sondern allein die mit Gott. Fasten wendet sich zum Himmel, Fastenbier trinkt sich zum Himmel. Für das einfache Volk waren die klösterlichen Edeldrogen nicht vorgesehen. Von Josef H. Reichholf, einem niederbayerischen Zoologen, Evolutionsbiologen und Ökologen, stammt die spannende These, dass der mittelsteinzeitliche Mensch ursprünglich nur deshalb sesshaft wurde, um das für die Herstellung von Bier notwendige Getreide anbauen und sich sodann mit einem schönen Vollrausch Richtung Transzendenz verabschieden zu können: Ora et pota! – Bete und trinke!

Obgleich bereits Aventinus im 16. Jahrhundert festgestellt hatte, dass der »gemeine Mann Tag und Nacht beim Trunk sitzt«, wurde das Bier erst im 19. Jahrhundert so richtig zum Massennahrungsmittel. Daran hatte zum einen natürlich die Entwicklung der Brautechnik ihren Anteil, vor allem aber das hohe Bevölkerungswachstum jener Zeit. Wohnten um 1818 rund 3,8 Millionen Menschen in Bayern, so waren es um 1900 bereits knapp 6,2 Millionen. Sie alle tranken gern und häufig Bier. Selbst Wochenbettnerinnen blieben da nicht außen vor. Sie bekamen täglich bis zu vier Maß »Heil-Bier« verordnet. Mit der Getränkesteuer des sogenannten »Malzaufschlags« wurde rund ein Zehntel des gesamten bayerischen Staatsbedarfs finanziert. Ein Zeitungskorrespondent brachte es 1865 auf den Punkt: »Ganz Bayern ist ein Bierfass.«

Oder ein Pulverfass: Im Gegensatz zu den Mönchen tranken die Arbeiter, Handwerker und Bauern des 19. und 20. Jahrhunderts keinen spirituellen Energydrink, sondern ein alkoholhaltiges Narkotikum. Die sogenannte soziale Lage gab wenig Anlass zu ausgelassener Lebensfreude. Münchens vermeintlich so gemütliche »alte Zeit« war hinter den weiß-blauen Kulissen auch und vor allem eine Zeit der »Verslummung«. Bier bot sich da als idealer Trostspender, aber auch als gefährliches Aufputschmittel an. Es machte schläfrig, es machte jedoch auch aggressiv. Wenn in Bayern rebelliert oder revoluzzert wurde, war Bier immer irgendwie mit von der Partie: Bei den Märzunruhen 1848, die König Ludwig I. den Thron kosteten, ebenso wie bei der Novemberrevolution von 1918. Erst soff man sich den Frust von der Seele, dann soff man sich revolutionären Mut an.

Kurt Eisner, der nachmalige erste Ministerpräsident von Bayern, hielt flammende Reden in der Unionsbrauerei und der Kolosseum-Bierhalle. Der Mathäser-Keller fungierte als Hauptquartier der Münchner Räterepublik. Dort wurde damals angeblich auch die »Russ'nmaß« erfunden, eine Mischung aus Zitronenlimonade und Weißbier. Sie sollte auf die Genossen ab einem gewissen Quantum deeskalierend wirken. Eher die volle Dröhnung gaben sich später die Braunen. Gegründet wurde die NSDAP im Sterneckerbräu, die erste parteipolitische Rede hielt Hitler im Hofbräukeller. Vom Bürgerbräukeller aus marschierten er und seine Anhänger am 9. November 1923 zur Feldherrnhalle. Ebenfalls im Bürgerbräukeller detonierte am 8. November 1939 der selbstgebastelte Sprengsatz des Möbeltischlers Johann Georg Elser. Hitler, dem das Attentat galt, blieb unverletzt.

In vielen Aufständen zwischen 1844 und 1910 wirkte der Rebellensaft Bier nicht nur motivierend mit, sondern stand sogar im Mittelpunkt der Auseinandersetzungen. Als im Frühsommer 1844 die Maß nicht mehr fünfeinhalb, sondern sechseinhalb Kreuzer kosten sollte, nahmen aufgebrachte Münchner mehrere Kneipen auseinander, bevor sie zur Residenz zogen, den König übel beschimpften und anschließend noch mehrere Polizeistationen und Regierungsgebäude attackierten. Erst die Rücknahme der Preiserhöhung beruhigte die Lage wieder.

Zu den populärsten, weil gern kolportierten Aufständen gehört des Weiteren die Verwüstung des Pschorrbräu in der Münchner Neuhauser Straße im Oktober 1848. Wieder einmal hatte sich der Volkszorn spontan an der staatlichen Bierpreispolitik entzündet, wieder einmal flogen die Fetzen. Nachdem der Mob fachgerecht die Schankstube auseinandergenommen hatte, drang man in die Privaträume der Familie Pschorr ein und leistete auch dort ganze Arbeit. Die Schadenssumme soll sich auf 20 000 Gulden belaufen haben, nach heutiger Kaufkraft gerechnet, mindestens eine halbe Million Euro. Anerkennend notierte ein Augenzeuge: »In den den Brauern gehörigen Häusern blieb kein Fenster bis in den dritten Stock hinauf, keine Thüre, kein Laden, kein Tisch noch Stuhl, kein Ofen noch Uhr, kein Geschirr usw. mehr ganz.«

Großes Aufsehen erregte auch die sogenannte Ein-Pfennig-Zylinder-Protestschlacht von 1888. Austragungsort war der Nockherberg. Unmittelbarer Anlass: Mit der stillschweigenden Einführung der Dreiquartelmaß, einer Maß, die lediglich aus einem Dreiviertelliter bestand, versuchte man eine Bierpreiserhöhung um einen Pfennig zu kaschieren. »Wenn eich wos net passt, dann sauft's a Wassa!«, soll der diensthabende Schankkellner die irritierten Gäste zurechtgewiesen haben. Woraufhin diese zu fortgeschrittener Stunde zuerst den Schankkellner zurechtstutzten und anschließend allen anwesenden Zylinderträgern den Chapeau claque entweder übers Gesicht zogen oder auf dem Kopf zusammenklappten. Die sich daraus entwickelnde Schlacht mit fünfzig eilig herbeigeeilten schweren Reitern forderte auf beiden Seiten mehrere Verletzte.

Doch nicht allein die Landeshauptstadt war Schauplatz imposanter Detonationen der Volkswut; auch in der Provinz krachte es damals regelmäßig. In Erinnerung bleiben die Bierunruhen von Amberg 1859 oder Bamberg 1907. Als man im Sommer 1910 unvorsichtigerweise den Bierpreis gleich um ganze zwei Pfennige anhob, sahen sich die Brauereien in Gars, Rott am Inn, Deggendorf und Osterhofen im Zentrum heftigster Auseinandersetzungen. Am meisten Engagement zeigten freilich die Bewohner von Dorfen, wo bürgerkriegsartige Tumulte ausbrachen und mehrere Brauereien in Flammen aufgingen. Fotografien aus jener Zeit zeigen ein Dorfen, das an Beirut erinnert.

Und heute? Fügt sich Dorfen längst wieder harmonisch in die pittoreske Langeweile des Landkreises Erding ein. Wie überall in Bayern ist auch in Dorfen Bier längst kein Proletensaft mehr. Wie überall in Bayern ist auch in Dorfen Bier heute ein industriell gefertigtes alkoholhaltiges Erfrischungsgetränk neben vielen anderen industriell gefertigten alkoholhaltigen Erfrischungsgetränken. In der Bierwerbung erstrahlt es meist prickelnd frisch, gekrönt mit einem gletscherweißen Schaumhäubchen und umringt von jungen, frenetisch lächelnden Menschen, die alle über einen höheren Bildungsabschluss sowie ein regelmäßiges Einkommen verfügen. Nach Armut und Rebellion riecht Bier heute nicht mehr. Weder in Dorfen noch in Deggendorf oder anderswo in Bayern. Und wenn der eine oder andere Seppelhutträger versucht, auf der Münchner Theresienwiese den *working class hero* zu spielen, wird aus dem alkoholhaltigen Erfrischungsgetränk immer noch kein *working class beer*, sondern höchstens ein Scherzartikel.

8. In Bayrischzell

Apropos »Scherzartikel«, apropos »Wiesn«: Weltbekannt und dennoch ein äußerst dubioses Exponat bayerischer Repräsentationskultur ist die Lederhose. Glaubt man bayerischen Trachtenvereinen, so war und ist die Lederhose die zweite Haut des Bayern, über die Scherze zu machen blutig enden kann. Zur historisch korrekten Bewertung der Lederhose gehört in jedem Fall ein kurzer Besuch in Bayrischzell. Der oberbayerische Ort hat alles, was Bayern ausmacht: viel Natur, viel Jodelarchitektur, viele Berge und viele Gebirgsschützen. Sowohl im österreichischen Erbfolgekrieg als auch während der napoleonischen Kriege wurde hier intensiv geschossen. Das letzte prominente, seinen Schusswunden im Gemeindegebiet von Bayrischzell erlegene Opfer war 2006 »JJ1«, besser bekannt als Bruno, der »Problembär«.

In Bayrischzell wurde freilich nicht nur eliminiert, sondern auch kreiert beziehungsweise konserviert. 1883 gründete dort der Emmeringer Lehrer Josef Vogl den ersten bayerischen Gebirgstrachten-Erhaltungsverein. Der satzungsgemäße Hauptzweck seines »Vereins zur Erhaltung der Volkstrachten im Leitzachtal« bestand in der »Wiederauffrischung der im Verschwinden begriffenen kleidsamen Volkstracht«. Bereits an dieser Stelle stutzt der Hobbylinguist. »Tracht« kommt vom althochdeutschen *traht(a)* und bezeichnet »das, was getragen wird«. Wie aber kann das, was getragen wird, in die missliche Lage gelangen, vor dem Verschwinden bewahrt werden zu müssen? Hier tut sich eine logische Felsspalte auf: Ist eine Tracht im Verschwinden begriffen, so ist sie keine Tracht mehr, sondern schlicht und ergreifend Mode von gestern. Ist sie aber eine Tracht, so muss sie nicht bewahrt werden. Mit anderen Worten: Die bayerische Tracht, deren prominentestes Requisit die Lederhose darstellt, ist spätestens seit ihrer vereinsmäßigen »Wiederauffrischung« keine Tracht mehr, sondern ein Relikt aus uralten Zeiten.

Aus uralten Zeiten? Die Bauern des 16., 17. und 18 Jahrhunderts trugen lederne Pumphosen. Erst Ende des 18., Anfang des 19. Jahrhunderts entdeckten sie die lederne Kniebundhose, sozusagen als ländliches Imitat der höfischen Culotte. Die Tatsache, dass wir Bayern uns heute nicht mit ledernen Pumphosen, sondern mit relativ eng anliegenden Kniebundhosen blamieren dürfen, hat seinen Grund darin, dass just zu jener Zeit Bayern auf Betreiben Napoleons ein Königreich wurde und es seine königlichen Majestäten für angebracht hielten, sich im Windschatten Jean-Jacques Rousseaus für ländliches Leben und ländliche Kleidung zu begeistern. Und was entdeckten Ludwig I., Maximilian II. und Prinzregent Luitpold da zwischen Misthaufen und Plumpsklo? Das bäuerliche Imitat ihrer Culotten! Mit anderen Worten: Die bayerische Lederhose ist ein Imitat eines Imitats, halb höfisch, halb ländlich, das wiederum vom städtischen Bürgertum fleißig kopiert wurde und dadurch zügig zu einem Imitat eines Imitats eines Imitats avancierte, also zu etwas richtig Zünftigem und Urigem, bestens »zur Festigung des Nationalgefühls« (Maximilian II.) geeignet! Als besonders zünftig und urig gelten unter Lederhosenkennern heute die Exemplare aus sämisch gegerbtem, sündteurem Hirschleder, versehen mit aufwendigen Blattstickereien, ganz so, wie sie von der verarmten bayerischen Landbevölkerung zu Beginn des 19. Jahrhunderts massenweise getragen wurden ...

Doch zurück zu Josef Vogl, unserem Lehrer in Bayrischzell. Seine Initiative war im Nachhinein betrachtet insofern keine ganz so obrigkeitshörige Unterstützung von pseudobayerischen Retro-Bekleidungsstücken, als im Mittelpunkt seines Gebirgstrachten-Erhaltungsvereins weniger die lange als vornehmlich die kurze Lederhose stand. Ob lang oder kurz, könnte man an dieser Stelle intervenieren, wo liegt da der Unterschied? Außer dass kurze Lederhosen in Kombination mit zwei krummen Steckerlhaxn vielleicht sogar noch peinlicher aussehen. Genau das jedoch ist der Unterschied: Die katholische Kirche, durchaus geschult in der Bewertung ästhetischer Anblicke, rümpfte reflexartig die Nase. Was sie da sah, beunruhigte sie: nacktes Männerfleisch, und dies nicht kirchlich, sondern vereinsmäßig entblößt, sprich: der moralischen Obhut der Kirche weitgehend entzogen, dafür aber dem anderen Geschlecht visuell umso zugänglicher (sei es auf der Straße, sei es auf dem Tanzboden, sei es beim synchron immer beliebter werdenden Schuhplatteln ...). Für die Kirche stand damals fest: In ihren heiligen Hallen hatten die »Kurzhösler« nichts zu suchen. Und auch bei Prozessionen war die kurze Lederhose, mitunter »Krachlederne« genannt, lange Zeit »Persona non grata«. Noch in den dreißiger Jahren des 20. Jahrhunderts weigerten sich Kirchenvertreter, die Vereinsfahnen von Kurzhosenvereinen zu weihen. Dass sie, die »Kurze«, sich am Ende trotzdem durchsetzte, beweist einmal mehr, wie instabil die bayerische Frömmigkeit in ihren Grundfesten ist.

Die oft lautstark geäußerte Aufforderung, den Bayern die Lederhose auszuziehen, hat insofern durchaus ihre theologische Berechtigung, wird aber nur selten erfüllt. Vor allem in Fußballstadien erklingt sie regelmäßig aus Zigtausenden von Kehlen, und am Ende steht es 8 zu 0 für den FC Bayern München. Nichtsdestotrotz ist sie sowohl aus historischen als auch aus erotischen Gründen legitim. Historisch, weil Bayern nie lediglich eine Tracht trug, sondern mindestens 5822, von denen 5183 Trachten keine Lederhose in ihren Requisiten hatten und insofern den Bayern nie nackt dastehen lassen würden, auch wenn man ihn seiner ledernen Gebirgstracht entledigte. Erotisch, weil es tatsächlich nichts Geileres gibt als eine kurze Lederhose, ein Umstand, der freilich weniger ihrer »Kurzbeinigkeit« als vielmehr ihrem imposanten Latz geschuldet ist. Sicherlich, auch die lange Lederhose ist belatzt, doch ist dieser Latz alles in allem lediglich ein Teil von ihr. Bei der kurzen Lederhose hingegen rückt er eindeutig in den Mittelpunkt des Geschehens, wodurch das Ausziehen derselbigen in einer ganz anderen Dimension stattfindet als beispielsweise das Ausziehen einer Jeans. Ein Mann, der eine Jeans auszieht, ist ein Mann, der eine Jeans auszieht: Ein bisschen Zupfen und Ziehen, und fertig ist die Angelegenheit. Ein Mann hingegen, der eine kurze Lederhose auszieht, ist, ja, sagen wir es, wie es ist: – ein Spektakel. Erst rechts oben, dann links oben, dann das Herabfallen der Zugbrücke, dann die inneren Knöpfe in manierlicher Reihenfolge, dann die Hosenträger, erst den linken, gefolgt vom rechten, und dann – zählt nur noch die Wahrheit!

9. Im Trachten-Outletstore

»Gewohnheit, Sitte und Brauch«, so Voltaire, »sind stärker als jede Wahrheit.«.auf unseren Fall übertragen heißt das erstens, dass sich selbst im Vollrausch nur wenige Bayern von ihren Krachledernen trennen würden, und zweitens, dass viele Krachlederne gewohnheitsmäßig reine Lügen sind. Kaum etwas nämlich taugt so perfekt dazu, gewohnheitsmäßig entstellt zu werden wie vermeintlich echte Tracht. Wer sich nervlich dazu in der Lage sieht, sollte zum Beweis unbedingt einmal einen typischen bayerischen Trachten-Outletstore besuchen, wo neben interessanten Beinkleidern im »Lederhosen-Look« aus 100 Prozent Baumwolle (Modell »Uriger Bua«) sowie Trachten-T-Shirts mit der Aufschrift »Wildsau« oder »Ein Volk, ein König!« auch bizarre Damenkleider feilgeboten werden, die ihre Nähe zu Faschingskostümen nur mangelhaft verbergen können. Aufgrund ihres engen miederartigen Oberteils, ihres hoch angesetzten Rocks, ihres weiten Ausschnitts und ihrer Schürze nennt man sie jedoch meist »Dirndl« und ordnet sie pauschal der Kategorie »bayerische Tracht« zu. Es gibt sie in den verschiedensten Materialien und verwegensten Farbkombinationen, wobei jede Geschmacklosigkeit herzlich willkommen ist. Crossover-Varianten wie das Flamenco-Dirndl, das Gothic-Dirndl oder das superkurze Rotlicht-Dirndl signalisieren darüber hinaus Flexibilität und lebensfrohe Weltoffenheit.

Grundsätzlich abzuraten ist von Diskussionen über die Authentizität dieses Kleidungsstücks, über das sogenannte echte Dirndl. Es existiert nicht. Und das ist gut so, denn anderenfalls müsste man sich womöglich auch Gedanken über die Herkunft des typischen Münchner Wiesn-Dirndls machen und liefe dabei Gefahr, mit der Dirndlexpertin Gertrud Pesendorfer in Kontakt zu geraten. Als »Reichsbeauftragte für das Trachtenwesen« widmete sie sich im Dritten Reich dem »sauberen Dirndl«, das sie von katholischem, jüdischem und fremdländischem »Unrat« zu befreien suchte. Dabei wurden unter anderem die geschlossenen Krägen und die Ärmel beseitigt und mit einem weißen Blüschen unterlegt. Pesendorfer wollte ein bisschen erotisieren, vor allem aber rassistisch uniformieren, was ihr erschreckend nachhaltig gelang. Wer sich heute während der Wiesnzeit in einem Radius von hundert Kilometern um die Landeshauptstadt herum aufhält, kann dem Anblick der Pesendorfer-»Urtracht« kaum entkommen. Die Uniformierungsbereitschaft der postmodernen Weiblichkeit schüchtert dabei ähnlich nachhaltig ein wie die Lederhosenfotos von Adolf Hitler. Mit anderen Worten: Danken wir den zahlreichen Trachten-Outletstores im ganzen Land für ihre kichernden, bonbonfarbenen Fantasy-Dirndl! Sie zeigen, dass dieses Kleidungsstück nicht nur hervorragend standardisiert, sondern zum Glück auch erfrischend subversiv dekonstruiert werden kann.

Womit wir auch schon beziehungsweise endlich wieder auf dem Franz-Josef-Strauß-Flughafen im Erdinger Moos und beim Empfang des amerikanischen Präsidenten durch den bayerischen Ministerpräsidenten wären. Horst Seehofer trägt an diesem denkwürdigen Tag keine Tracht, sondern präferiert, ganz Mann von Welt, den dunklen Anzug. Zur Erinnerung: Der Global Player Franz Josef Strauß trug einst gern Tracht, und auch seine Epigonen Max Streibl und Edmund Stoiber zeigten sich in regelmäßigen Abständen in Loden oder Leder. Zu überregionaler Berühmtheit brachte es dabei ein Foto von Edmund Stoiber in der Trachtenuniform der Gebirgsschützenkompanie Wolfratshausen aus dem Jahr 1993. (O-Ton Stoiber: »Liebe zu Bayern, Liebe zu unserem Glauben, die mussten wir immer wieder mit Waffen verteidigen.«) Nie sah ein Politiker so wehrhaft aus.

Auf friedliche Weise verschmolzen mit ihrem Outfit hingegen wirken die Mitglieder der verschiedenen Trachtenvereine, denen Obama auf dem Vorfeld die Hand schüttelt. Sie füllen ihre Lederhosen und Dirndl so natürlich und unprätentiös aus, wie das nur Menschen können, die wissen, dass ihre Leitkultur seit

1500 Jahren absolut intakt ist. Hier passt kein Altmännerhaar zwischen Tradition und Postmoderne, zwischen Lederhose und Smartphone.

Und übrigens: Dem Vernehmen nach war es die amerikanische Seite, die diese Art von Empfang ausdrücklich bestellt hatte. Keine Frage: Der Mythos lebt!

Sozialverhalten

*Drittes Kapitel, in dem das traditionelle bayerische
Familienleben, die katholische Wirtshauskultur und die
Männerfreundschaft zusammen mit Hammelhoden,
Streichelzoobesuchern und postmodernen Wertorientierungen
in einen Topf geworfen und so lange gekocht werden,
bis nur noch ein Fichtennadel-Feierabendvollbad
Linderung verschaffen kann.*

1. In Landshut

Im schönen und fruchtbaren Niederbayern verkleidet sich alle
vier Jahre mitten im Sommer eine ganze Stadt und spielt mit
kindlicher Hingabe Mittelalter. Wo sonst flotte Businessanzüge
und H&M-Spaghettiträger das Straßenbild prägen, spazieren
plötzlich Kettenhemden, Hellebarden und burgundische Hau-
ben umher. Plausible Gründe, warum die Stadt dies tut, gibt es
nicht, nur ein relativ peripheres Ereignis aus den Katakomben
der bayerischen Geschichte: die sogenannte Landshuter Hochzeit von 1475. Ein Gastwirt und ein Zwiebackfabrikant hatten
zu Beginn des vorigen Jahrhunderts die ebenso abstruse wie vi-
sionäre Idee, besagten Event als Simulation immer wieder zu
inszenieren. Heute gehört die Landshuter Hochzeit neben den
Oberammergauer Passionsfestspielen, dem Further Drachen-

stich sowie den Landesparteitagen der bayerischen SPD zu den spektakulärsten Freakveranstaltungen Zentraleuropas.

Natürlich handelt es sich dabei primär um einen genialen touristischen Werbegag, aber eben nicht nur. In dem Massenspektakel schwingt mehr als lediglich ein bisschen Eventmarketing mit, nämlich die subkutane Faszination des Rituellen, sprich: der Hochzeit, die subkutane Faszination der Bindung, sprich: der Ehe, und die subkutane Faszination der festen sozialen Platzierung in einer Gesellschaft, sprich: der Familie. Je mehr sich eine Gesellschaft individualisiert, pluralisiert und diversifiziert, desto fiktionaler werden diese Rituale, Bindungen und festen Platzierungen. Da wir jedoch gleichzeitig Fiktionen, sprich: »Storys«, sprich: »verrückte Geschichten ohne konkreten Wahrheitsanspruch«, mehr lieben als Protokolle über unseren nur allzu wahren Alltagskram, lieben wir auch Geschichten über beziehungsweise Inszenierungen von Hochzeiten, Ehen und anderen Familienangelegenheiten mehr als die Wirklichkeit – ganz ohne konkreten Wahrheitsanspruch. Willkommen in Landshut!

Mit einer ganz ähnlichen Strategie arbeitet seit Jahren schon die CSU, wenn sie in einer immer heterogener werdenden Singlegesellschaft immer verrücktere und verzücktere Worte für den überzeitlichen Wert der Institution »Familie« findet. Vom »kostbarsten Schatz der Gesellschaft«, vom »Leitbild Familie« und von der »zentralen Position der Familie« wird da munter und ohne konkreten Wahrheitsanspruch fabuliert und fantasiert und Bayern zum ultimativen »Familienland« deklariert. Entsprechend familiär gestaltet sich, nicht nur in Landshut, sondern landesweit das soziale Leben: Handwerk, Handel und Industrie überbieten einander in Familienfreundlichkeit: Familienbetriebe stellen nach Familienrezepten Familienpackungen her, Familienpensionen bieten familiengerechte Familienunterkünfte an, in denen man in familiärer Atmosphäre sein Familienglück genießen kann. Der global agierende Autokonzern achtet auf familiengerechte Modellfamilien für die ganze Familie. Der mitgliederstärkste Fußballverein der Welt wirbt mit dem intimen Slogan »Werde Mitglied in der Bayern-Familie!«. Immer mehr Bio-Metzger betrachten ihre Schweine und Rinder als »Familienmitglieder«.

Doch zurück nach Landshut, zurück zur »Landshuter Hochzeit«. Die beiden Hauptpersonen jener Schnulze heißen Georg der Reiche, Herzog von Bayern-Landshut, und Hedwig Jagiellonica, Tochter des Königs von Polen. Er ist zwanzig, sie achtzehn Jahre alt. Miteinander zu tun hatten die beiden vor ihrem Hochzeitsdate nichts. Trotzdem läuft alles, wenn auch im überdimensionalen XXL-Format, zunächst ziemlich familiär ab: »Di hochzeit ward verpracht mit vil freuden und grosser costung«, heißt es bei einem Zeitzeugen. Als man die hübsche Polin dann allerdings zum Hochaltar führt, »weint sie gar ser«. Warum? Ahnt sie bereits, dass das »Familienland Bayern« kein empathisches, sondern lediglich ein euphemistisches Konstrukt ist? Dass hier von »Familie« meist erst dann geredet wird, wenn einem partout nichts anderes mehr einfallen will? Wie auch immer, der reiche Georg versprach seiner polnischen Königstochter, er »wolle sie lieb und wert halten wie eine liebe Gemahlin«, ein Versprechen, das er nie einhielt und das deshalb auch zu keinem adäquaten Familiennachwuchs, sondern lediglich zum Landshuter Erbfolgekrieg führte.

Was lernen wir daraus? Richtig Trouble macht man sich am effizientesten, indem man eine Familie gründet oder einer solchen angehört. Die eigene Familie ist ein Konzertsaal von außergewöhnlicher Akustik. Jedes auch nur geflüsterte Wort hallt laut und deutlich durch die Gewölbe der Missgunst, jeder Verdacht prallt von den Wänden der Streitsucht klar und deutlich zurück. In Bayern wusste man das schon immer, weshalb man auch nie etwas auf die Familie kommen ließ. Die Familie ist die kleinste soziale Einheit, heißt es. Die Familie bildet das Rückgrat der Gesellschaft, sagt man. So harmlos und plausibel das klingt, so falsch ist es. Tatsächlich ist die Familie eine schwarze Kiste, gefüllt mit klebrigen und deshalb heillos ineinander verhedderten Fäden. Je größer eine Familie ist, desto mehr Fäden sorgen für gewollte und ungewollte Verstrickungen und Verwirrungen.

2. Bei den Wittelsbachern

In Bayern waren die Familien früher sehr groß. Eine der größten waren die Wittelsbacher, die Vorgängerorganisation der CSU-Familie. Die Möglichkeiten für *big trouble* waren in ihr ideal. Dies nutzte man. Mit Hingabe und Akribie suchte man seit frühester Zeit nach innerfamiliärem Zoff. Sehr erfolgreich in dieser Hinsicht war zum Beispiel Herzog Ludwig der Strenge, ein Choleriker, der seine Gemahlin aufgrund eines bloßen Gerüchts zum Henker statt zum Friseur schickte und sich wenig später mit seinem Bruder Heinrich überwarf. Die sich anschließenden Diadochenkämpfe im mittelalterlichen Niederbayern zwischen Heinrichs Söhnen Otto, Stephan und Ludwig gehören bis heute zu den Sternstunden der innerfamiliären Streitkultur.

Und so ging es weiter: Mit Ausnahme von Ludwig dem Bayern zerlegten die Wittelsbacher das Land jahrhundertelang immer wieder kunstgerecht in neue Einzelteile, nur um mit diesen untereinander Krieg spielen zu können. Zu den Höhepunkten dieser permanenten Demontage zählte das »Herzogtum Straubing-Holland«: Es bestand gut siebzig Jahre lang (1353–1425) und wurde von Straubing und Den Haag aus regiert.

Als sehr erfrischend für das Familienleben der Wittelsbacher erwiesen sich darüber hinaus auch die außerehelichen Aktivitäten ihrer männlichen Mitglieder. Mit einem Wittelsbacherherzog verheiratet zu sein gehörte lange Zeit zu den härtesten Frauenschicksalen im blaublütigen Bereich. Entweder man wurde eingesperrt oder ignoriert oder beides. Otto V., auch »der Faule« genannt, liebte statt seiner Gattin eine Müllerin, die ihn alles andere vergessen ließ. Ludwig VII., auch »der Bärtige« genannt, war so weibstoll, dass er nicht einmal den Bräuten Christi seine Inbrunst ersparte. Eine Zisterzienserin schenkte ihm einen Knaben, der später Geistlicher wurde. Ludwig X. tummelte sich mit Scharen hübscher Niederbayerinnen in seiner damals neu errichteten Stadtresidenz zu Landshut. Das Deckengemälde seines »Venuszimmers« schmückt ein Spruchband, auf dem übersetzt zu lesen steht: »Bäder, Wein und Liebe schwächen unseren Körper. Es erfrischen ihn aber aufs Neue Bäder, Wein und Liebe!« Herzog Karl Albrecht, der spätere Rokokokaiser Karl VII., hatte einen Frauenkonsum, der ihn zum Vater von geschätzten vierzig bis sechzig illegitimen Kindern machte.

Ein ganz Großer war auch der »blaue Kurfürst« Max II. Emanuel. Mit 26 Jahren eroberte er Belgrad und massakrierte die Türken, danach konzentrierte sich sein Feldherrngeschick auf zahlreiche Scharmützel in Alkoven und Boudoirs. Seine »Weibersachen«.sorgten in ganz Europa für reichlich Gesprächsstoff. Eine davon betraf übrigens Agnes Le Louchier, eine französische Tänzerin. Eine Leidenschaft für diesen Berufsstand hegte später auch König Ludwig I., der sich noch als Sechzigjähriger bei der irischen Tänzerin Lola Montez austoben zu müssen glaubte, nachdem er zuvor schon mit den Pin-up-Girls seiner Nymphenburger Schönheitsgalerie den Pas de deux getanzt hatte. Leider kam seine präsenile Fleischeslust bei manchen Zeitgenossen ganz schlecht an, weshalb er bald schon ohne Lola und ohne Thron dastand.

Sohn Maximilian II. lernte aus dem traurigen Schicksal seines Vaters und hielt sich zeitlebens von Tänzerinnen fern. In außerehelichen, fleischlichen Kontakt mit dem einfachen Volk geriet er dennoch, und zwar in Person der Katharina Huber, ihres Zeichens Rudermädchen auf dem Königssee. 500 Gulden, ein Paar Ohrringe sowie eine Brosche soll die Schiffer-Cathy von ihrem blaublütigen Beischläfer als »Morgengabe« erhalten haben.

Wie intensiv sich die Wittelsbacher Usancen auf das familiäre Leben in der Bevölkerung auswirkten, lässt sich nur schwer er-

messen. Die Zahl der unehelich geborenen Kinder erreichte in
Bayern jedenfalls lange Zeit Spitzenwerte. Auch war der Umgangston unter bayerischen Ehepaaren nicht für seine Herzlichkeit bekannt. Süßholzraspeln gilt bis heute als affektiert. Der
Fundus an ehefrauenfeindlichen Termini technici ist gewaltig
und über weite Strecken hier nicht zitierfähig. Sehr wohl zitierfähig war lange Zeit Paragraf 12 des kurbayerischen Landrechts, in
dem schwarz auf weiß stand, dass die Frau dem Mann »in Domesticis subordiniert und unterlegen« sei. Was dies konkret bedeutete, erklärte eine kirchliche Eheberatungsbroschüre aus der frühen Neuzeit: »Bei einem ausgesprochen bösen Weibe solle der
Mann zunächst versuchen, mit freundlichen Worten und Ermahnungen eine Besserung zu erreichen. Fruchte dies nicht, sei körperliche Züchtigung nicht nur erlaubt, sondern sogar geboten.
Und hilft das nichts, wenn du das oft getan hast, so schlag sie,
besonders morgens im Bett mit einer Gerte. Und will die Gerte
nichts helfen, so besorge dir einen Prügel vom Mispelbaum. Damit gerb ihr die Lende.«

Zahlreiche Berichte freilich belegen, dass es vielen Familienvätern trotz intensivster Bemühungen nicht gelang, ihre Ehegesponse zu »stummer Pflichterfüllung« anzuhalten. Ihre Disziplinierungsversuche evozierten im Gegenteil die weibliche Renitenz
und verwandelten devote Hausmütter in wortgewaltige, konfliktbereite Hausdrachen. Erschreckend, was uns beispielsweise
die *Bayerische Dorfzeitung* in der Nummer 54 vom 5. Mai 1836
berichtet: »... Die Gatten, Wirthsleute von Geschäft, lebten seit
langer Zeit in schwerem Hader, der oft in Thätlichkeit ausartete.
Vor kurzem nun kam es neuerdings zu handgreiflichen Demonstrationen, wobei die Frau den Kürzeren zog. Erbittert über die
Schläge, welche auf sie nieder hagelten, machte sie sich von ihm
los, lief zu zwei nahen Branntweinfässchen, schlug die Spunde
aus und ließ das Getränk verrinnen. Wütend lief der Mann herbei, hielt mit seinen Händen die Spunde zu und rief aus Leibeskräften nach seinen Kindern. Die Megäre machte sich über den

wehrlosen Mann und prügelte ihn nach Herzenslust durch, während sie die Kinder mit Drohungen verscheuchte.«
Dass derlei Vorkommnisse keine Ausnahme waren, belegt die Tatsache, dass viele verängstigte Männer früher oder später die Flucht aus ihren Familien antraten und ihr Heil im Wirtshaus suchten. Nicht umsonst unterscheidet die moderne Geschichtsforschung für das 19. Jahrhundert sehr deutlich zwischen einer »norddeutsch-protestantischen, häuslichen Geselligkeitskultur«, die, wie es der Terminus schon andeutet, vornehmlich in Privaträumen stattfand, und einer »süddeutsch-katholischen Wirtshauskultur«, die sich größtenteils jenseits der eigenen vier Wände abspielte und eindeutig männlich geprägt war. Diese Emigration ins Außerhäusliche wirft ein bezeichnendes Schlaglicht auf die mangelnde Attraktivität des bayerischen Familienlebens.

Eine gewisse Ausnahme bildete allein die Geistlichkeit. Dem Zölibat verpflichtet hatte sie wenig Grund, stundenlang im Wirtshaus zu sitzen. Gott ließ sich im eigenen Wohnzimmer ungestörter anbeten. Zumal, wenn man das weibliche Hauspersonal ordnungsgemäß im Griff hatte. Um das Jahr 1200 hielt man im Bistum Salzburg jeden Geistlichen für einen Heiligen, der ausschließlich eine Pfarrköchin beschäftigte. Das »Bekochen« von geistlichen Herren nahm im Lauf der Zeit ein solches Ausmaß an, dass sich schließlich die weltliche Gerichtsbarkeit zu einer deutlichen Stellungnahme gezwungen sah. Im Januar 1578 erließ Herzog Albrecht V. einen »ernstlichen« Befehl »wegen Ausschaffung der Priester Concubinen«. Eine detailreiche Schilderung der in Pfarrhäusern angewandten Methoden zur Disziplinierung der weiblichen Domestiken verdanken wir unter anderem einer gewissen Maria Schuesterin, 25 Jahre alt. In einem Bericht an den Münchner Stadtrat aus dem Jahr 1614 heißt es, dass ihr geistlicher Dienstherr »... so grob mit jr sey umbgangen, unnd sie ser vast geschlagen, hab sie einmal in ein haissen ofen geschoben unnd widerumb herauß gezogen, so hefftig sey er jnner und ausser trunkhs. Wol hab dieser pfarrer sie auch zu der unzucht bewegt und gebraucht«.

3. In Münchham

Es gibt viele bayerische Wirtshäuser, die so bayerisch sind wie der Prosecco, den sie servieren. Ganz bestimmt keinen hat der Staffewirt in Münchham, einem 170-Einwohner-Kaff unweit des Inns im Kirntal. Betritt man die niedrige Gaststube, so fällt einem sogleich die uralte, von Tabakrauch geschwärzte Holzdecke optisch auf den Kopf, und man begreift: Mit den hellhölzigen Zirbelstuben im großkarierten Bavarian Look hat diese Wirtschaft nichts zu tun. Durch die klobigen Kreuzstockfenster fällt nur mäßig Licht, das sich in Zeitlupe ausbreitet und spätestens am Nachmittag die dringende Unterstützung von relativ schmucklosen Deckenlampen benötigt. Dies ist kein aufgehübschter Ausflugsort für Pärchen mit oder ohne Kinder, sondern ein Zufluchtsort: An den langen nackten Tischen findet Familienleben ohne Häuslichkeit statt. Hier kommt, zumindest unter der Woche, zusammen, was zusammenkommt, wenn die Familie draußen bleiben muss. Trotzdem ist der Raum nicht tot. Mit einer verstaubten Bahnhofskneipe hat er so wenig zu tun wie mit einem muffigen Männerasyl. Hier wird diskutiert, hier wird polemisiert, hier wird kommuniziert. Oft mit Worten, manchmal aber auch ohne. Und hier wird eine sehr bayerische Interaktionsform zelebriert, die »Männerfreundschaft«.

So »hemdsärmlich« das Wort klingt, so filigran ist die Sache. Die echte bayerische Männerfreundschaft meidet protzige Gesten, performativ ist sie extrem minimalistisch, fast schüchtern. Wählerisch ist sie nicht, aber sensibel. Emotional orientiert sie sich an antiken Idealen. Auch wenn Aristoteles die Freundschaft von ökonomisch, sozial oder charakterlich unterschiedlichen Personen grundsätzlich für möglich hielt, plädierte er doch vornehmlich für eine Freundschaft unter Gleichen, denn Gleichheit tut jeder Freundschaft gut. Als besonders »gleich« zählt in Bayern die Ähnlichkeit der regionalen Herkunft und des regionalen Dialekts. Selbstverständlich können auch ein Niederbayer und ein Allgäuer befreundet sein, mit »echter Männerfreundschaft« jedoch hat dies im Regelfall eher nichts zu tun.

Von Cicero stammt darüber hinaus der Tipp, sich nicht nur an Gleichheit, sondern auch an Schlichtheit zu orientieren: »Weiterhin ist es angemessen, einen schlichten, umgänglichen und gleichgesinnten Mann auszuwählen, das heißt einen, der sich durch dieselben Eindrücke bestimmen lässt.« Dass Cicero damit der schlichten Denkungsart das Wort redet, darf bezweifelt werden. Eher handelt es sich um die Erfahrung, dass gemeinsame geistige Höhenflüge zwei Menschen zwar vorübergehend faszinieren und inspirieren können, sie aber noch lange nicht für eine dauerhafte bayerische Männerfreundschaft qualifizieren. Letztere bildet sich nicht in Wolkenkuckucksheimen, sondern einzig dort, wo es einfach und schlicht zugeht, sprich: im Wirtshaus.

Achternbusch brachte dies wie folgt auf den Punkt: »Ich sitze gern im Wirtshaus, wo die Arschlöcher wissen, dass ich ein Arschloch bin!« Das Wirtshaus ist der genuine Ort, an dem sich horizontale Begegnung ereignet und zu Freundschaft verdichtet. Dass dabei oft handfeste individuelle Eigeninteressen mit im Spiel sind, diskreditiert das Verhältnis nicht. Im Gegenteil: Es schafft Vertrauen, weil kooperative Sicherheit, wenn die eine Hand weiß, in welchen trüben Geschäften die andere bisweilen ihre Finger rührt.

Von außen ist das »dichte« Interaktionsverhältnis der bayerischen Männerfreundschaft dennoch meist nur rudimentär einsehbar. Zweifellos wohnt ihr ein »Element der evidenztranszendierenden Ungewissheit« inne. Will heißen: Vieles bleibt im Dunkeln und wird nicht oder nur ansatzweise verbalisiert. Diskretion ist wichtig. Man ist schließlich nicht verheiratet. Dennoch kann sich der sensible Beobachter durchaus an gewissen äußeren Zeichen orientieren. Als Faustregel gilt: Solange bayerische Männer stehen, ist es meist schwierig, die Qualität ihres Freundschafts- und Vertrauensverhältnisses exakt abzuschätzen. Bayerische Männer fallen sich nicht theatralisch um den Hals, sie grinsen sich nicht wie Scheinwerfer an, sie befummeln sich nicht an den Ellenbogen. Und wenn sie einander auf die Schulter klopfen, schwingt immer eine Portion ironische Distanz mit. Stehende bayerische Männer präsentieren lieber sich selbst in voller Größe als ihr Verhältnis zueinander.

Erst wenn sie sich zusammen an einen Wirtshaustisch setzen und sich dabei ihre Muskulatur allmählich entkrampft und geschwätzig wird, geben ihre Körperhaltung und Gestik Informationen preis. Echte Spezln beispielsweise nehmen sogleich eine Positur ein, die potenziellen Dritten oder Vierten wortlos signalisiert, dass sie gut daran täten, sich ungefragt weder in ihr Gespräch noch in ihr Schweigen einzumischen. Dabei spielen die Schulter- und Armhaltung, die Rückenkrümmung sowie die Stirnfalten eine Rolle. Die Botschaft ist in jedem Fall eindeutig: Halt dich raus! – *Do not disturb!*

Sitzt man in größerer Runde zusammen, so verrät sich die Lodenmafia gern durch das geschmeidige Zusammenspiel ihrer Körper- und Gesichtsgestik. Bewegungen, Blickkontakte und Mundwinkelstellungen zwischen dem Bürgermeister, dem Sparkassendirektor, dem lokalen Investor und dem Pfarrer gehen dann hin und her wie im Mittelfeld des FC Bayern München bei einem Heimspiel gegen Herta BSC der Ball. Und ehe man sich's versieht, sind die Punkte im Sack.

Kulinarische Exzesse spielen am Zufluchtsort Wirtshaus nur eine untergeordnete Rolle. Exaltierte Kochkunst benötigt die echte Männerfreundschaft so wenig wie der Bayerische Rundfunk Niveau. Gaumengymnastik wird als dekadent abgelehnt. Was nicht heißen soll, dass man Dreck frisst. Die Brotzeit beim Staffewirt in Münchham geht absolut in Ordnung, der Schweinsbraten am Wochenende ist legendär. Darüber hinaus gilt die Wilhelm-Busch-Weisheit: »Es blüht die Wurst nur kurze Zeit, die Freundschaft blüht in Ewigkeit.«

In der Regel bleiben die Männer circa 35 bis 45 Jahre im Wirtshaus. Erst wenn sie Schwierigkeiten haben, sich den Hosenstall ohne fremde Hilfe zuzuknöpfen, oder die Vorsteherdrüse Zicken macht, schwören sie ihrem Kneipennomadismus allmählich wieder ab und kehren in den Schoß der Familie zurück.

4. Im Wilden Westen

Einen Haken freilich hat die Sache: Dem bayerischen Wirtshaus geht es schlecht. Wie Fliegen sterben außerhalb von Münchham seit Jahren schon die Wirtshäuser. Jedes dritte Dorf in Bayern besitzt bereits keine eigene Schankwirtschaft mehr. Das einst so stolze Triumvirat Marktplatz–Kirche–Wirtshaus hat seine Macht verloren: Die Marktplätze dienen heute als Parkplätze, in den Kirchen führen die Gipsengel und Holzheiligen Selbstgespräche, und die Wirtshäuser verschwinden – einfach so, von heute auf morgen, ohne große Agonie, ohne Letzte Ölung, ohne Trauergottesdienst. Ob dahinter eine Krise der Männerfreundschaft schwelt, lässt sich leicht vermuten, aber nur schwer beweisen. Richtig ist: Der postmoderne Mann muss keine familiäre Häuslichkeit mehr flüchten, entweder weil er Single ist oder weil er eine Ehe- und Unterhalts-Rechtsschutzversicherung hat. Ablenkung im Freundeskreis benötigt er kaum noch. Alle elf Minuten kann er sich mit »Parship« in eine neue Lebensabschnittsgefährtin verlieben. Trifft er sich darüber hinaus mit einem amerikanischen oder chinesischen Geschäftsfreund, so sucht er einen angesagten »Landgasthof« vor den Toren der Stadt auf. Letzterer lockt mit einer Mischung aus »mediterranem Flair«, »karibischen Momenten« und dialektalen Perversionen: Das Ganserl im Safterl wird ebenso wie das Surbradl mit Gneel serviert, aus »da Oma ihra Kuch« gibt's Bifflamott, »aus'm Goatn« den Salatteller

Alm-Zensi, »für alle G'schleckerten« was Siass und zum Schluss a guats Schnapserl zum Drübastrahn.

Ist der Hauptstädter privat unterwegs, so hält er meist Abstand zu allzu Bodenständigem. Bereits Helmut Qualtinger grantelte: »Man kann in München italienisch, jugoslawisch, spanisch, türkisch, indonesisch, chinesisch, man kann in einigen Lokalen sogar international essen; sonst kann man in München nichts essen.« Tatsache ist, dass immer mehr Münchner und Bayern dazu neigen fremdzugehen. Eine gewisse gastronomische Heimatlosigkeit greift mehr und mehr um sich. Die Welt ist ein globales Dorf geworden, weshalb man nach der Antiglobalisierungsdemo noch kurz beim Inder vorbeischaut und ein Kofta Kari bestellt. Jedes Kuhkaff liegt mittlerweile im Lieferbereich mehrerer Pizzaservices, jede Neubausiedlung hat einen Chinesen und ein argentinisches Steakhaus. Die Kenntnis der heimatlichen Küche nimmt dabei dramatisch ab. In einer großangelegten Untersuchung ordneten Schulkinder Zwetschgendatschi als Gemüse ein und verwechselten Ribiseln mit Ribéry.

Was nicht weiter schlimm ist, aber zeigt, was jeder längst weiß: Bayern löst sich auf – als Familie, als Wirtshaus, als Gesellschaft. Der Zerfall der Sozialstrukturen bedroht seine Identität, seine Knödel, seine Rundheit. Allein schon von »Bayern« zu sprechen gestaltet sich unter diesen Umständen als immer problematischer. Wie soll man dies tun, wenn man weiß, dass es seine Einwohner als »Bajuwaren« nie gab und als »Bayern« höchstens noch in den Hassfantasien Dortmunder Fußballfans? Doch weder bei Bayern spielen noch in Bayern leben mehrheitlich Originale, sondern – und hier lässt sich das furchtbare Wort leider nicht mehr vermeiden – »Zuagroaste«!

Was genau ein Zugereister sein soll, ist schwer zu definieren. Genügt die Nichtübereinstimmung von Geburts- und Wohnort, um der Kategorie der Zugereisten anzugehören? Ist eine gebürtige Rosenheimerin in Fischbachau oder eine Fischbachauerin in München eine Zugereiste? Und war der legendäre Bayern-Keeper

Sepp Maier, geboren im niederbayerischen Metten, während seiner Münchner Zeit ein Zugereister? Wohl kaum. Von den gut 1,4 Millionen Einwohnern Münchens sind lediglich ein Drittel dort gebürtig, und trotzdem wird München auch in Zukunft die Landeshauptstadt Bayerns bleiben. Vielleicht könnte man es so formulieren: Sepp Maier, Uschi Glas (gebürtige Landauerin) und Horst Seehofer (gebürtiger Ingolstädter) werden in München deshalb nicht als »Zuagroaste« wahrgenommen, weil in ihren Gesichtern nicht »Metten«, »Landau« oder »Ingolstadt« steht, sondern ... Ja, was eigentlich? »München«? »Bayern«? Nichts? ... Alles?

Egal, viele Münchner aus Münster, Mülheim oder Mönchengladbach sind im Laufe ihres Exils zu Experten einer verschwommenen, schemenhaften Mimikry geworden, die aus München ein Agglomerat verschwommener, schemenhafter Gesichter gemacht hat, in denen alles und nichts (aber wenigstens nicht »Münster«, »Mülheim« oder »Mönchengladbach«) steht. Als Zugereister outet sich allein derjenige, der eindeutig »falsch beschriftet« ist und deshalb irritiert. Eindeutig »falsch beschriftet« ist, wessen Anwesenheit verwirrt. Eindeutig richtig stellte dazu CSU-Innenpolitikexperte Hans-Peter Uhl (ein gebürtiger Tübinger) fest: »Fremde Gerüche, fremde Geräusche, fremde Anblicke verunsichern den in einem Wohnblock lebenden Bayern.« Fazit: Ein Zugereister ist ein olfaktorisch, akustisch und optisch auffälliger Wohnblockbewohner.

Natürlich könnte man an dieser Stelle sogleich einwenden, dass fremde Gerüche viele Bayern in exotische Restaurationsbetriebe, fremde Geräusche in exotische Konzerte und fremde Anblicke in exotische Länder locken, sie also geradezu süchtig nach Fremdartigem, Exotischem und Neuem sind. Doch die Betonung liegt hier eindeutig auf »in einem Wohnblock«. Auch wenn für den Münchner beziehungsweise Bayern die Welt schon lange nicht mehr hinter Feldmoching endet, irritiert ihn diese jenseits Feldmoching gelegene Welt »in seinem Wohnblock«. Da hat sie nämlich nichts zu suchen, weil nichts verloren. Und natürlich geht es mitnichten nur um Neuperlacher Wohnblöcke, sondern um das Wohnen als solches, das »fremde Gerüche, fremde Geräusche, fremde Anblicke« auch in einem Reihenhaus, in einem Villenvorort und, horribile dictu, im deutschen Sozialsystem absolut nicht duldet. Ganz in diesem Sinne versprach Ministerpräsident Seehofer, »bis auf die letzte Patrone gegen eine Zuwanderung in die deutschen Sozialsysteme« zu kämpfen. Die Situation, die diese Metaphorik beschwört, ist klar: Wir sind im Wilden Westen, das Land gehört uns, die bösen Indianer vom Stamme der »Zuagroastn« greifen an, und wir müssen, wenn schon keine Bajuwaren und zu zwei Dritteln auch keine richtigen Bayern, wenigstens zurückschießen. Auf »fremde Gerüche, fremde Geräusche, fremde Anblicke« zurückschießen zu wollen macht sich immer gut. Das verleiht auch verschwommenen Gesichtern Schärfe und Authentizität.

5. In Lohberg

Natürlich sind Zugereiste andererseits nicht gleich Zugereiste und München nicht gleich Bayern. Nicht jeder Zugereiste grillt Hammelhoden auf dem Balkon, hört Özgün Müzik oder läuft im Kaftan herum. Nicht überall in Bayern ist das indigene Genom so verwässert wie in München. Lohberg beispielsweise ist eine von satten Wiesen, dichten Wäldern und immergrüner Provinzialität umgürtete oberpfälzische Idylle direkt am Fuße von Osser und Arber. Das »kleine Dorf für große Gefühle« (so die Internetwerbung) hat 2000 Einwohner, 1000 Gästebetten sowie in unmittelbarer Nähe einen Zoo, den Bayerwald-Tierpark. Wie jedes moderne Tiergehege besitzt auch der Bayerwald-Tierpark einen Streichelzoo. Erst betrachten die Besucher heimische Wildtiere, dann streicheln sie Ziegen, Esel, Kaninchen, Meerschweinchen und Hühner. So harmlos solche Verrichtungen anmuten, so typisch sind sie für diese Art von Zugereisten: erst betrachten, dann betatschen, erst begutachten, dann umarmen, erst kritisieren, dann imitieren. In Lohberg irritiert der Zugereiste nicht durch seine schroffe Andersartigkeit, sondern durch seine schroffen Annäherungsversuche.

Wie gern wäre der Bayer ein in majestätischer Einsamkeit paradierender Zwölfender oder ein durch seine aggressive Bulligkeit respekteinflößendes Wisent, doch was machen die Urlaubsgäste aus ihm? Wie ein Meerschweinchen umschmusen sie ihn, genießen seine nicht immer ganz zweifelsfreien Fleischwaren, trinken seine nie richtig eingeschenkten Biere, schlummern behaglich in seinen muffigen Federbetten, kaufen mit Inbrunst seine überteuerten Trachtenjanker; und selbst wenn es zehn Tage lang regnet, absolvieren sie alle vom lokalen Tourismusverband aufgelisteten Rad- und Wanderwege, alle Fitness-, Erlebnis- und Lehrpfade, alle Steige und Stege, alle Sehenswürdigkeiten und Ausflugsmöglichkeiten ohne jegliche Unmutsbekundung. Bis sie dann eines Abends im Gasthof »Zur Post« dem Einheimischen vom Nachbartisch in aller Ausführlichkeit die architektonischen Finessen des Doppelaltars der Wallfahrtskirche »Mariä Geburt« in Neukirchen beim Heiligen Blut erklären. Der Einheimische hört zu und schläft ein. Mit »Mariä Geburt« hat er kaum etwas zu tun; er wurde dort nur getauft.

Selbstverständlich sind die Feriengäste von Lohberg zunächst gar keine Zuagroastn im klassischen Sinn, sondern lediglich harmlose Touristen, die Lohberg im schlimmsten Fall ein- bis zweimal jährlich für ein bis zwei Wochen goutieren und dann wieder verschwinden. Dennoch kann es passieren, dass der liebe Gott irgendwann ein Mittagsschläfchen hält, in dessen Verlauf der eine oder die andere Sympathisant(in) plötzlich im Lotto gewinnt und beschließt, Lohberger(in) zu werden. Und schon ist aus Tag Nacht, aus Spiel Ernst und aus einem harmlosen Flirt ein Missverständnis geworden. Denn an dieser Stelle geht es nicht mehr nur um Hirsch oder Häschen, Wisent oder Ziege, sondern um Nähe und Distanz.

Der Schlüsselbegriff lautet »Berührung«. Auch wenn der Bayer generell kein Nolimetangere ist, meidet er doch instinktiv allzu enge Kontakte. In seinem Berührungssystem hat Nähe nur unter ganz bestimmten Rahmenbedingungen Platz: entweder wenn ein starkes Gefühl der In-Group-Solidarität besteht – so wie im Verein, im Fußballstadion, am Stammtisch – oder aber wenn Alkohol im Spiel ist. Kommt beides zusammen, verwandelt er sich mitunter für kurze Zeit in eine Klette beziehungsweise Nervensäge. Im nüchternen Zustand indes legt er großen Wert auf die Wahrung eines Mindestabstands, selbst guten Freunden gegenüber. »Die Freundschaft ist die Kunst der Distanz«, hat irgendwann einmal ein kluger Kopf gesagt. Eine Umarmung, und sei's nur zur Begrüßung oder zum Abschied, erfüllt insofern fast schon den Tatbestand der Körperverletzung. Sie verletzt das, was der große deutsche Soziologe Georg Simmel einst die »ideelle Sphäre« nannte: »Um jeden Menschen liegt eine ideelle Sphäre, in die man nicht eindringen kann, ohne den Persönlichkeitswert des Individuums zu zerstören; sehr fein bezeichnet die Sprache dies als ›zu nahe Treten‹.« Der Bayer liebt seine »ideelle Sphäre«. Weshalb ihn die Tatsache, nicht allein auf der Welt zu sein, manchmal Sorge bereitet. Grantig vor seinem Bier sitzend kann und will er dann nicht so recht einsehen, warum er trotz der angeblichen Unendlichkeit des Universums mit Milliarden von sogenannten Mitmenschen gemeinsam auf einem Planeten existieren muss und warum besagte Mitmenschen allesamt nur das eine Bestreben zu haben scheinen: ihm seine »ideelle Sphäre« zu verpesten.

Zu den lästigsten, weil distanzlosesten dieser Mitmenschen zählen jene zugereisten Konvertiten aus dem hohen Norden, die sich in Bayern in einem riesigen Lohberger Streichelzoo zu befinden wähnen, in dem sie jeden und alles hemmungslos an ihr großes, hungriges preußisches Herz drücken können. Kaum haben sie sich häuslich vor Ort niedergelassen, schon mutieren sie zu hundertprozentigen Superbayern, die alle Gipfel der Ammergau-

er Alpen hersagen können, alles über die fachgerechte Zuberei-
tung eines bayerischen Krautsalats wissen, die zeremoniellen
Unterschiede der Georgiritte von Traunstein, Tittmoning und
Ascholding kennen und beim Schafkopfn ständig gewinnen. Was
waren das für Zeiten, als der Preuße noch Selbstachtung besaß
und der gute Johann Christoph von Aretin wahrheitsgemäß über
ihn schreiben durfte: »Die Norddeutschen (mit wenigen Ausnahmen) verachten und hassen die Süddeutschen, glauben sich weit
vor ihnen voraus, und werden nie den herzlichen, unbefangenen
Sinn derselben zu erfassen und zu schätzen wissen. Wenn es ihnen gelingt (wovor Gott sey) unsere üppige Lebensfülle mit ihrer
nördlichen Kälte und Steifheit zu ersticken, so ist unser Vaterland unwiederbringlich zu Grunde gerichtet.«

6. Bei den Abbas

Tempora mutantur – die Zeiten ändern sich. Oder auch nicht.
Schon anno 1876 bestand München nur zu 36,5 Prozent aus gebürtigen Münchnern. Der Rest kam, wie heute, aus allen möglichen Windrichtungen. Das vielbesungene Isar-Athen lag, demo-
grafisch gesehen, noch nie an der Isar. Und dennoch fällt es dem
habituellen postmodernen Bayern ungleich schwerer, sich zwischen lärm- und geruchsintensiven Integrationsverweigerern
und übermotivierten Superbayern kulturell einigermaßen sattel-
fest zu verorten. Warum? Weil die Gastronomie bei Weitem nicht
die einzige Szene ist, in der die alten Biertische aussortiert wurden. Überall befindet sich die postmoderne Gesellschaft in einer
galoppierenden »Entstrukturierungsphase«.

Der durchschnittliche postmoderne Mensch arbeitet acht Jahre lang, hängt 2,5 Jahre am Telefon, sitzt mehr als sechs Monate
auf dem Lokus und vergießt rund 80 Liter Tränenflüssigkeit.
Nach drei Milliarden Herzschlägen und dem Genuss von 7300
Eiern geht er als Mann mit durchschnittlich 75,6, als Frau mit

81,3 Jahren in einen relativ zügigen Verwesungsprozess über. So beschaulich dies sub specie aeternitatis klingt, so kompliziert ist es. Denn aus der Nähe betrachtet entpuppt sich der durchschnittliche postmoderne Mensch mitnichten als ein auch nur ansatzweise beschauliches Gebilde, das mit einer Handvoll mehr oder minder exakter Näherungswerte beschreib- beziehungsweise analysierbar wäre. Ganz im Gegenteil: Der durchschnittliche, postmoderne Mensch ist ein chaotisches, in tausend Lebensstile, Weltanschauungen und Werteorientierungen zerfallendes Wesen. Der Sepp hackt illegal ausländische Computersysteme und wohnt noch brav bei seinen Eltern. Die Vroni ist 28, steht auf Dokusoaps und Gustav Mahler. Der Max, 47, besitzt Zertifikate auf ausländische Hedgefonds und engagiert sich im Kirchenbeirat. Frau Huber, 61, versucht seit Jahren mit Botox-Injektionen zur besten Freundin ihrer veganen Tochter zu werden. Herr Maier, 70, hasst Spinnen, sammelt aber spanische Spiderman-Heftchen. Gibt es spanische Spiderman-Heftchen überhaupt?

Egal, was es auf jeden Fall nicht mehr gibt, ist das ordentliche, anständig frisierte beziehungsweise sortierte Bayern, in dem die Männer in ihrer Freizeit karteln, die Frauen beten, die Jünglinge fensterln und die Jungfrauen Taschentücher besticken. Wo früher Einheit war, ist heute Vielheit. Wo früher ein Plural war, sind heute viele Singulare. Vereine sind out, Parteien ebenso, Bindungen, die länger als der Lieferservice von Amazon dauern, sind passé, genormte Zugehörigkeit ist Vergangenheit. Die Soziologen haben dafür klotzige Begriffe wie »Enttraditionalisierung«, »Heterogenisierung« oder »soziokulturelle Differenzierung« erfunden, allesamt Begriffe, die besonders das eine thematisieren: ein zunehmendes Unbehagen vor der Einheit, der Gleichheit, der Konformität. Sein wie die anderen, sein wie alle, ist aus Sicht des postmodernen Subjekts kein erstrebenswertes Ziel mehr. Die extreme Arbeitsteilung der herrschenden Dienstleistungs- und Konkurrenzgesellschaft, verbunden mit einer extremen Informationsbeschleunigung und einer globalisierten Mobilität, hat uns längst umprogrammiert: vom Herdentier zum Einzelkämpfer, vom Klassenzugehörigen zum Klassenclown, vom Bayern zum Radikalbayern, Kirchenbayern, Lodenbayern, Bierbayern, Gelegenheitsbayern, Freizeitbayern, Wiesnbesucher, Landhausdeppen und Antibayern.

Interessant immerhin: Auch wenn die gute alte Ordnung beim Teufel ist, geordnet beziehungsweise soziologisch kategorisiert wird trotzdem. Mittels Clusteranalysen und Marktstudien ist auch der wildeste Egokapitalist wie fast alles mehr oder minder punktgenau kalkulierbar und kann mit anderen Egokapitalisten zu Gruppen beziehungsweise Typen respektive sozialen Milieus subsumiert werden. Dabei spielen schon lange nicht mehr nur Alter, Bildung, Beruf und Einkommen eine Rolle, sondern ebenso »Gesellungsstile«, also Arten des Umgangs mit Verwandten, Freunden, Fremden, »Lebensstile«, das meint Arten des Umgangs mit Kulturangeboten, Sportgeräten und Finanzen, sowie »Wertorientierungen« und, sehr wichtig, das Konsumverhalten.

Da gibt es zum Beispiel die sogenannten Konsummaterialisten. Bei ihnen genießen Artikel wie ein Smartphone der neuesten Generation oder ein XXL-Flachbildfernseher höchstes Ansehen. Konsummaterialisten gehören zwar nicht zu den Topverdienern, ihre Kaufkraft ist begrenzt, aber sie lieben den Konsum, sind »Heavy-Shopper«, können nicht nein sagen zum neuesten und teuersten Gadget aus der Elektronikabteilung. Während der Wiesnzeit konzentriert sich ihre Kaufgier vornehmlich auf folkloristische Textilien – sofern auf dem Girokonto nicht gerade Ebbe herrscht.

Auch die sogenannten Etablierten konsumieren viel und lassen sich gern verführen. Aber nicht von jedem und allem. So groß wie ihr Geldbeutel ist ihr Exklusivitätsanspruch. Distinktion ist ihnen wichtiger als Megapixel und Gigabites. Der XXL-Flachbildfernseher gehört bei diesen *lead consumers* zu den Peanuts. Substanz fängt für sie bei einem hübschen Aktienportfolio an und hört bei einem Penthouse in repräsentativer Citylage noch lange nicht auf. Eine kleine, aber feine Sammlung moderner Kunst oder antiker Stilmöbel sollte in jedem Fall drin sein. Für die Beschäftigung mit Zweitklassigem ist den »Etablierten« das Leben zu kurz. An den Wochenenden entspannen sie gern in ihren Villen am Starnberger und Tegernsee.

Obgleich mehr oder minder in der gleichen Altersgruppe zu Hause, nämlich bei den »Fünfzig-plus-Jährigen«, tickt der sogenannte Authentisch-Aufgeklärte doch ganz anders. »Sein ist wichtiger als Haben«, lautet sein rühmenswertes Credo. Seine Kinder sind weitgehend erwachsen, das Haus ist abbezahlt, die Altersversorgung gesichert. Er kann sich seine edle Maxime leisten. Im Apple Store trifft man ihn eher selten an und auch nicht im All-inclusive-Resort in der Dominikanischen Republik. Zu seinen Lieblingsorten zählen Theater- und Konzertsäle, Museen und Galerien sowie die freie Natur. Ein Träumer ist er freilich nicht. Er weiß, dass er trotz seiner Bildungsnähe nichts weiß und der Mensch nur ein Soßenspritzer in der Unendlichkeit des Universums ist. Traditionelle Werte sind ihm von daher tiefe Gedanken und lange Gespräche wert. Bei einem Château Margaux stilvoll über die Erosion des Heimatbegriffs zu reflektieren gehört zu den Highlights seiner Freizeitgestaltung ...

Ebenfalls mehr dem Immateriellen zugewandt sind die sogenannten Erlebnisorientierten. Bankkonto, Auto, Eigenheim werden akzeptiert, stehen aber nicht im Mittelpunkt ihres Strebens. Von zentraler Bedeutung für die in Bayern ansässigen Erlebnisorientierten ist hingegen oftmals der Berg. Stehen sie unten, so wollen sie über halsbrecherische, steile Felswände mit Seil und Karabiner hinauf, stehen sie oben, wollen sie über halsbrecherisch steile Hänge mit Ski oder Snowboard hinunter. Mit Genießen im klassischen Sinn hat das meist nichts zu tun. Angeblich geht es um den »Kick«. Was das genau ist, weiß niemand, aber Erlebnisorientierte stammeln mit glänzenden Augen davon. Ganz generell scheint die Vertikale bei der ultimativen Kicksuche eine gewisse Rolle zu spielen, siehe Fallschirmspringen, Bungee-jumping, Base-Flying und Sky-Diving. Womit die Liste der Cluster, Stile, Milieus, Strukturtypen, Wert-orientierungen und Zielgruppen selbstverständlich noch lange nicht ihr Ende gefunden hat. Tagtäglich wird im Betondschungel der Gegenwart ein neuer Eingeborenenstamm entdeckt, vermessen, analysiert, quantifiziert und gern auch »akronymisiert« zu Yuppies, Buppies, Guppies, Yetties, Yindies oder Skippies. Letztere sind die *school kids with income and purchase power*, also Schüler mit viel Knete in der Tasche. Diese sollten freilich nicht mit den Pippies verwechselt werden, den jungen und alten Anhängern von Pippi Langstrumpf und ihrer sanften Anarchie, welche vor allem unter den Abbas, den »antibayerischen Bauchrednern Altbayerns«, große Sympathien genießen.

7. Im Hofoldinger Forst

Und wo gehört der Bayer hin, der entweder gar kein Bayer ist, sondern als ehemaliger Münsteraner, Mülheimer oder Mönchengladbacher mit einem verwaschenen Münchner Gesicht herumläuft? Oder aber der Bayer, der tatsächlich seit mindestens fünf Generationen bayerische Wurzeln hat, abgrundtiefes Niederbayrisch spricht, gleichwohl mit Hirschgeweihen, Bergstiefeln und Rautenmustern weit weniger als mit Quell-, Binär- und Opcodes anzufangen weiß? Oder der Bayer, der sein Bayerntum zwar durchaus abdominal unter dem Sweatshirt oder sonst wo zu spüren glaubt, jedoch in panischer Angst vor einer Verwechslung mit Lohberger Superbayern, Garmischer Gebirgsschützen, Gammelsdorfer Revanchisten oder sonstigen Wurzelheinis lebt? Oder der Bayer, der ums Verrecken nicht weiß, ob er Bayer oder Nichtbayer, Männchen oder Weibchen, dick oder doof, CSU-Wähler oder Grünen-Sympathisant ist? Oder der Bayer, der zwar eine schicke Hirschlederne im Schrank hängen hat, aber noch nicht einmal die erste Zeile der Bayernhymne mitsingen kann? Oder der Bayer, der in einem Wohnblock lebt, aber aufgrund seiner olfaktorischen, akustischen und optischen Ausdünstungen von allen anderen Bayern für einen Chinesen oder Sudanesen gehalten wird? Oder der Bayer, der Bayern hasst, weil er ganz genau weiß, dass er nirgendwo anders leben könnte? All diese Bayern haben ein Problem. All diese Bayern stehen knöcheltief im Schlamassel. All diesen Bayern platzt, sobald irgendwo Blasmusik ertönt oder eine Lederhosenkompanie im Anmarsch ist, der Schweiß aus den Poren. Was kann, was soll man ihnen raten? Eine mehrwöchige Rundgangtherapie auf der Fraueninsel? Urlaub auf Mauritius? Den Besuch eines Trachten-Outletstores? Den Besuch eines Psychotherapeuten? Eine Geschlechtsumwandlung? Den Umzug nach Berlin? Den Sprung von der Großhesseloher Brücke?

»Die Natur ist die beste Apotheke«, meinte einst der bayerische Pfarrer und Ökotherapeut Sebastian Kneipp. Kneipp heilte mit Wasser. Ein Kneipp'sches Fußbad bringt verwirrte Geister schnell wieder in die Spur.

Es geht freilich auch ohne nasse Füße. Seit uralten Zeiten schon ziehen sich von brisanten Fragen gepeinigte Menschen gern in Wälder zurück, um dort die Ruhe und Kraft der Bäume zu inhalieren. »Ruhe« ist ein herrliches Wort und ein ebensolcher Zustand. Die periodische Sehnsucht nach Ruhe gehört sicherlich zu den universellsten Bedürfnissen des Bayern, egal, ob er Lohberger oder Chinese, Zitherspieler oder Punkrocker, Pornoproduzent oder Haferlschuhträger ist. Die assoziative Nähe zur »Gemütlichkeit« trifft die Sache dabei nur peripär. »Ruhe« ist kein narkotischer Zustand und auch keine Deko, sondern jenes Zeitfenster, das man benötigt, um einmal so richtig gründlich und tief durchatmen zu können. Ruhe ist Konzentration.

Am besten zur Ruhe passt die Ordnung. »Ruhe« und »Ordnung« sind das absolute Traumpaar aller Polizeipräsidenten. Wo es ruhig und ordentlich zugeht, kann man nicht nur einmal, sondern gar zwei- oder dreimal durchatmen, ohne im Chaos zu versinken.

Bildet man die Schnittmenge aus Ruhe, Ordnung und Wald, so erhält man ganz natürlich den – Hofoldinger Forst. Der Hofoldinger Forst ist eine riesige Fichtenwaldkolonie im Süden Münchens. Schlendert man an einem beliebigen Sonntagmorgen durch den Hofoldinger Forst, so hört man außer dem Bellen von Kampfhunden, die von tätowierten Muskelpaketen angefleht werden, doch endlich ihr Kackehäufchen zu machen, nichts. Sind Hunde und Pakete außer Hörweite, so ist es so mucksmäuschenstill, dass man den Gesang des durch die Äste scheinenden Sonnenlichts hören kann.

Noch mehr als das Ohr freilich erfreut sich das Auge: Im Gegensatz zu traditionellen Mischwäldern weisen moderne Fichtenwälder wie der Hofoldinger Forst erfreulich klare Strukturen auf. Wo sonst das vegetative Chaos herrscht, besitzt hier alles seine Ordnung. Pfeilgerade stehen sie da, fast immer in Reih und Glied. Da windet sich nichts vorlaut in eine andere Richtung, da wuchert nichts eitel und sinnlos vor sich hin. Fichten wissen, was sich gehört. Fichten sind keine zickigen Egomanen, sondern disziplinierte Teamplayer. Fichten können sich unterordnen. Wo Fichten strammstehen, ist der Kosmos geregelt und die Welt aufgeräumt. Hier kann man sich in Sicherheit wähnen, hier kann man sich niederlassen, hier kann man sich, sofern man existiert, finden.

Weshalb es auch nicht überrascht, dass sich Bayern und Fichten herzlich zugetan sind. Fast 50 Prozent des freistaatlichen Waldbestandes besteht derzeit aus Bäumen des Typs Picea abies, der einzigen in Mitteleuropa heimischen Fichtenart. Rein flächenmäßig entspricht dies über einer Million Hektar.

Eine Million Hektar, die man – und jetzt kommt das Beste und Sensationellste an der Fichte, dem Hofoldinger Forst und allen übrigen Fichtenwaldkolonien Bayerns – im Zweifelsfall gar nicht leibhaftig an einem Sonntagmorgen oder wann auch immer besuchen muss, sondern frei Haus geliefert bekommt, zum Beispiel in Form einer Literflasche Fichtennadelbad beziehungsweise einer Kilopackung Fichtenbadesalz. Ein ausgedehntes Fichtennadel-Feierabendvollbad gehört zweifellos zu den ganz großen Alltagssensationen. Vor allem bei regnerischem Wetter, also drei Viertel des Jahres. Angeblich hilft es gegen Erkältungen, Husten, Durchblutungsstörungen, Kreislaufschwäche und Rheuma. Doch das sind eher Kollateraleffekte, denn beim Fichtennadel-Feierabendvollbad badet weniger der Körper als vor allem die Seele. Umschmeichelt von Wärme, Schaum und ätherischen Düften, unternimmt sie eine Art flüssigen Waldspaziergang, bei dem alle drängenden Fragen im wahrsten Sinne des Wortes ertränkt werden. Spätestens beim Verlassen der Badewanne herrschen wieder die bayerischen Grundbedürfnisse Sauberkeit und Behagen, Ruhe und Ordnung.

Doch was dann?

Auf keinen Fall Hektik aufkommen lassen. Eine Million Hektar Fichtenwald können noch mehr. Sie reichen nicht nur für hundert Millionen Fichtennadel-Feierabendvollbäder, sondern auch für jede Menge Holz. Holz, das sich danach sehnt, von geschickten Händen weiterverarbeitet zu werden, zum Beispiel in den Wohnzimmerschrank »Toni«, die TV-Vitrine »Chiemgau«, das Schlafzimmer »Hochries« oder den Esstisch »Max«. »Lust wird rege zum Sang, wie sich Formen in andere Körper wandelten ...«, heißt es zu Beginn der Metamorphosen von Ovid. Und tatsächlich: Ist es nicht eine Lust, wie sich da die Form eines langen dünnen Baumes in die verschiedensten, kunstvoll zusammengezimmerten Massivmöbelkörper wandelt? Fichtenholz ist weich und trotzdem formstabil. Es gibt nach, um aufzunehmen, gibt sich hin, um neue Erfahrungen zu sammeln, verändert sich, um in anderen Identitäten zu verharren. Die härteren Winterringe machen das Holz stabil wie die Rippen bei der Wellpappe, die weicheren Sommerringe machen es flexibel. Ein solches Holz ist für vieles gut, was leicht und biegsam sein muss. Hinzu kommt seine

Farbe: hell, gelblich beziehungsweise rötlich weiß, durchzogen von einer fein gestreiften, bisweilen zungenförmigen Maserung. Die Fichte ist ein vergnügliches, unkompliziertes, frisches Holz. Selbst das Sargmodell »Alpenglühen« verbreitet noch Heiterkeit und Zukunftsfreude.

Bevor wir freilich diese Option wählen, lassen wir uns lieber genüsslich im Lehnstuhl »Gardasee« nieder. Wie ein Fichtennadel-Feierabendvollbad beantwortet auch ein Fichtenholz-Lehnstuhl alle Fragen.

Bis auf die eine: »Was dann?«

Dann könnte man sich beispielsweise von einer Flachbildglotze, einem Beamer, einer X-Box, einem Audiosystem oder aber auch, warum nicht, von Papier unterhalten lassen. Besitzt das, was dem Papier mittels Pigmenten, Binde- und Lösungsmitteln einverleibt wurde, einen gewissen Grad an Intelligenz, Stringenz und Rhythmus, so nennt man es »Literatur«. Der Rest wandert in die blaue Tonne. Streng materialistisch betrachtet, sind gefüllte Bücherregale nichts anderes als geistig und handwerklich extrem verdichtete Fichtenwälder, auch wenn manche Zeitgenossen vor lauter Wörtern den Hofoldinger Forst dahinter nicht mehr zu sehen vermögen.

Ein sehr interessanter Fichtenwald, durch den wir thematisch fast wieder an den Ausgangspunkt dieses Kapitels gelangen, den bayerischen Umgang mit der Institution Familie, sind Lena Christs *Erinnerungen einer Überflüssigen*. Christ beschreibt darin ihre höchst unerfreulichen Erlebnisse in einer bayerischen Kleinbürgerfamilie um die Wende vom 19. zum 20. Jahrhundert. Unehelich geboren, wächst sie zunächst beim Großvater auf dem Land auf. Mit fünf Jahren jedoch holt sie ihre leibliche Mutter, Pächterin eines Wirtshauses, nach München. Es beginnen Jahre schwersten Missbrauchs: »Geliebt hat mich meine Mutter nie; denn sie hat mich weder je geküsst noch mir irgendeine Zärtlichkeit erwiesen«, schreibt Lena Christ, »aber nach der Geburt ihres ersten ehelichen Kindes behandelte sie mich mit offenbarem

Hass. Jede auch nur geringste Verfehlung wurde mit Prügeln und Hungerkuren bestraft, und es gab Tage, wo ich vor Schmerzen mich kaum rühren konnte.« Mit zwanzig flüchtet sich die körperlich und psychisch bereits schwer Gezeichnete in eine von Beginn an zum Scheitern verurteilte Ehe mit einem Alkoholiker. Sicherlich schildern die *Erinnerungen einer Überflüssigen* nicht den Normalfall familiären Zusammenlebens in Bayern, aber an den Normalfall bayerischer Familienglückseligkeit in der »guten, alten Zeit« kann und will man nach der Lektüre dieses Buches ebenso wenig glauben wie an die außerfamiliäre Gemütlichkeit der Wirtshäuser.

Privates

*Viertes Kapitel, in dem wir tief in den häuslichen Bereich
der Bayern eindringen und dabei mit Kängurutaschen,
Ganzglasduschkabinen, rostigen Schlüssellöchern, rammelnden
Anarcho-Gnomen und dem Nichts in Kontakt geraten.*

1. Auf der Eckbank

Trotz seines zum Teil traumatischen Familienlebens liebt der
Bayer die Privatsphäre. Zu Hause darf er Mensch sein. Zu Hause
darf er die raue Schale – die idiotische Lederhose und den idioti-
schen Lodenjanker – ablegen und seinen weichen, wabbeligen
Kern in eine alte, fleckige Jogginghose, made in Taiwan, hüllen.
Zu Hause darf er die Füße auf den Tisch legen, in der Nase boh-
ren und allen digestiven Winden freien Lauf lassen. »Privat«
kommt von *privatus*, »für sich seiend«. Für sich zu sein bedeutet
hier, sich selbst in den Mittelpunkt des Universums zu stellen,
unter keinen Umständen über den eigenen Tellerrand hinauszu-
blicken und, um Himmels willen, auf niemanden Rücksicht zu
nehmen. Für sich kann nur sein, wer asozial sein kann.

Betrachtet man Bayerns Wohnräume, so sieht man sich zunächst mit einer Fülle sehr disparater Eindrücke konfrontiert.
Die bäuerliche Kultur hat ihren stilprägenden Einfluss auf die
bayerische Innenraumgestaltung längst eingebüßt. Wie überall

in der postindustriellen Welt hat die Diversifikation der Lebensstile eine enorme Bandbreite von Wohnstilen hervorgebracht:
lackiertes Stahlrohr für den geschmäcklerischen Feingeist, po-
liertes Mahagoni für den arrivierten Wiesnwirt, Pressspan rusti-
kal für die blondierte Sonnenstudiogeschäftsführerin. Und da-
zwischen das Heer der Ikeaphilen mit ihren nach unverständlichen
Bauanleitungen zusammengestöpselten Regalen, Vitrinen und
Tischen auf ambitioniert gemusterten Teppichen aus Polypropy-
len. Um in diesem standardisierten Chaos von »Settings« die Ru-
dimente der bayerischen Selbstverliebtheit zu erkennen, muss
der Ethnopsychologe schon sehr genau hinschauen.

Sicherlich, es gibt sie noch, die 150-prozentigen Bayernfeti-
schisten. Die, die sich freimütigst outen und vor absolut nichts
Angst haben. Nicht einmal vor überdimensionalen Freistaat-Bay-
ern-Grenzschildern an der Haustür, König-Ludwig-Porträts über
der Wohnzimmercouch und weiß-blau rautierten Klobrillen mit
goldenem Löwen auf dem Deckel. Ihre Wohnungen sehen aus wie
Exhibitionisten unter dem Mantel. Und wenn der Hausherr dann
auch noch mit Strickjanker und Vollbart in Erscheinung tritt,
darf man fast sicher sein, dass es sich bei dem ganzen Spuk um
die Mimikry eines paranoiden Rheinländers handelt.

Und natürlich gibt es auch sie: die Kenner, die Ästheten, die
Vertreter der reinen Lehre: Sie schwärmen für den bayerischen
Bauernbarock, für rosettenartige Sonnenblumenschnitzereien
auf Türschlagleisten, für die von Fassmalern kolorierten Schrän-
ke und Truhen des späten 18. Jahrhunderts, die, weil meist
zwischen Stube und Stall positioniert, noch heute über ein ganz
spezifisches, nur vom olfaktorisch geschulten Connaisseur iden-
tifizierbares Aroma verfügen. Das Einzige jedoch, worauf diese
Spezies wirklich stolz ist, ist ihr Talent zur ästhetisch impräg-
nierten Selbstdarstellung.

Konzentrieren wir uns deshalb lieber auf das Heer der Durch-
schnittsbayern. Obgleich ihre Wohnungen so oder so ähnlich
auch in Lemgo-Brake oder Stralsund aussehen könnten, verfü-

gen sie doch häufig über sehr spezifische Details. Eins davon ist
die Eckbank. Beinah jede bayerische Küche respektive jedes Ess-
zimmer verfügt über eine Eckbank. Sie gehört zur bayerischen
Häuslichkeit wie der Beichtstuhl zur bayerischen Scheinheilig-
keit. Selbst im sterilsten Wohnklo von Neuperlach entfaltet die
Eckbank ihren rustikalen Charme und gehört deshalb zu den unverzichtbaren Requisiten der bayerischen Gemütlichkeit. Selbstverständlich gibt es auch in Lemgo-Brake und Stralsund Eckbänke. Doch erstens in wesentlich geringerer Anzahl, und zweitens
handelt es sich bei den Stralsunder Eckbänken um reine Ge-
brauchsmöbel, wohingegen die bayerischen Eckbänke Sakralge-
genstände, Orte der Gnade, Orte der Erkenntnis, Orte der Einkehr und des Stolzes sind.

Doch gehen wir der Reihe nach vor: Die Eckbank heißt Eckbank, weil sie um die Ecke geht. Grundsätzlich sind Ecken sehr
flexible Orte, Orte der dialektischen Aufhebung der Geradlinig-
keit. An Ecken prallen die seltsamsten Dinge aufeinander. An
Ecken fügt sich aber auch dramaturgisch geschickt zusammen,
was zusammengehört.

Was die menschliche Kommunikation anbelangt, so verläuft
die Interaktionsachse auf Eckbänken nicht diametral, sondern
diagonal. Man sitzt sich nicht gegenüber, sondern im rechten
Winkel zueinander, wodurch der nonverbalen Körpersprache
zentrale Bedeutung zukommt. Man kann sich einander freund-
schaftlich zuneigen und sich dreckige Witze erzählen. Man kann
einander konspirativ anstupsen oder aber gönnerhaft auf die
Schultern klopfen. Man kann jedoch auch mit einem hauchdünn
angedeuteten Abrücken blitzschnell auf Distanz oder sogar Konfrontationskurs gehen. Sitzt man mit jemandem über Eck an einem Tisch, kann prinzipiell fast alles passieren. Oder auch nicht.

Aufs Harmonischste korrespondiert die kommunikative Am-
bivalenz der Eckbank mit der natürlichen Schlitzohrigkeit des
Bayern. Der Bayer ist nämlich mitnichten der dumpfe Funda-
mentalistentrottel, als den ihn die linke Kampfpresse immer wie-

der darzustellen beliebt. »Lieber tot als rot« ist seine Devise nicht. Kadavergehorsam und Prinzipientreue meidet er. Schon im »Tausendjährigen Reich« hatte er nichts damit zu tun. Und sein Katholizismus speist sich eher aus einer habituellen Anhänglichkeit zu diversen Klosterbrauereien als aus dem felsenfesten Glauben an die Fleischwerdung des Logos. Aus seiner 1500-jährigen Stammesgeschichte weiß er, dass feste, geradlinige Überzeugungen meist ebenso anstrengend wie unpraktisch sind. Wenn es die Situation erforderlich macht, kann er sich deshalb jederzeit sehr schnell in oder hinter irgendeiner Ecke perspektivisch neu orientieren.

Die Eckbank heißt Eckbank, weil sie um die Ecke geht. Wodurch eine Art Schutzraum entsteht, ein Refugium im 90-Grad-Winkel, eine Rückzugsnische. So schlecht eine von Sozis, Grünen und gewerkschaftlich organisierten Neidern dominierte Welt auch sein mag, die Eckbank gibt dem Bayern immer wieder das fundamentale Erlebnis der Zuflucht zurück.

Oder anders: Wie sich die Tierwelt in ihre Nester und Höhlen zurückzieht, so der Bayer auf seine Eckbank. Sie, die Eckbank, ist die Häuslichkeit des Hauses schlechthin, der geschützte Raum in seiner innenarchitektonischen Vollendung. »Schließet den Raum! Schließet die Tasche des Kängurus! Dort ist es warm«, dichtete einst Maurice Blanchot. Obgleich Blanchot ganz sicher kein Bayer, sondern Franzose war und das Känguru erst seit der letzten BSE-Krise in den bayerischen Kühlregalen so richtig heimisch geworden ist, eine gelungene Diatypose! Das Gefühl der wohlbehüteten Abgeschlossenheit und Kängurutaschenwärme umflort die Eckbank wie der Mief ungelüfteter Innenräume die Gehirne.

Dass eine Unterversorgung durch Frischluft zu tranceartigen Bewusstseinszuständen führt, ist nichts sensationell Neues. Zumal, wenn auch noch Alkohol mit im Spiel ist. Dennoch unterscheidet sich der tranceartige Bewusstseinszustand, dem sich der Bayer auf einer Eckbank hingibt, eklatant von der Stimmungsla-

ge, die auf den meisten Eckbänken von Lemgo-Brake oder Stralsund herrscht. Während es dort in der Regel eher extravertiert
bis euphorisch zuzugehen pflegt, frönt man auf den Eckbänken
im südlichen Deutschland einem mehr kontemplativen Stil, der
sich dem energetischen Imperativ verpflichtet weiß: »Verschwen-
de keine Energie!« Mit anderen Worten: Der Bayer ist kein Zappelphilipp, vor allem dann nicht, wenn er sitzt und trinkt. Unter
hoher Konzentration reduziert sich der trinkende Eckbankbesit-
zer auf sein unmittelbares Hier und Jetzt. Schluck für Schluck
befreit er sich dabei von allen Imponderabilien des Alltags, bis
ihn schließlich nichts mehr als die nackte eidetische Behaglichkeit umfängt. In diesem tibetanischen Zustand ist der Bayer
glücklich. »Was willst du mehr, Menschlein, als ein frommes Leben ohne Auweh?«, fragte einst Abraham a Santa Clara.

Die Eckbank heißt Eckbank, weil sie um die Ecke geht. Sie ist
ein zusammengefaltetes Universum, eine Truhe, ein Schatzkäst-
chen häuslicher Weisheiten. Sie, die Eckbank, lebt, sie gehört zur
Familie, sie hört zu. Wie ein richtiges Familienmitglied kennt sie
alle im Familienkreis liebevoll gehegten und gepflegten Schimpfwörter. Sie weiß von den ehrabschneidenden Gerüchten, welche
die Hausherrin mit viel Liebe zum Detail beim Kaffeekränzchen
über die Damen der näheren und weiteren Nachbarschaft in die
Welt setzt. Sie kennt alle politischen Verschwörungstheorien, die
der Hausherr im Kreise seiner Spezln zu vorgerückter Stunde
entwickelt. Sie weiß, dass es die Sozis auf bayerisches Geld, die
Asylanten auf bayerische Frauen und die Franken auf die heimliche Macht im Freistaat abgesehen haben. Dieses intime Wissen
schafft eine solide Vertrauensbasis und macht aus einem beliebigen Möbelstück eine treue Freundin. Ist sie richtig integriert, so
eckt die Eckbank trotz ihrer Eckigkeit nicht an, sondern sagt zu
allem brav Ja und Amen! Oder anders ausgedrückt: Die Eckbank
heißt Eckbank, weil der Bayer selbst sehr eckig ist.

2. In der Badewanne

Setzen wir unsere Wohnungsbesichtigung fort: Mit zum Intimsten der Privatsphäre gehört die Hygiene. Der Ort der Hygiene ist das Bad. Doch was für ein Ort ist es im Wertesystem der bayerischen Privatsphäre?

Bayern war einst ein gottesfürchtiges Land. Die Durchchristlichung des Menschen umfasste alle Bereiche. Auch und vor allem den der Reinlichkeit. Zur Reinigung ging man am Samstag in den Beichtstuhl und bekannte sich seiner Verfehlungen schuldig. Sauberkeitsfanatiker benetzten sich darüber hinaus mit Weihwasser Stirn und Brust. Mehr war verpönt, denn bereits der heilige Hieronymus hatte den Christenmenschen vor allzu intensivem Wasserkontakt eindringlich gewarnt. Und der heilige Augustinus schrieb in einem Brief an das Frauenkloster im nordafrikanischen Hippo Regius:»Auch Waschungen des Körpers sowie der Gebrauch der Bäder soll nicht beständig stattfinden, sondern nur in den üblichen Zeiträumen gestattet sein, nämlich einmal im Monat.«

Selbst zu diesem einen Mal noch musste man die heilige Elisabeth, ein Vorbild an Seelenreinheit, aus olfaktorischen Gründen stundenlang überreden; und wenn es denn gelang, so wusch sie sich höchstens die Füße. Andere Vorbilder christlicher Lebensführung ließen überhaupt keinen Tropfen Wasser an sich heran, wussten sie doch ganz genau, dass sich im Feuchten die Keime der Sünde tummelten und munter vermehrten.»Was du dem Wasser gibst, gehört Belzebub«, heißt es in den *Libri miraculorum* von Caesarius von Heisterbach. Der Teufel war ein Bademeister beziehungsweise *balnearius*, wie er zu Zeiten der Agilolfinger hierzulande hieß.

Dass im 15. und 16. Jahrhundert vornehmlich die Badehäuser zur munteren Verbreitung der Syphilis beitrugen, konnte insofern niemanden groß verwundern. Wasser war eben Sünde, und Sünde machte krank. Für die hochwohlgeborenen Damen und

Herren des Barocks konnte dies nur heißen: Puder statt Wasser! Voller Stolz strahlte Königin Margarethe von Navarra, eine der schicksten Frauen des damaligen Frankreichs, einen ihrer Liebhaber an: »Sehen Sie meine schönen Hände, seit acht Tagen habe ich sie nicht gewaschen!« Fasziniert klagte der Gelehrte Hieronymos Gardanus: »Selbst Männer und Frauen, die gefallen, wimmeln von Flöhen und Läusen, stinken von den Achselhöhlen, den Füßen und aus dem Mund ...« In Bayern errichteten währenddessen Tausende von ungewaschenen Händen Hunderte von blütenreinen Barockkirchen.

Einen Höhepunkt erreichte die bayerische Wasserscheu schließlich im Sommer 1886, als der Märchenkönig im Würmsee, dem heutigen Starnberger See, unter mysteriösen Umständen sowohl im ursprünglichen als auch im übertragenen Sinn »baden ging«. Mit anderen Worten: Die Wasserscheu des Altbayern war sowohl moraltheologisch als auch bakteriologisch und historisch wasserdicht begründet und bedurfte keiner weiteren Rechtfertigung.

Umso erstaunlicher mutet es an, dass heutzutage so gut wie jede angemietete oder käuflich erworbene »Privatsphäre« eine Nasszelle hat, in der sich der Durchschnittsegoist vom Fluidum des Feuchten und Verseuchten willenlos becircen und betören lässt. Das Bad von heute ist kein funktionaler Ort mehr, sondern eine Droge, kein steriler Körperwaschraum mehr, sondern eine ästhetisch aufgerüstete Erlebnis- und Badelandschaft mit allem, was dazugehört: externer Warmwasserversorgung, verchromten Einhebelmischern, wandbündigen Spiegelschränken, Designerbadewannen aus Acryl oder Mineralguss, Ganzglasduschkabinen mit thermostatgesteuerten Kopf-, Hand- und Seitenbrausen, alles kombiniert mit raffinierten Dekorfliesen und verwegenen Lichtinstallationen ... Schamlos suhlt sich der postmoderne Badezimmerjunkie in heidnischem Luxus und unchristlicher Wellness. Alle sittlichen Gefahren werden dabei ignoriert, alle Tendenzen zur Verweichlichung verharmlost. Kein Wunder, dass aus dem einst so bodenständigen Stamm der Bajuwaren innerhalb kürzester Zeit ein Volk von Warmduschern und Feuchtklopapierbenutzern geworden ist, das Unsummen für eine Oberflächenreinheit ausgibt, der jegliche theologische Tiefe fehlt.

Bei den Gründen und Motiven für diesen abrupten kulturellen
Stimmungswechsel von der Wasserscheu hin zur Wassersucht hat
freilich nicht allein der Antichrist seine sorgfältig manikürten
Hände im Spiel. Auch so heilige Männer wie die Renaissancepäpste Clemens VII. oder Julius II. frönten bereits im 15. Jahrhundert
in stattlichen Baderäumen der Hydrophilie. »Hier wäscht sich der
Allerheiligste mit warmem Wasser, das aus der Bronzestatue eines jungen Mädchens hinausläuft«, berichtete ein Zeitgenosse und fügte hinzu: »Hier sind noch andere junge Mädchen. Ich
bin sicher, dass er von ihnen mit großer Ergebenheit berührt
wurde.«

Eine der ersten gefliesten Badeanlagen auf deutschem Boden
war die Badenburg im Nymphenburger Schlosspark. Kurfürst
Max Emanuel ließ sie zwischen 1718 und 1721 errichten. Altdeutsche Holzzuber fehlen, dafür gibt es ein raumfüllendes
Schwimmbecken von 6 mal 9 Metern mit einer Tiefe von 1,45 Metern. In diesem wurde mit Hingabe gebadet – freilich nicht vom
blauen Kurfürsten, sondern von jugendlichen Schönheiten. Seine
Durchlaucht stand währenddessen gepudert und parfümiert auf
der in spritzsicherer Höhe installierten Galerie und badete ausschließlich mit den Augen.

Eine Art Bad für die Augen stellte und stellt noch immer auch
das Müller'sche Volksbad in der Landeshauptstadt dar. Auch
wenn sich die juvenile Grazie der Teilnehmerinnen am Seniorenschwimmen von zehn bis zwölf Uhr in Grenzen hält, der optische
Erlebniswert des neobarocken Jugendstiltempels sucht bis heute
seinesgleichen. Als er anno 1910 eröffnet wurde, war er das größte und teuerste Schwimmbad der Welt, errichtet nicht für blaublütige Sehstudien, sondern für das »unbemittelte Volk«. Letzterem vermittelte die Hygieneanstalt neben architektonischer
Raffinesse auch und vor allem die längst vergessenen Sinnen-

freuden der Ganzkörpersäuberung. Streng in Herren und Damen getrennt, durfte man sich unter einem imposanten Tonnengewölbe mit marinen Verzierungen wieder von Kopf bis Fuß ins Wasser stürzen und aus der minimalen Körperreinigung ein maximales Badevergnügen machen.

Ein kollektives freilich, kein individuelles: Machten derlei Einrichtungen dem Proletariat auch die Körperreinigung als eine neue Form der Freizeitbeschäftigung schmackhaft, so war der Weg von der kommunalen Luxusbadeanstalt zur Privatnasszelle zu Beginn des 20. Jahrhunderts noch ziemlich weit. In dem vierbändigen, über 700 Seiten starken Werk *Das deutsche Zimmer* des Münchner Journalisten und Verlegers Georg Hirth, erschienen 1899, tauchte das Wort »Badezimmer« oder »Badestube« kein einziges Mal auf. Vor allem die ländliche Bevölkerung widerstand dem nassen Teufel und seinem neuen Evangelium der Sauberkeit. »Mein Schwein ist auch dreckig und schmeckt trotzdem«, lautete ein gern gebrauchtes Argument gegen die Anschaffung einer eigenen Zinkbadewanne in der Küche. Der Sauberkeitskult der Nationalsozialisten, der unter anderem tägliches Zähneputzen forderte, schreckte viele heimliche Sympathisanten ab, sich der Bewegung anzuschließen.

Insofern musste sich schon so etwas wie eine Revolution ereignen, um die Normalbevölkerung irgendwann für Dinge wie Waschtische, Hightecharmaturen, bunte Klobrillen und andere Skurrilitäten aus dem Sanitärfachhandel nachhaltig zu begeistern. Und sie kam und hieß »Stress«. Je gnadenloser der Kapitalismus in der zweiten Hälfte des 20. Jahrhunderts seine Daumenschrauben anzog, je deutlicher sich der Bayer nach dem Zweiten Weltkrieg mit den Anforderungen einer entfesselten Produktivität und einer nie da gewesenen Innovationsverdichtung konfrontiert sah, desto intensiver fühlte er sich von jenem geheimnisvollen Phantom namens »Stress« verfolgt. Alle hatten fortan »Stress«. Die Führungskraft, der Funktionär, die Wurstwarenfachverkäuferin, der Transferleistungsempfänger.

Und siehe da: »Stress« machte schmutzig, nicht Füße und Hände, aber das Gemüt, den Geist, die allgemeine Befindlichkeit. Um sich von ihm zu reinigen, bedurfte es nicht nur Wasser und Seife, sondern eines ganz auf die »Entstressung« angelegten Behandlungszimmers, auch »Bad« genannt, in dem man die ganz normalen Katastrophen des Alltags mit einem Anti-Stress-Vollbad in gepflegter Atmosphäre und ebensolchem Ambiente abwaschen konnte. Kein Wunder, dass die eigene, topgestylte Nasszelle einen immer wichtigeren Stellenwert im Seelenhaushalt des postmodernen Stressopfers einnahm. Nicht im Büro, nicht in der Lieblingskneipe, nicht im Wohn- oder Schlafzimmer werden heutzutage existenzielle Krisensituationen behandelt, sondern im gewissenhaft zelebrierten Entspannungsbad.

»Cocooning« – Sichverpuppen, Sich-in-einen-Kokon-Einspinnen – nennt die Soziologie einen sozialen Trend, der sich ungefähr seit den achtziger Jahren mehr und mehr beobachten lässt und mit dem Rückzug des Einzelnen aus der Öffentlichkeit in private Schutzräume zu tun hat. Eine wachsende Anzahl von Menschen tendiert angeblich dazu, sich zu isolieren beziehungsweise ihre sozialen Kontakte nicht mehr im öffentlichen Raum, in Gaststätten, in Diskos, auf Sportplätzen, im Kino, auf der Straße, in der freien Natur zu hegen und zu pflegen, sondern zu Hause. Zu Hause ist man nicht einer von vielen, nicht »Kunde«, »Benutzer« oder »Gast«, sondern souveräner Herr seiner selbst. Zu Hause steht man im Mittelpunkt. Zu Hause lassen sich die immer diffuseren Unwägbarkeiten des öffentlichen Lebens weitgehend ausblenden, und man genießt sowohl den vermeintlichen Schutz als auch die vermeintliche Freiheit der eigenen vier Wände.

Glaubte man früher dieses Verhalten vornehmlich bei Alten und Armen zu beobachten, so praktizieren heute auch und vor allem Junge, Reiche und Schöne das Cocooning. Wo früher Häkelgardinen, Buchsbaumhecken und Gartenzwerge eine kleine heile Welt simulierten, haben heute Designertapeten, offene

Kamine und Bulthaup-Küchen das Sagen. Via Internet lädt man sich den neuesten Spielfilm herunter oder geht *wireless* bei Manufactum shoppen. Und wenn man ganz weit weg von allen Verwerfungen der Außenwelt und ganz bei beziehungsweise für sich selbst sein will, so geht man in sein Luxusbad und lässt die Wanne voll. Nie war es angenehmer, asozial zu sein.

3. Im Schlafzimmer

Auch wenn sich in postmodernen Ein-Zimmer-Privatsphären traditionelle Wohnstrukturen mehr und mehr auflösen, stellt sich die Frage: Gehören Wohnzimmer zur Privatsphäre? Auf den ersten Blick sicherlich. Auch wenn im Wohnzimmer meist keine Eckbank und ganz bestimmt keine Badewanne steht, ist es privat. Zumindest juristisch: Das vielzitierte »Recht auf Privatheit« gehört nicht zu den seit Anbeginn der Zeiten dem Menschen substanziell zugehörigen Rechten, sondern wurde, genau genommen, erst im Jahre 1890 erfunden. Zwei Anwälte aus Boston, Samuel Warren und Louis Brandeis, forderten damals in einem vielbeachteten Fachartikel die gerichtliche Anerkennung eines *tort of privacy*, eines einklagbaren Rechts auf Privatheit. Hintermann beziehungsweise »-frau« dieser Initiative war Warrens Gattin Mabel, eine reiche Gesellschaftsdame, der es zunehmend missfiel, dass immer mehr Zeitungen über die in ihrem Wohnzimmer stattfindenden Partys berichteten. Auch wenn Mrs Warrens Wohnzimmer sicherlich sehr großzügig proportioniert war, besaß es nach Meinung ihrer Anwälte Anspruch auf Diskretion. Solange keine kriminellen Handlungen stattfanden, hatten fremde Nasen kein Recht, in ihm herumzuschnüffeln.

Andererseits: Das normal proportionierte bürgerliche Wohnzimmer tendiert nur selten zu berichtenswerten Exzessen. Meist ist es ein sehr konventioneller und formeller Ort. Merke: Wo ein Wohnzimmer ist, wohnt man, und wo man wohnt, sitzt man vorzugsweise auf einer Polstergarnitur und blickt auf die stets irgendwie gleichen Regalsysteme, Sideboards oder Mediamöbel. Mit anderen Worten: Wohnzimmer sind zu 95 Prozent stinklangweilig.

Ganz im Gegensatz zu Schlafzimmern. Zwar variieren auch Schlafzimmereinrichtungen meist nur im Detail, doch findet in ihnen eminent Spannendes statt, nämlich der ewige Kampf ums Überleben. In Schlafzimmern wird erstens geschlafen, um am nächsten Tag am Leben zu sein, und zweitens reproduziert, um in der nächsten Generation am Leben zu sein.

Wer einmal über einen kürzeren oder längeren Zeitraum hinweg an Schlaflosigkeit litt, weiß, welche Schlachten nachts gegen die Zombies der Vergangenheit und die Monster der Zukunft geschlagen werden müssen, um den nächsten Tag mit dicken Ringen unter den Augen zu er- und überleben. Mehr als siebzig Schlafstörungen unterscheidet die Medizin. Da ist für jeden etwas dabei ...

Was freilich sind die Ausgeburten nächtlicher Schlaflosigkeit gegen die Geistesgeburten der Theologie?! Im Badezimmer saßen sie in der Badewanne, im Schlafzimmer liegen sie auf dem Boxspringbett und versuchen alles, um dem Bayern und der Bayerin den Spaß an der schönsten Sache der Welt zu verderben. So berichtete beispielsweise der um 1200 in Lauingen geborene Albertus Magnus von einem gewissen »Magister Clemens aus Böhmen«, der »wie ein Heißhungriger« einst das Schlafgemach einer schönen Frau besucht hatte: »Bis zum Klopfen zur Matutin hatte er sie sechsundsechzigmal begehrt. Aber am Morgen lag er krank im Bett und ist noch am gleichen Tag gestorben. Und weil er ein Adliger war, wurde sein Körper geöffnet. Und man fand, dass sein Gehirn ganz ausgeleert war, sodass von ihm nur die Größe eines Granatapfels übrig geblieben war.«

Mit derlei Gruselgeschichten setzte die katholische Kirche der bayerischen Libido im Mittelalter und der frühen Neuzeit hart zu. Hatte Augustinus im 4. Jahrhundert den Sexualverkehr immerhin noch dann für sündenfrei erklärt, sofern er ausschließlich der Reproduktion diente, so verdammten die meisten seiner Nachfolger alles unterhalb der Gürtellinie. Ein gottgefälliges Leben war allein ein Leben ohne Sex, ohne Reproduktion, ohne Schlafzimmerakrobatik. Thomas von Aquin riet einer von ihrem stierigen Ehemann bedrängten Gattin, ihn durch »eifrigstes, aber kluges Bemühen von seinem Vorhaben abzubringen«.

Damit die »geisttötende Gewalt des Geschlechtsverkehrs« nicht tagtäglich in den Schlafzimmern der bayerischen Christenheit wütete, wurden die Eheleute darüber hinaus dazu angehalten, sich zu bestimmten heiligen Zeiten und Tagen in absoluter Keuschheit zu üben: vierzig Tage vor Weihnachten, vierzig Tage vor Ostern, zwei Wochen vor und eine Woche nach Pfingsten, außerdem in allen Nächten vom Freitag auf den Samstag und vom Samstag auf den Sonntag, in den Nächten vor einem und nach einem Feiertag sowie an den Bußtagen der Woche, sprich: Mittwoch und Freitag. Ein fleißiger Historiker hat ausgerechnet, dass gut zwei Drittel des Jahres auf diese Weise tabuisiert wurden. Zuwiderhandlungen konnten schlimme Folgen haben. So zeigte dem heiligen Gregor von Tours einmal eine Frau ihr blindes und verkrüppeltes Kind »... und gestand unter Tränen, es an einem Sonntag empfangen zu haben«. Gregor weiter: »Ich sagte ihr, dass das wegen der Sünde der verletzten Sonntagnacht geschehen sei. Nehmet euch in Acht, ihr Männer! Es ist doch genug, wenn ihr an den anderen Tagen eurer Lust frönt, lasst diesen Tag zum Lobe des Herrn unbefleckt! Sonst werden euch Krüppel oder Epileptische oder Leprakranke geboren.«

Dass die bayerische Bevölkerung im Laufe ihrer göttlichen Geschichte nicht ausstarb, sondern im Gegenteil kontinuierlich wuchs, kann man nach der mysteriösen Ethnogenese der Bajuwaren insofern getrost als das zweite große Wunder der bayerischen Bevölkerungsgeschichte bezeichnen. Unter den rund zehn Millionen Menschen, die um 1520 herum Deutschland bevölkerten, befanden sich schätzungsweise knapp 500 000 Altbayern.

Im Jahr 1700 hatten sich diese bereits verdoppelt. Durch fleißiges Kopulieren sowie den Erwerb von Schwaben, Mittel-, Unter- und Oberfranken wuchs die Zahl kontinuierlich an und erreichte 1818 exakt 3 707 966 Einwohner. Nochmals hundert Jahre später, 1918, waren es dann 7,4 Millionen. Auch wenn die meisten Menschen in der 1500-jährigen Geschichte Bayerns nie ein Schlafzimmer von innen sahen, erledigten sie ihre Reproduktionspflichten doch bemerkenswert gewissenhaft und ohne sich von den Ausführungen der Kirche übermäßig einschüchtern zu lassen. Geholfen hat dem Land dabei stets dreierlei: erstens ein hohes Maß an Geilheit, zweitens ein gut sortiertes Arsenal an Hilfsmitteln sowie drittens eine Leiter.

»Es gibt in ganz Deutschland keinen Stamm«, so stellte der Münchner Reiseschriftsteller Karl Stieler im 19. Jahrhundert fest, »wo die Freude am Dasein so ausgeprägt, wo der Verkehr zwischen Burschen und Mädchen so ungebunden und wo das Liebesleben kühner, frischer und reizvoller wäre als hier in Bayern.« Auch wenn Selbstlob bekanntlich stinkt, übertrieb Stieler nicht: Die stolz emporragenden Gamsbärte auf den Kopfbedeckungen der männlichen Bevölkerung sowie die gewaltigen Hosenlätze an den bayerischen Lederbeinkleidern zeugen von einem exorbitanten maskulinen Selbstvertrauen und signalisieren ein weitgehend intaktes Verhältnis zur eigenen Körperlichkeit und dessen Lustzentrum. Bereits in den Carmina Burana, jenen hochmittelalterlichen Minneliedern aus Benediktbeuern, heißt es in einem Refrain:

>*»Probiere denn, o Mägdelein, mein Männlichsein:*
>*das der Alten ist ganz klein und fällt gleich ein,*
>*das der Jünglinge allein ist hart wie Stein;*
>*wird ein gutes Werkzeug sein,*
>*verständig sein und wendig sein,*
>*schmiegsam sein und biegsam sein,*
>*geschäftig sein und kräftig sein,*

gelehrig sein, willfährig sein, Cäcililein,
und was dir derlei mehr fällt ein.«

Dass der weiß-blauen Weiblichkeit bei diesem vielversprechen-
den Angebot mitunter die Sicherungen durchbrannten, belegt
nicht zuletzt ein Gesangsstück aus der Liedersammlung »Frische
teutsche Liedlein«, die der in Nürnberg ansässige Arzt Georg
Forster zwischen 1539 und 1556 edierte. Ganz offensichtlich
handelt es sich bei besagtem Liedchen um eine Kontrafak-
tur: Während die Melodie nämlich von einem frommen Marien-
lied stammt, kommt der Text aus der untersten Schublade
des jugend- und tugendgefährdenden Schrifttums. Wir zitieren
ihn selbstverständlich ausschließlich aus sittengeschichtlichen
Gründen:

»Es wollt ein Meydlein grasen gan,
fick mich, lieber Peter,
und do die roten Rößlein ston,
fick mich mer du hast ein ehr,
kanstus nit, ich wil dichs lern,
fick mich, lieber Peter.«

Drastische Erregungszustände erfordern drastische Worte. Und
Bilder: In den siebziger Jahren gab der bekannte bayerische Lie-
dermacher Konstantin Wecker dem internationalen Kinopubli-
kum eine Vorstellung davon, wie Bayern der Liebe frönt. In Fil-
men wie »Beim Jodeln juckt die Lederhose« oder »Geilermanns
Töchter« profilierte er sich als würdiger Vertreter des bayerischen
Hypergenitalismus, der weder über noch unter der Gürtellinie
Berührungsängste kennt. Selbst konservative Kreise attestierten
dem engagierten Antifaschisten: »Der vögelt wie ein roter Hund.«
Einen beträchtlichen Anteil an der Blüte der endemischen Ars
Amandi hatte freilich nicht allein der Mann, sondern auch und
vor allem die notorische Schönheit des bayerischen Weibes. Her-

zogin Elisabeth Amalie Eugenie, eine geborene Münchnerin, besser bekannt als Kaiserin Sisi von Österreich, galt zu ihrer Zeit als eine der schönsten Frauen der Welt. Doch nicht nur der erste Stand konnte sich sehen lassen: »Ich sah in Bayern Bauernmädchen so zart von Farbe und Fleisch, als wenn die Sonne durchschiene«, schwärmte Mitte des 18. Jahrhunderts der Frankfurter Johann Kaspar Riesbeck. Dass diesen ätherischen Wesen die Liebe und nichts als die Liebe auf den Leib gegossen war, bestätigte Riesbecks Zeitgenosse Johann Pezzl in seiner *Reise durch den bairischen Kreis*: »Die Landmädchen sind meistens kurze, dicke Dingerchen, mit rothen Backen, die von Gesundheit und Munterkeit strotzen, und sich wie im Paradies befinden, wenn sie sonntags ihren Schatz Vormittag nach der Kirche, und Nachmittag auf den Tanzboden begleiten können. Glückliche Mädchen, die von den galanten Krankheiten der Städter nichts wissen, und sich ohne Grauen den Trieben der Liebe überlassen können! Wirklich habe ich fast allenthalben auf dem Lande bemerkt, dass man gar nicht wisse, dass eine Lustseuche in der Welt existire: Welche glückliche Unwissenheit!«. Denkt man heutzutage an Bayerns Damenwelt, so denkt man noch immer vornehmlich an arg- und zeitlose Schönheiten wie Uschi Glas, Uschi Obermaier und Monika Hohlmeier.

Apropos schöne Frauen: In der Kirche, die in Bayern selbstverständlich zu allen Zeiten im zwischenmenschlichen Geschehen präsent blieb, tobte im Mittelalter ein brisanter Streit. Dabei ging es um nicht mehr und nicht weniger als die brennende Frage, was sündentechnisch gravierender sei: der Verkehr mit einer schönen oder einer hässlichen Frau? Petrus Cantor, ein scholastischer Theologe aus Frankreich, behauptete, dass der Verkehr mit einer schönen Frau die größere Sünde darstelle, weil dieser »mehr ergötze« und allein die Größe der Lust die Größe der Sünde bestimme. Dem widersprach Alanus ab Insulis, bekannt auch als Alain de Lille, ebenfalls Scholastiker, ebenfalls Franzose: »Wer mit einem schönen Weib verkehrt, sündigt weniger, weil er durch den Anblick mehr dazu gezwungen wird. Und wo größerer Zwang, da ist geringere Sünde!« Ideengeschichtlich betrachtet, stellen beide Argumentationen absolute Höhepunkte der abendländischen Moraltheologie dar.

Im schönen Bayern bezog Abraham a Santa Clara schließlich folgende Position: »Die Schönheit ist an sich selbst ein Geschenk der Götter, ein Schatz der Natur und das Band der kräftigsten Liebe. Ein jeder trachtet gern nach etwas Schönem. Es ist daher weit beliebter ein purpurfarbener Mund bei einer Jungen als eine alte Runkunkel, wenn sie ein Maul hat wie ein rostiges Schlüsselloch an einer alten Kellertür. Es sind weit angenehmer die zarten Rosenwangen einer blühenden Schönheit als ein siebzigjähriges Pfundleder einer trenzenden, mürrischen Mufti. Es ist weit erfreulicher eine wohlproportionierte Nase einer herzenden Rosimunda als ein triefender Destillierkolben einer garstigen Schmutzibunda.«

Für den Fall, dass die herzende Rosimunda keine rechte Lust verspürte, sich küssen zu lassen, konnte der Bayer auf eine stattliche Liste manipulativer Hilfsmittel zurückgreifen: Trug er beispielsweise die Wurzel einer Ringelblume – Calendula officinalis – in einem violetten Tüchlein bei sich, so blieb jedem heiratsfähigen Mädchen nichts anderes übrig, als sich nach ihm umzudrehen. Spekulierte man auf eine längerfristige Liaison, so empfahl es sich, dem oder der Auserwählten zusätzlich noch Teile des eigenen Körpers – Ohrenschmalz, Achselschweiß oder andere Körpersäfte – heimlich in den Trank beziehungsweise unters Sauerkraut zu mischen. Nicht wenige bayerische Landjungfern machten sich auf diese Art und Weise noch nach dem Zweiten Weltkrieg reiche texanische Ölmillionäre gewogen.

Und auch das fortgeschrittene Eheleben profitierte von derlei Praktiken. Zu den zur Gewissenserforschung erforderlichen Beichtfragen gehörte laut *Decretum Patrologia Latina* aus dem Jahr 1012 auch folgende: »Hast du getan, was manche Frauen zu tun pflegen? Sie nehmen einen lebenden Fisch und stecken ihn zwischen ihre Schenkel, lassen ihn dort so lange, bis er tot ist, kochen und braten ihn und geben ihn ihren Ehemännern zu essen, damit diese mehr in Liebe zu ihnen entbrennen. Hast du das getan, so sollst du zwei Jahre lang an den erlaubten Wochentagen fasten.«

An dieser Stelle muss schließlich noch eine der mutigsten bayerischen Methoden, sich Zugang zum Schlafzimmer der Angebeteten zu verschaffen, erwähnt werden: das sogenannte Fensterln. Mit den Windows von Microsoft teilte es die Angewohnheit, dass es dabei häufig und gern zu Abstürzen kam. Will heißen: So romantisch es der alpine Heimatroman beschwört, so gefährlich war es realiter. Viele tapfere Bauernsöhne haben sich dabei an der Schwelle zum Paradies das Genick und andere Gelenke beziehungsweise Glieder gebrochen. Zu den natürlichen Feinden des Fensterlns gehörte neben dem Holzwurm und starken Windböen vor allem der Hausvater. Er sah bei dieser Art nächtlicher Fassadenkletterei nicht nur die Ehre seiner Tochter, sondern ebenso deren Aktienkurs auf dem lokalen Heiratsmarkt und damit einen Teil seiner Altersversorgung in Gefahr. Nicht wenige Rentenanwärter griffen deshalb ohne Bedenken zur Schusswaffe.

Mittlerweile scheint die heroische Phase der bayerischen Schlafzimmerkultur jedoch weitgehend abgeschlossen zu sein. Das Betreten von Schlafräumen über die Außenfassade ist so unüblich geworden, dass es im dennoch praktizierten Einzelfall schnell für Missverständnisse sorgt: Als beispielsweise 2015 beim Sportfest der Uni Passau ein dem traditionellen Fensterln nachempfundener Wettkampf veranstaltet werden sollte, bei dem männliche Studenten über Hindernisse und Leitern möglichst schnell die Kammer einer »Angebeteten« erklimmen sollten, schaltete sich sogleich die Gleichstellungsbeauftragte der Universität mit dem Hinweis ein, dass das Fensterln die Frau zu einem »Objekt« degradiere.

Mann und Frau gleichermaßen zu Objekten degradiert der Fernsehapparat. In Bayern ist er seit den fünfziger Jahren in Gebrauch, anfangs noch als ein technisches Übertragungsgerät optischer Inhalte, spätestens jedoch seit den Achtzigern und dem Inkrafttreten des dualen Rundfunksystems als ein buntes Massensedativum, das rezeptfrei tagtäglich verabreicht werden kann und alle inneren Aktivitäten des Konsumenten, auch und vor allem seine libidinösen, kontinuierlich blockiert. Beim Fernsehen verkümmert zunächst das zentrale Nervensystem, anschließend degenerieren alle Gliedmaßen. In den Schädeln von Super-RTL-Schauern entdeckte man auf die Größe von Granatapfelkernen reduzierte Gehirne. Fernsehapparate findet man landesweit in jeder Gastwirtschaft, jedem Kuhstall und in jedem Schlafzimmer. Es ist von daher kein Zufall, dass in den achtziger Jahren die bayerischen Geburtenraten immer stärker unter das Niveau der Sterberaten fielen, wo sie fortan auch blieben. Mit dem Fernsehapparat ist die bayerische Fortpflanzung nach Jahrhunderten des erfolgreichen Widerstands gegen zum Teil widrigste Rahmenbedingungen endgültig zum Stillstand gekommen.

Daran wird auch das allmähliche Vordringen von Tablets und Smartphones in den Schlafzimmerbereich nichts ändern, zumal diese als Agenten des globalen Großkapitalismus sicherlich kein Interesse an einer Renaturierung indigener Völker haben. Der dauerpotente, bayerische Naturbursch' ist ganz offensichtlich ebenso ein Auslaufmodell wie die lebenslustige Sennerin und ihre diversen Derivate. Wer heute als Mann nicht weiß, wohin mit seiner Kraft und Herrlichkeit, besucht nach der Arbeit entweder einen Theaterworkshop, ein Abendseminar über Konfliktcoaching oder aber, im schlimmsten Fall, ein Fitnessstudio. Ähnliches gilt für das andere Geschlecht.

Der naive Grobianismus früherer Zeiten besitzt derzeit weder Renommee noch Elan. Die bayerische Sinnlichkeit hat ihre Vehemenz verloren und ist in die Sinnkrise geraten. Entsprechend hoch sind unter anderem die Scheidungsraten. Niemand ist noch bereit, sich nach der großen Leidenschaft auf die stillen Freuden eines langen und erbittert geführten ehelichen Guerillakriegs

einzulassen, auf all die kleinen, liebevoll ausgeheckten und eingefädelten Scharmützel, Tricks und Hinterlistigkeiten, mit denen man sein Ehegespons sukzessive in den Wahnsinn treiben
kann. Stattdessen rennt man bei erstbester Gelegenheit zum An-
walt, lässt sich in zehn Minuten scheiden und bleibt »beste
Freunde«. Auf eine fast unanständige, weil leidenschaftslose Art
und Weise ist Bayern prüde geworden.

4. Im Garten

Wie prüde, kann man vielleicht besser als im Schlafzimmer im
Garten eruieren. Gemeint ist der bürgerliche Kleingarten vor
und hinter der Doppelhaushälfte in urbaner oder stadtnaher
Lage, sorgfältig gepflegt, sorgfältig eingezäunt. Bereits in der
Frühphase der bürgerlichen Aneignung der Welt spielte der Garten eine gewichtige Rolle. Noch vor der Französischen Revolution formulierte Voltaire am Ende eines ziemlich pessimistischen
Romans über die göttliche Vorsehung den berühmt-berüchtigten
Satz »Il fault cultiver notre jardin«. Sagen wollte er damit ungefähr Folgendes: »Lieber Gartenfreund, bilde dir bitte nicht ein, du
könntest die komplexe Welt der göttlichen Vorsehung auch nur
annähernd durchschauen. Deshalb tu etwas Sinnvolles: Beschäf-
tige dich mit dem Grünzeug in deinem Garten!«

Je komplexer und komplizierter sich die Welt jenseits des Gar-
tenzauns im Laufe der folgenden Jahrhunderte weiterentwickel-
te, desto substanzieller wurde der private Grünbereich für die
psychische Hygiene des Bürgertums. Am Gartenzaun endeten
Kriege, Revolutionen, Inflationen und Deklamationen. Im Garten war und ist der Bürger weder Kapitalist noch Kommunist,
weder katholisch, protestantisch noch Zeuge Jehovas, weder he-
tero- noch homo- oder sonst wie sexuell. Im Garten, und sei dieser noch so klein, ist er auf einer sehr erdnahen Ebene er selbst
und sonst niemand. Gartenarbeit ist Arbeit am Selbst, Gartenar-

beit ist Seelenarbeit, wer seinen Garten bepflanzt, bepflanzt sein Innerstes. Nur von hier aus lässt sich der Fanatismus und die Grausamkeit erklären und verstehen, mit denen der Hobbygärtner gegen Schnecken, Rüsselkäfer und Blattläuse vorgeht. Sie bedrohen seine Identität. Nur von hier aus lässt sich aber auch erklären und verstehen, warum selbst der kleinste Garten eine endlose Aufgabe bedeutet. Solange sich im Innersten des Gärtners irgendetwas bewegt, bewegt sich auch der Gärtner in seinem Garten, bückt er sich, wühlt er in der Erde, krabbelt er auf allen vieren durchs Rosenbeet. Dies erfreut die Krankenversicherungen und den Gartenzubehörhandel. Letzterer versorgt den modernen Gartenbesitzer mit allem, was zur fachgerechten Ausgestaltung seines Inneren vonnöten ist, von der mobilen Bewässerungsstation mit integrierter Wasserzeitschaltuhr über den Benzinrasenmäher mit 6 PS und fünffacher Schnitthöhenverstellung bis hin zur Halogengartenleuchte mit Farbscheibensätzen in Rot, Orange, Grün und Blau.

Am Abend sitzt der Gartenfreund dann erschöpft, aber glücklich auf seiner Gartenbank, Modell »Siena«, und hält Zwiesprache mit sich beziehungsweise seinem Alter Ego in der Gießwasserpfütze, dem Gartenzwerg. Er erzählt ihm vom fruchtig-frischen Duft seiner Primeln, vom phänomenalen Wachstum seiner Holundersträucher und von der unsäglichen Bösartigkeit der Spanischen Wegschnecke. Der kleine Wicht reckt sein Köpfchen mit der Knollennase aus Gießharz und hört wie immer geduldig zu.

Ja, auch in Bayern bevölkerte der Gartenzwerg lange Zeit die grünen Seelenwinkel der Einwohnerschaft. Zwar wurde er hierzulande ebenfalls von selbsternannten Kulturkritikern über Jahrzehnte hinweg als Kitschobjekt diffamiert, doch tat dies seiner Beliebtheit keinen nennenswerten Abbruch. Im Gegenteil: Viele Gartenzwerge ließen sich von dem Sarkasmus, der ihnen entgegengebracht wurde, nicht deprimieren, sondern zu sarkastischen Gegenreaktionen inspirieren. Statt mit Schaufel, Laterne oder Schubkarre traten sie ab den neunziger Jahren verstärkt

mit Kettensäge, Maschinengewehr, Stinkefinger oder herunter-
gelassenen Hosen in Erscheinung. Die bayerischen Gartenfreun-
de lachten sich über ihre kleinen Lieblinge schief und ließen sie
gewähren. In einer Nürnberger Galerie hoben goldene Wichte gar
ihren rechten Arm zum Hitlergruß: Solche Strizzis! Seit ein paar
Jahren jedoch ist das Lachen vernehmbar leiser geworden und
die Anzahl der Anarcho-Gnome in den bayerischen Vorgärten
dramatisch zurückgegangen. Was ist geschehen?

5. Bei Buddha

Soweit rekonstruierbar, begann es mit Tieren: Vögeln aus Metall,
Fröschen aus Steinguss, Keramikschildkröten mit Rückenpanzern
im Mosaikdekor. Mehr oder minder lautlos übernahmen sie um
die Jahrtausendwende strategisch wichtige Positionen in Bayerns
Gärten: unter dem Farn an der Uferzone des Naturpools, in einer
malerischen Ecke auf der von einer Glyzinie umrandeten Veranda,
in den kleinen verschwiegenen Refugien am hintersten Ende der
heimischen Grünanlage, wo am späten Nachmittag ein goldenes
Licht die Bambusstangen erhellt. Niemand schöpfte Verdacht.

Es folgten chinesische Granitlaternen und japanische Terra-
kottalampen. Während auf dem Rasen die Gartenzwerge immer
verzweifelter ihre grellen Scherze trieben, sich als Terroristen
verkleideten oder munter kopulierten, brach die Dämmerung
über sie herein, und es breitete sich an warmen Sommerabenden
eine fernöstliche Stimmung zwischen Veranda und Gartentor
aus. Statt Weißbier trank man plötzlich chinesischen Drachen-
brunnen- oder japanischen Tautropfentee, statt im neuesten
Gartenzubehörkatalog blätterte man nun in Schriften fernöstli-
cher Weisheiten.

Und dann war es endlich so weit. Dann kam er, der Reine, der
Vollkommene, der, »der sein Ziel erreicht hat«, der »erfüllte
Wunsch«, der »Erwachte«, circa 80 Zentimeter hoch, 50 Zenti-

meter breit und 90 Kilo schwer, Preis: 199 Euro – der Gartenbuddha!! Und siehe da, die kleinen geilen Zwerge zerfielen zu Staub.

Frühling für Frühling halten seitdem immer mehr Erleuchtete in bayerischen Gärten Einzug. Es gibt sie mittlerweile in jedem Baumarkt, jedem Gartencenter, jedem Möbelgroßmarkt, wahlweise in Steinguss, Sandstein, Terrakotta, Bronze, Fiberglas oder Polyresin. Es gibt sie in der schlanken und der fetten Form, edel in sich gekehrt mit Mona-Lisa-Lächeln oder lebensfroh und breit grinsend wie ein Benediktiner-Cellerar am Schlachttag. Es gibt sie sitzend, liegend, stehend oder schreitend, betend, meditierend, »die Erde anrufend« oder das »Rad der Lehre in Gang setzend«, in Antikfinish, Grau, Olivgrün, creme- oder bronzefarben und vergoldet, mit Aureole oder ohne, mit eingebauter Solarleuchte und Bewegungsmelder oder auch nicht. Wer sich, aus welchen Gründen auch immer, keinen ganzen Buddha unter die Pappelfeige stellen will, kann sich selbstverständlich auch mit einem überdimensionalen Buddhakopf bescheiden, Marmorguss, 150 Zentimeter hoch, sehr dekorativ, bis zu 35 Prozent Rabatt.

Was darf, was muss man davon halten? Wer oder was ist daran schuld, dass sich immer mehr Hobbygärtner von ihren guten, alten Wichtelmännern distanzieren und sich aus anderen Kulturkreisen importierte Götzen in den Garten stellen, die dasitzen, als hätten sie einen Stock verschluckt? Haben wir es lediglich mit einer Art spirituellem Kitsch zu tun, mit dem eine weitgehend säkularisierte Vielfliegergeneration ihre touristische Weltoffenheit demonstriert und zelebriert? Ist das Ganze letztlich so harmlos wie die beleuchteten Plastikgondeln, die unsere Eltern einst vom Venedigurlaub mitbrachten und sich auf ihre Musikvitrine stellten? Oder steckt mehr dahinter? Eine neue Sehnsucht? Ein mentaler Paradigmenwechsel? Ein bis dato noch nicht artikuliertes metaphysisches Bedürfnis? Immerhin, wir befinden uns nicht in der Disko, nicht auf dem Fußballplatz, nicht im Wirtshaus, sondern im Garten, einem der heiligsten Orte der bayerischen Privatsphäre!

Fakt ist: Dem Buddhismus sind starke Männer, trommelnde Häuptlinge und göttliche Manifestationen fremd. Entsprechend wird er gern als »atheistische Religion« bezeichnet. Zu Natur und Umwelt hat er grundsätzlich wenige Beziehungen. Erst der Mahayana-Buddhismus, eine spätere Spielart, machte sich über die Buddhanatur nichtmenschlicher Wesen einige Gedanken und kam dabei zu der blumigen Einsicht: »Gras, Bäume, Erde – alles wird Buddha.« Wie dem auch sei, fest steht: »Buddha werden« ist ein extrem komplizierter und langwieriger Vorgang, der nicht nur bayerischen Gräsern und Bäumen, sondern auch bayerischen Gehirnen einiges abverlangt.

Man denke allein an die doch sehr mühsamen buddhistischen Meditationsübungen, bei denen mit hoher Konzentrationskraft und noch mehr Geduld das Ego überwunden werden soll: für einen mit beiden Beinen fest im Leben verankerten, immer hungrigen und durstigen Mitteleuropäer nicht ganz unproblematisch. Irgendwie glaubt der Bayer ziemlich oft und gern an sein Ego ...

Andererseits: Das, was der Buddhismus »Samatha« nennt, jenes »ruhige Verweilen«, ist dem Bayer nicht völlig wesensfremd. Sein Hang zu stabilen Verhältnissen und ebensolchen Sitzgelegenheiten führt ihn schnell in Vertiefungszustände, in deren Verlauf er weder ansprech- noch reizbar ist, in denen er die Außenwelt kraft der Gedanken an seine Innenwelt, seine Privatsphäre, seine Eckbank, seine Badewanne, seine Sieben-Zonen-Schaummatratze, seine Clematis und Hortensien neutralisiert und schließlich eskamotiert.

Endziel des Buddhismus ist freilich etwas ganz anderes, wesentlich Radikaleres, nämlich die vollständige Überwindung des Daseins, sprich: der Austritt aus »Samsara«, dem ewigen Kreislauf des Leidens und der Wiedergeburt, und der Eintritt ins »Nirwana«. Spätestens hier wird's kritisch: Alles kann man von einem Bayern verlangen, wenn's sein muss, sogar eine Koalition der CSU mit den Grünen, aber die Überwindung Bayerns? Schwer vorstellbar.

Extrem schwer sogar.

Andererseits: Natürlich kennt auch der Bayer seinen Goethe: »Alles muss in Nichts zerfallen / Wenn es im Sein beharren will ...« Die Bayerische Hypo Alpe Adria zerfiel ins Nichts, die bayerische Atompolitik zerfiel ins Nichts, die bayerische Bildungspolitik zerfiel ins Nichts, Stoiber zerfiel ins Nichts. Gut möglich, dass eines Tages auch Bayern ins Nichts zerfällt, zumindest jenes Bayern, das bis dato noch Teil der Bundesrepublik Deutschland ist ... Auch das bayerische Denken huldigt seit Langem schon unterschwellig der Idee des radikalen Bruchs, der ultimativen Zäsur. »So kann's ned weidagehn!«, lautet die rituelle Abschlussformel in Stammtischdiskussionen über die Themenbereiche Jugend, Zuwanderung, Fußballnationalmannschaft, Steuern, Autobahnbaustellen und Länderfinanzausgleich.

Frage: Stellen sich exakt deshalb immer mehr Hobbygärtner ihren Gautama ins Gemüsebeet? Will Bayern nicht weitergehen? Will es sich selbst überwinden, um im Nichts ein anderes zu werden? Apropos: Welche Form hat das Nichts überhaupt? Ist es eckig oder rund, rund oder eckig?

Ästhetik, Humor und Verkehr

*Fünftes Kapitel, in dem wir uns so lange und intensiv
an den Ecken und Kanten bayerischer Gebäude, bayerischer
Reiterdenkmäler, bayerischer Gesichter, bayerischer Lügen,
bayerischer Witze und bayerischer Faschingsumzüge reiben,
bis wir uns in eine kantige Schachtel verwandeln.*

1. In Regensburg

Rundes rollt, Eckiges steht. Die Standfestigkeit des großen Franz
Josef Strauß verdankte sich zu einem Großteil seiner von ihm
und seiner Klientel immer wieder hymnisch besungenen »Ecken
und Kanten«. Der Bayer weiß: Eine Null hat keine Ecken und
Kanten, weshalb sie schnell kippt. Nicht so FJS! So rund er war,
eckte er überall mit Begeisterung an. Bis er zu einem Betondenk-
mal seiner selbst wurde. Doch dann passierte das Unfassbare:
Auf der Wiesn trank er am Mittag des 1. Oktober 1988 noch eine
Maß, dann ließ er sich mit einem Polizeihubschrauber in die
Nähe von Regensburg zur Hirschjagd mit Fürst Johannes von
Thurn und Taxis fliegen. Haushofmeister Wilhelm Lechner überreichte dem 73-Jährigen ein Jagdgewehr, Strauß bricht zusam-
men, vierzig Stunden später ist er tot. Lechner später völlig fassungslos, so als müsse er eine geometrische Unmöglichkeit in
Worte fassen, zur Presse: »Er ist umgekippt!«

Kardinal Ratzinger, der nachmalige bayerische Papst, drückte sich bei den Trauerfeierlichkeiten forstwirtschaftlicher aus: »Wie eine Eiche ist er gefällt worden.«

Eichen sind imposante Bäume. Die St.-Wolfgangs-Eiche bei Schloss Haus (Landkreis Regensburg) besitzt einen »Brusthöhenumfang« von 9,70 Metern. Ebenfalls ein »Mordstrumm« ist die »Tausendjährige Eiche« von Schloss Nagel (Landkreis Kronach). Auch wenn sie bestenfalls 500 Jahre alt ist, ragt sie doch majestätische 28 Meter in die Höhe. Gut möglich, dass der alle und alles überragende FJS unter Umgehung des Fegefeuers in einer solchen Eiche postmortal weiterlebt. Irgendwie scheinen Baum und Mensch ja mythologisch aus dem gleichen Holz geschnitzt zu sein. Man denke nur an die griechischen Nymphen Philyra oder Daphne. Oder aber an das ewige Liebespaar Philemon und Baucis. Katholischen Oberhirten bereiten derartige Transsubstantiationen freilich intellektuelle Bauchschmerzen. Sie können nur abholzen ...

2. In Königsberg

Der Bayer mag das Massive, Wuchtige, Sperrige. Es signalisiert ihm Beständigkeit, Substanz und Wert, weshalb Bayern mit großformatigen Repräsentationsbauten geradezu überschwemmt ist. Residenzen, Schlösser, Burgen, Kirchen und Klosteranlagen locken Jahr für Jahr Millionen beeindruckter Touristen ins Land. Aber auch mit seinen Nutzbauten – der Münchner Kulturvollzugsanstalt am Gasteig, dem »Allgäu Airport« in Memmingen, dem Nürnberger Reichsparteitagsgelände sowie vielen über das ganze Land verstreuten Schweinegroßmastanlagen – weiß der Freistaat zu faszinieren. Die weltberühmte Kaufhof-Fassade am Münchner Marienplatz revolutionierte gar die internationale Gefängnisarchitektur.

Die menschliche Urteilskraft, so Immanuel Kant, nennt etwas »schön«, wenn es den Akt der Wahrnehmungssynthese begünstigt beziehungsweise erleichtert. Schön in diesem Sinne ist zum Beispiel jener berühmte Abendmahlskelch, den Herzog Tassilo III. und seine Gemahlin Liutpirc in der Frühzeit Bayerns dem Kloster Kremsmünster schenkten und der heute unter dem Namen »Tassilokelch« jeden Mediävisten in Verzückung geraten lässt.

Einen derartigen Gegenstand schön zu finden ist freilich keine allzu große Leistung. Der Tassilokelch ist gerade einmal 25,5 Zentimeter hoch und 15,6 Zentimeter breit. Jeder kann ihn schön finden. Wie aber steht es beispielsweise um ein Gebilde von den Dimensionen der Bayerischen Staatskanzlei? Vermag es ebenfalls den Akt der Wahrnehmungssynthese zu erleichtern? Fakt ist: Viele Besucher des Münchner Hofgartens fühlen sich beim Anblick dieses kaugummiartig in die Länge gezogenen Baus hartnäckig entweder an eine politische Aschermittwochsrede oder eine überdimensionale Nudelwalze erinnert. Von »Schönheit« in des Wortes üblicher Bedeutung keine Spur. Oder doch?

Raffinierterweise hat Kant seine Analysen zum Geschmacksurteil mit einer wichtigen Erweiterung versehen, nämlich der Unterscheidung zwischen dem »Schönen« auf der einen und dem »Erhabenen« auf der anderen Seite. Laut Kant ist das Schöne stets etwas Begrenztes und Abgeschlossenes, das sich nach Art eines Abendmahlskelchs, einer Rostbratwurst oder einer Marienstatue mühelos in die kategorialen Schemata unserer Anschauung fügt.

Ganz anders das Erhabene: Es befördert eine Lust, die »... nur indirecte entspringt, nämlich so, dass sie durch das Gefühl einer augenblicklichen Hemmung der Lebenskräfte und darauf sogleich folgenden desto stärkeren Ergießung derselben erzeugt wird«. Kant formulierte hier eine fast waffenscheinpflichtige Theorie des ästhetischen Schocks. Damit etwas »erhaben« und damit quasi schöner noch als schön sein kann, muss besagtes »Etwas« zunächst einmal eine »Hemmung der Lebenskräfte« bewirken: Sein Anblick muss den Betrachter nachhaltig traumati-

sieren. Hierfür eignen sich wuchtige und klobige Gebäude natürlich ganz besonders gut. Ihre raumgreifende Masse brüllt den
Betrachter so lange an, bis sich dieser klein und ohnmächtig
fühlt.

Ist dies geschehen, so bleiben Letzterem generell zwei Möglichkeiten: Entweder er flüchtet in den nächsten Biergarten und
bringt sich dort mithilfe eines Tassilokelchs Bier wieder auf Nor-
malgröße. Oder aber er nimmt die Herausforderung an und
bleibt vor der gewaltigen Staatskanzlei stehen, lässt sich von ihrer sperrriegelartigen Präsenz Weg und Wort abschneiden und
von ihrer hochnäsigen, pseudoprogressiven Glasfront so lange
über die gewaltige Innovationskraft der bayerischen Bürokratie
zutexten, bis sein Selbstbewusstsein vor lauter Kleinheit und
Ohnmacht in den Nanometerbereich gerutscht ist.

Exakt in dieser ästhetischen Krisensituation erkennen wir
nun aber plötzlich, so Kant, dass in jener furchteinflößenden Vehemenz der Keim einer ganz anderen Art von Schönheit enthal-
ten ist: der des staatskanzleiartig Erhabenen! Diese Schönheit ist
erhaben, weil sie, so Kant: »unangemessen«, »zweckwidrig« und
»gewalttätig« ist, wodurch sie unsere rein sinnlichen Anschauungsformen sprengt und uns derart aus der Begrenztheit des
Sinnlich-Schönen in die Unbegrenztheit des Vernünftig-Erhabe-
nen katapultiert. Mit anderen Worten: Im Anblick des Erhabenen werden wir mit roher Urgewalt daran erinnert, dass wir nicht
nur glotzende Kitschkelchkonsumenten, sondern auch und vor
allem seelenstarke und vernunftbegabte Helden sind.

Kant war kein Bayer. Gleichwohl liebte er knödelartige Gebilde, auch »Königsberger Klopse« genannt. Er hätte also durchaus
Bayer sein können, zumal es auch in Bayern ein Königsberg gibt,
nämlich im schönen Unterfranken, nordöstlich von Schweinfurt.
Dass Kant nicht dort, sondern im ostpreußischen Königsberg geboren wurde, kann insofern nur als eine Laune des Zufalls gewer-
tet werden. Zufälle jedoch haben im philosophischen Denken
nichts zu suchen. Weshalb es absolut legitim ist, Kant für Bayern

zu reklamieren, zumal hierzulande schon lange vor Kant und dessen *Kritik der Urteilskraft* von 1790 die Theorie des Erhabenen intuitiv praktiziert wurde. Seit uralten Zeiten bereits evoziert die bayerische Natur mit ihren majestätisch emporragenden Berggipfeln, ihren schroffen Felswänden und tosenden Wasserfällen im einsamen Almhirten einen seltsamen Erregungszustand, den dieser üblicherweise nur nach dem Genuss eines halben Liters Enzian kannte. Im ostpreußischen Tiefland wurde diese erhebende Gemütsverfassung erst bekannt, als sich die ersten Nordlichter in die bayerischen Alpen verirrten.

3. In Bamberg

Der Bayer mag das Massive, Wuchtige, Sperrige. Hohe Berge, steile Kletterwände, pompös in den Himmel ragende Bauwerke widersetzen sich dem Alltäglich-Schönen und befreien dadurch Geist und Fantasie. Doch auch riesige Wohnanlagen an Dorfrändern, geschickt platzierte Glasfassaden in Altstädten sowie Windräder und Strommasten in Naturschutzgebieten dienen der Maximierung des Erhabenen. Ebenfalls zum Erhabenen, weil meist sehr zweckarm und ästhetisch gewaltsam, zählen Denkmäler. So gern sie von Politikern errichtet und eingeweiht werden, so sinnlos und meist unbeachtet stehen sie trotz ihrer Monstrosität anschließend im öffentlichen Raum herum.

Denkmäler haben die seltsame Eigenschaft, trotz ihrer optischen Wucht mit der Zeit fast unsichtbar zu werden. Bayerns Mariensäulen, Schmied-von-Kochel-Statuen und Bismarcktürme können ein Lied davon singen. Etwas anders verhält sich die Sache bei Reiterdenkmälern. Der Bayer liebt sie. Trotz ihrer Masse und Wucht steckt viel Dynamik und Fortschrittsgläubigkeit in ihnen. Ihre tonnenschweren Pferde sind keine zoomorphen Sitzmöbel für blaublütige Stammeshäuptlinge, wie dies böse Zungen gern behaupten, sondern vielmehr glühende Glaubensbekennt-

nisse an eine heroische Zukunft. Unerbittlich wie die Zeit schrei-
ten die ehernen oder steinernen Unpaarhufer vorwärts, nicht
jedoch richtungs- und führungslos auf ein beliebiges Übermor-
gen zu, sondern am strammen Zügel eines bayerischen Götter-
sohns Richtung Glück.

Grundsätzlich genießen Pferde in Bayern hohes Ansehen.
Ohne das süddeutsche Kaltblut, ein großrahmiges, gut bemus-
keltes und tiefrumpfiges Wirtschaftspferd, wäre die bayernweite
Bierversorgung früher unmöglich gewesen. Aber auch das bayerische Warmblut überzeugt seit Jahrhunderten durch Charakter
und Rittigkeit. Eines großen Zulaufs erfreuen sich nach wie vor
Bayerns Pferdemetzgereien: Pferdesalami und Pferdewiener werden von Kennern geschätzt, Pferderouladen gehören zu den Ge-
heimtipps der bayerischen Undergroundküche. Der bayerische
Reitsport mag in der Spitze unterrepräsentiert sein, in der Breite
ist er gut aufgestellt.

Doch zurück zur memorialen Präsenz des Pferdes: Als ganz besonders hippophil präsentiert sich die Landeshauptstadt. Nirgendwo wiehern Marmor und Bronze lauter als auf Münchens
Plätzen. Fast das gesamte bayerische Königshaus reitet durch die
Weltstadt. Der hochrangigste Gaul Münchens schreitet östlich
der Theresienwiese Richtung Norden, Richtung Hauptbahnhof,
Richtung große, weite Welt. Auf seinem Rücken sitzt beziehungsweise thront Kaiser Ludwig der Bayer in vollem Ornat und sehr
erhaben, flankiert von zwei Rittern zu Fuß. Das Ganze kommt
extrem protzig daher, was zum einen dem riesigen Piedestal und
dessen steinerner Ummauerung geschuldet ist, zum anderen der
Tatsache, dass der Stifter ein Brauereibesitzer war, Matthias
Pschorr: Der Bieradel lebt in Bayern traditionell auf sehr großem
Fuß. Allein der Baumbewuchs um das kaiserliche Reiterdenkmal
herum entschärft, zumindest im Sommer, dessen Wucht.

In völliger Baumlosigkeit paradiert derweilen das wohl bekannteste Ross Münchens unter dem Allerwertesten von König
Ludwig I. über den Odeonsplatz Richtung Osten, Richtung Son-

nenaufgang. Auch Seine Majestät beherrscht die erhabene, furchteinflößende Herrscherpose virtuos. Ihm zur Seite gehen zwei Pagen oder Lakaien, die »Gerechtigkeit« und »Beharrlichkeit« symbolisieren sollen und an den königlichen Spruch gemahnen: »Die Frauentürme können wanken, ich nicht!« Diese statische Grundhaltung war freilich nur Fassade: Ludwig I. hatte durchaus seine wankelmütigen Momente. Einer davon war weiblich, hieß Lola Montez und kostete den Monarchen den Thron.

Das berühmteste, weil dynamischste Reiterstandbild Bayerns indes steht nicht in München, sondern in Bamberg, genauer: im Bamberger Dom. Es schreitet nicht, es paradiert nicht, es trabt nicht, es galoppiert nicht, es steht einfach nur da, und dies seit knapp 800 Jahren stets am selben Ort. Niemand weiß, wer der Herr auf des stehenden Schimmels Rücken ist, niemand weiß, was die beiden in der Kirche verloren haben, niemand weiß, wen oder was sie symbolisieren, niemand kennt ihren Schöpfer. Entsprechend viele Hypothesen, Theorien, Mutmaßungen und Anmaßungen drängen sich um das Standbild: Ist er, der Geheimnisvolle auf dem Pferderücken, Stephan I. von Ungarn oder Philipp von Schwaben, ein namenloser Kreuzritter oder ein apokalyptischer Reiter, der Messias höchstselbst oder aber eine »symbolische Abbildung der ganzen Welt«?

»Du Fremdester«, besang ihn Stefan George ebenso treffend wie pathetisch. Die Nazis verknüpften den Reiter aus Bamberg mit dem Führer aus Braunau: »Und leuchtend stehst du da / Im Frankenland / Im Dom / Das hohe Sinnbild wahren Führertums ...« Walter Scheel, der Bundespräsident, wiederum erkannte in den siebziger Jahren »ein Stück von uns selbst« in ihm. Fest steht am Ende: All diese Spekulationen und Zudringlichkeiten befreiten das Reiterstandbild über die Jahrhunderte hinweg aus der Gefangenschaft seiner steinernen Immobilität, entwanden es der Schwerkraft des Eindeutigen und verliehen und verleihen ihm Flügel. So vordergründig es dasteht, so hintersinnig fliegt es. Und mit ihm erhebt sich der gesamte Bamberger Dom, ein 100

Meter langes und in seinen Türmen gut 75 Meter hohes, erhabenes Ungetüm aus Sandstein, Ecken und Kanten, butterzart in die Lüfte ...

4. Im Gesicht

Ecken und Kanten verleihen Standfestigkeit, sie sprengen aber auch die Schemata unserer Anschauung und sorgen für Irritation. Darüber hinaus besitzen selbstverständlich nicht nur Gebäude, Denkmäler und Felswände Ecken und Kanten, sondern, wie bei unserem kurzen Jagdausflug nach Regensburg bereits angedeutet, auch Menschen. Bei Letzteren sieht man besagte Ecken und Kanten am deutlichsten im Gesicht. Je eckiger und kantiger ein Bayer schaut, desto unberechenbarer und gefährlicher ist er.

Im Gesicht des Menschen arbeiten über zwei Dutzend Muskeln, vom sogenannten Kopfhaubenmuskel oder Musculus frontalis bis zum Mundwinkelherabzieher oder Musculus depressor anguli oris. Der kommt in Bayern immer dann zum Einsatz, wenn im Schottenhamel kein Platz mehr frei ist oder die CSU bei der Landtagswahl unter 55 Prozent fällt. Die Münchner Bussi-Bussi-Society arbeitet vornehmlich mit dem »Mundringmuskel«, im Englischen auch *kissing muscle* genannt. Der große Jochbein- oder Lachmuskel reagiert bayernweit am liebsten auf schmutzige Witze.

Die große Macht des Gesichts verdankt sich freilich nicht allein der unter der Epidermis versteckten Muskulatur, sondern ebenso der elitären Lage des Gesichts. Ganz am oberen Ende des Körpers positioniert ist es der Welt frontal zugewandt. Das Gesicht überblickt die Welt und wird von ihr erblickt. Es ist die Visitenkarte des Individuums. Trotz Handy und E-Mail finden die meisten substanziellen interpersonalen Prozesse – Hochzeiten, Schlägereien, Leichenidentifizierungen – nach wie vor auf der

Face-to-face-Ebene statt. Nicht umsonst erfreut sich das Facelifting bei den Tegernseer Millionärsgattinnen einer so großen Beliebtheit.

Womit wir wieder beim Thema wären: Gesichter machen nicht nur plastische Chirurgen, sondern auch und vor allem die Gesichter selbst. Jedes einzelne Antlitz verfügt über ein riesiges Repertoire an Gesichtern beziehungsweise Gesichtsausdrücken respektive Mienen. Viele Mienen verdanken sich simpler Konvention: das Lächeln bei der Begrüßung, der Büßerblick in der Kirche, das »Ach-wie-interessant-Gesicht«, wenn der Chef von seinen Trivialitäten berichtet. Eng mit den konventionellen Mienen verwandt sind die reaktiven Gesichtsausdrücke: Wenn beispielsweise ein Niedersachse behauptet, der Wurmberg im Harz sei die imposanteste Erhebung Deutschlands, so muss jeder Garmisch-Partenkirchener augenblicklich lachen. Das Ganze hat ausschließlich mit Reiz und Reaktion beziehungsweise Ursache und Wirkung zu tun, läuft quasi automatisch ab.

Etwas ganz anderes ist es hingegen, wenn man beispielsweise als noch junger bayerischer Skandalpolitiker beim traditionellen »Dableckn« auf dem Nockherberg sitzt und mithilfe des großen Jochbeinmuskels über Stunden hinweg so tun muss, als empfinde man all die billigen und unqualifizierten Bemerkungen der Bühnenkomiker extrem witzig. Auch wenn man innerlich vor Wut dampft, muss man beim anschließenden BR-Interview dem Fernsehpublikum mit jovialen Worten und völlig unschuldigem Blick versichern, dass Humor etwas ganz Großartiges und Befreiendes sei und dass man sich köstlich amüsiert habe.

Was die Frage aufwirft: Wann ist ein Gesicht wahr, wann falsch, wann unschuldig, wann schuldig? Antwort: Wahre beziehungsweise unschuldige Gesichter gibt es nicht, gab es nie. Als gute Katholiken wissen die Bayern, dass jegliche menschliche Kreatur seit Adam und Eva den Keim der Schuld in sich trägt. Woraus zwangsläufig nur folgen kann: Unschuld ist in Bayern keine jedem bis zum Beweis des Gegenteils zugebilligte Vermutung, sondern etwas, was man sich aktiv erarbeiten muss. »Aktiv erarbeiten« heißt unter anderem: mithilfe einer aktiv und vorsätzlich aufgesetzten, clever inszenierten, nicht zu runden, sondern an den richtigen Stellen grobkantigen beziehungsweise spitzeckigen Unschuldsmiene zu bekräftigen.

5. In Lübeck

Erinnern Sie sich noch an Björn Engholm? Björn Engholm war erstens Lübecker, zweitens Sozi und drittens ein attraktiver Gutmensch. In den frühen neunziger Jahren spielte er bundespolitisch bei der SPD die erste Geige. Berühmtheit erlangte er vor allem durch seine beeindruckende Darstellung als pfeiferauchendes Opfer der sogenannten Barschel-Affäre. Bei der Barschel-Affäre handelte es sich um eine dubiose Spitzelinszenierung, zu deren opernhaftem Ende eine Badewanne im Genfer Luxushotel Beau-Rivage gehörte. 1993 geriet Björn Engholm, der attraktive sozialdemokratische Gutmensch, plötzlich in den Verdacht, nicht nur Opfer besagter Affäre gewesen zu sein, sondern zumindest am Rande auch Beteiligter. Und was tat Björn Engholm? Gewohnt an die dankbare Rolle des Opfers, setzte er in aller Unschuld sogleich eine so amateurhaft-unschuldige Unschuldsmiene auf, dass er innerhalb kürzester Zeit alle seine weiteren politischen Ambitionen in der Pfeife rauchen konnte.

Ganz anders Friedrich Zimmermann. Der gebürtige Münchner sah eher unterdurchschnittlich aus und hatte nie die Gelegenheit, sich als strahlendes Opfer zu präsentieren, auch wenn sich seine Promotionsarbeit mit der »elterlichen Gewalt der Frau« beschäftigte. Im Gegenteil: Bereits zu Beginn seiner politischen Karriere, 1960, fand er sich schnell in der Rolle des Buhmanns wieder. In der sogenannten bayerischen Spielbankenaffäre, einer clever eingefädelten Staatsintrige der CSU, leistete Zimmermann als CSU-Generalsekretär die Drecksarbeit. Das heißt, er war Täter und nichts als Täter! 1960 wurde er deshalb rechtskräftig wegen »fahrlässigen Falscheides« verurteilt.

Für jedes Weichei wäre an dieser Stelle Schluss mit lustig gewesen. Nicht so für Friedrich Zimmermann. Innerhalb Jahresfrist präsentierte er ein medizinisches Gutachten, das ihm bescheinigte, zum Zeitpunkt des Eides aufgrund einer Unterzuckerung sowie akuter Wetterfühligkeit geistig nicht zurechnungsfähig gewesen zu sein. Passend dazu setzte er ein sensationelles, bis ins letzte Komma stimmiges Armesündergesicht auf – nicht zu süßlich, nicht zu säuerlich, sondern männlich-herb, mit einem Schuss Ecke und Kante. Justiz und Öffentlichkeit waren begeistert. Er wurde nachträglich freigesprochen, ein paar Jährchen aus der Schusslinie genommen und dann erst Vorsitzender des Verteidigungsausschusses des Deutschen Bundestages, anschließend CSU-Landesgruppenchef in Bonn und schließlich Bundesinnenminister unter Helmut Kohl. Einer seiner Lieblingssätze war die alte Hermann-Höcherl-Devise: »Man kann nicht immer mit dem Grundgesetz unterm Arm herumlaufen!«

Die Fälle Engholm und Zimmermann belegen, erstens, deutlich: Ein dummes, unschuldiges Gesicht kann jeder machen. Weshalb man, zweitens, vorsichtig sein sollte. Wir modernen Alltagsmenschen mögen Unschuldige eigentlich gar nicht so gern, wie wir nach außen hin immer tun. Seien wir ehrlich: Unschuldige sind entweder zu dumm oder zu fantasielos für das Leben und seine tausend Schleichwege. Unschuldige sind Angsthasen, Prinzipienreiter, große Babys oder selbstverliebte Antiseptiker, die sich für ein kleines Schlammbad oder eine kleine Briefkastenfirma in Panama viel zu fein sind. Unschuldige riechen nach nichts, schmecken nach nichts, sind nichts. Nichts als ein ewiger, monotoner Vorwurf an alle, die nicht jeden Tag im frisch gebügelten, moralingestärkten Sonntagsanzug herumlaufen wollen. Unschuldige sind ebenso langweilig wie nervtötend. Ihr Sympathiewert geht gegen null.

Dies belegt schon eine ganz simple Frage: Wer möchte mit Björn Engholm ein Bier trinken gehen? Wahrscheinlich noch nicht einmal die bayerischen Hardcore-SPDler. Und mit Friedrich Zimmermann? Jeder anständige Christenmensch! Die Fähigkeit zur Vergebung ist eine der ganz großen menschlichen Tugenden.

Ebendeshalb ist es, drittens, ratsam, Unschuld nie allzu plakativ mit sich herumzutragen. Gerade in einem runden, vollen, feisten Gesicht kann die Engelsmiene mitunter besonders plump und penetrant wirken.

Der mimetische Imperativ der praktischen Alltagsvernunft lautet deshalb, viertens: Spiel nicht das Unschuldslamm, mach lieber den Zimmermann! Sei eckig, damit du nicht nach Lübecker Marzipan schmeckst!

6. In einer stillen Seitenkapelle

Was freilich – dies sollte man, fünftens, nie vergessen – mitunter leichter gesagt ist als getan. Nicht jeder wird als Zimmermann geboren. Man sehe sich zum Beispiel Altministerpräsident Edmund Stoiber an. In seiner langen Zeit als bayerischer Ministerpräsident hatte er reichlich Gelegenheit, seine gut zwei Dutzend Gesichtsmuskel auf Vorder- beziehungsweise Zimmermann zu bringen. Nie jedoch ist es ihm auch nur ansatzweise gelungen, an Old Schwurhand heranzureichen. Stoiber konnte schauen, wie er wollte, immer sah er entweder etwas zu verbissen oder ein wenig zu kitschig, in jedem Fall aber oberlehrer- respektive jesuitenschülerhaft aus. Unschuldig geht anders! Stoibers Versagen ist insofern etwas verwunderlich, als er in seiner Jugend Ministrant war, also regelmäßig die Kirche besuchte. Nichts befördert das Training einer adäquaten Unschuldsmiene intensiver und systematischer als der regelmäßige Kirchgang. Das menschliche Dasein im Spannungsfeld zwischen Schuld und Erlösung ist der Kirche seit jeher vertraut. Entsprechend virtuos tritt besagte Conditio humana, mimetisch aufbereitet, in Bayerns Gotteshäusern in Erscheinung.

In den sonntäglichen Gesichtern der Dorfhonoratioren kann die Jugend die perfekte Mischung aus kindlicher Frömmigkeit und hinterlistiger Verschlagenheit live und aus nächster Nähe in Augenschein nehmen, um sie anschließend im Halbdunkel einer stillen Seitenkapelle sukzessive einzuüben. Frage deshalb: Was tat Stoiber im Halbdunkel einer stillen Seitenkapelle?

7. In Passau

Der klassische Festtag der Unschuldsmiene ist traditionell der 1. April. An diesem Tag versucht der Bayer das, was er in Gotteshäusern und im Alltag fleißig eingeübt hat, im Windschatten des Scherzhaften öffentlich vorzuführen. Will heißen: Er behauptet etwas völlig Abstruses, zum Beispiel, dass die Münchner S-Bahn plane, demnächst Speisewagen auf ausgewählten Strecken einzusetzen, und schaut dabei wie ein frecher Dackel fromm aus der Wäsche. Nicht die Lust am Lügen und auch nicht die Schadenfreude animieren ihn zu einer derartigen Tat, sondern allein die lustvolle Präsentation einer möglichst perfekten Unschuldsmiene. Kein Wunder, dass die erste schriftliche Erwähnung des »In-den-April-Schickens« im Jahr 1618 aus Bayern stammt. Und 1733 reimte Abraham a Santa Clara: »Heute ist der 1. April, da schickt man die Narren, wohin man will!«

Für manchen ist jeder Tag der 1. April. Und das ist gut und richtig. Die bayerische Unschuldsmiene nämlich ist das klassische Instrument zur aktiven Menschenführung. Sie schafft Vertrauen, baut Zuversicht auf und Misstrauen beziehungsweise Vorurteile ab. Sie sorgt für ein harmonisches Miteinander in Familie, Betrieb und in der großen Politik. Jedes Haifischbecken verwandelt sich durch sie in eine Badewanne, jeder Löwenkäfig in eine Gartenlaube, jedes Mi(e)nenfeld in ein Blumenbeet. Ohne ihr gnadenreiches Wirken wäre Bayern womöglich bis heute nicht pazifiziert.

Einer der größten Pazifisten Bayerns war zweifellos FJS. Seine sehr eckige und kantige Interpretation der bayerischen Unschuldsmiene machte ihn auch jenseits der Donau schnell zum Superstar. In unschuldiger Empörung rief er Ende der vierziger Jahre jenen klassischen Satz aus, dem zufolge jedem, der fürderhin nach einer Waffe greife, die Hand verdorren solle, um alsdann im derart befriedeten Deutschland Ende der fünfziger Jahre in seiner Funktion als deutscher Verteidigungsminister massenweise einstrahlige Kampfflugzeuge vom Typ »Lockheed F-104« zu bestellen, besser bekannt als »Starfighter«. Von den insgesamt gut 900 Exemplaren gingen bis 1991 ohne Feindeinwirkung 300 verloren, 269 davon durch Abstürze. Franz Josef Strauß machte mit seiner Friedenspolitik Feinde im klassischen Sinn überflüssig.

Sein ganz persönlicher 1. April war übrigens nicht der 1. April und auch nicht jeder andere Tag, sondern der Aschermittwoch. An diesem Tag schickte er regelmäßig alle Narren dorthin, wohin er wollte, nämlich nach Passau. Dort präsentierte er ihnen etwas ziemlich Spektakuläres, um nicht zu sagen Verrücktes: eine mit heftigen Armbewegungen, deftigen Vokabeln und jeder Menge Schweiß bis zur Empörungsgrimasse angereicherte Unschuldsmiene. Mehr Ecke und Kante, mehr Bodenständigkeit und Erhabenheit ging nicht. Hier flog einer in vollendeter Unschuld übers Kuckucksnest.

Angeblich reicht die Tradition des politischen Aschermittwochs bis ins 16. Jahrhundert zurück. Bayerische Bauern sollen sich damals regelmäßig zum Vieh- und Rossmarkt in Vilshofen versammelt und dabei in aller Unschuld Klartext geredet haben. Worüber, ist leider unbekannt. 1953 griff Franz Josef Strauß, der damals gerade als junger Performancekünstler im Kabinett Adenauer von sich reden machte, diese alte Tradition wieder auf und ließ sie in neuem Gewand erblühen. Schnell sprach sich herum, dass sich da einer im Wolferstetter Keller, einem Vilshofener Traditionslokal, coram publico stundenlang in freundlich-jovialer Brutalität die Seele aus dem Leib brüllte. Deftige Spektakel finden in Bayern immer ihr Publikum, und so wurde die Bierspelunke bald zu klein, und man zog in aller Unschuld und Arglosigkeit in die von den Nazis errichtete Nibelungenhalle zu Passau um. Von der suggestiven Gewalt der FJS'schen Hand- und Gesichtsbewegungen schwärmen Augenzeugen noch heute in den allerhöchsten Tönen. Man greift sicherlich nicht zu hoch, wenn man feststellt: Nie war ein Unschuldsgesicht so eckig und kantig!

8. Am Rhein

Bleiben wir beim eckigen und kantigen Gesicht des Bayern. Wenn es nicht lügt, lacht es. Doch auch dies anders als die anderen, nämlich extrem sehenswert. Der Bayer ist kein Rheinländer. Rheinländer lachen, wenn sie lachen. Sie ziehen jählings die Mundwinkel nach oben, entblößen ihr Zahnfleisch, reißen Augen und Nasenlöcher weit auf, geben wiehernde Geräusche von sich und klopfen sich frenetisch auf die Schenkel. Ganz anders der Bayer. Er sitzt, wenn etwas ganz besonders komisch zu werden droht, gern da, als ginge die Welt unter. Seine Miene schaut dann aus, als müsse er gerade eine komplizierte mathematische PISA-Test-Aufgabe lösen oder aber nach elf Uhr vormittags eine kalte Weißwurst verzehren.

Rheinländer scheinen im gestischen Akt des Lachens etwas auszustoßen. Die sogenannten Relief- oder Tention-Management-Theorien gehen davon aus, dass beim Lachen des Rheinländers »nervliche Energie« abgebaut wird. Ihr Lachen ist eine Ersatzreaktion auf Situationen, die normalerweise wesentlich mehr emotionale Energie benötigten, nämlich so sperrige Gefühle wie Schmerz, Wut, Empörung oder dergleichen. Der durch das Lachen eingesparte Gefühlsaufwand macht das Lachen so angenehm, so befreiend.

Das bayerische Lachen stößt, dies belegt der bloße Augenschein, nichts aus, sondern atmet eher etwas ein. Es wittert. Was genau, konnte bislang nicht exakt bestimmt werden. So viel immerhin scheint gewiss: Humor ist etwas äußerst Hintersinniges und nur im Rahmen komplexer, polykontexturaler Gesellschaften Funktionierendes. Wie hintersinnig und verschachtelt Humor funktioniert, deutet allein schon Jean Pauls klassische Definition an: »Der Humor, als das umgekehrt Erhabene, vernichtet nicht das Einzelne, sondern das Endliche durch den Kontrast mit der Idee.« Wer so eine filigrane Meinung vom Humor hat, lacht nicht wie ein sich Übergebender. Wer so eine filigrane Meinung vom Humor hat, beantwortet Lustiges nicht mit unkontrollierten Zuckungen, sondern – ganz im Gegenteil – mit Andacht, Konzentration und ... Bierernst. Woraus folgt: Der Bierernst ist keine Trauermiene, keine Spielverderberattitüde, keine Miesmacherei, sondern eine komplexe Form des Humors mit anderen, mit eckigen und kantigen Mitteln.

Doch machen wir sicherheitshalber die Probe: Untersuchen wir die Narrative des rheinischen und des bayerischen Witzes. Ein typisch rheinländischer Witz geht so: Sagt die Frau zu ihrem Mann: »Meine Mutter kommt übers Wochenende auf Besuch.« Darauf er: »Hol den Hund, damit wir ihm den Schwanz abschneiden – nicht dass sie noch meint, es freut sich wer.« Keine Frage, das ist lustig, sehr lustig sogar. Wenn Sie, verehrte Leserinnen und Leser, an dieser Stelle dennoch keine Miene verzogen haben, so sind sie entweder eine Schwiegermutter, ein Hund oder eben eine Bayerin beziehungsweise ein Bayer. Falls Letzteres zutrifft, denken Sie jetzt vielleicht gerade über die Beziehung zwischen Humor, amputierten Gliedmaßen und angeheirateten Verwandten nach und finden darin keine echte Pointe. Ohne diese jedoch lässt sich im Humor kein Blumentopf gewinnen.

9. An der Grenze

Im Vergleich dazu der bayerische Witz: Er heißt Ludwig II. und war von Beruf König. Eine Schwiegermutter hatte er nie und auch keinen Hund (zumindest keinen Lieblingshund, so wie der Alte Fritz), dafür aber liebte er die Pointe, den Effekt, das Knallbonbon. Alles, was er Bayern hinterlassen hat, ist Pointe, Effekt und Knallbonbon: Herrenchiemsee, Schloss Linderhof, Neuschwanstein sind tollkühne, in Stein gefasste Scherze voller Ecken und Kanten. Er selbst jedoch schien so gut wie nie gelacht zu haben, nicht einmal im tiefsten Keller der Residenz. Weder auf den berühmten Jugendbildnissen von Wilhelm Tauber und Ferdinand von Piloty noch auf dem opulenten Ölschinken von Gabriel Schachinger, der Ludwig als Großmeister des Hausritterordens vom heiligen Georg in Samt und Hermelin zeigt, noch auf irgendeiner Fotografie von ihm findet sich ein Beleg dafür, dass der königliche Jochbeinmuskel je die Mundwinkel Seiner Majestät auch nur ansatzweise nach oben gezogen hätte. Bismarck beschwerte sich einmal über die unsäglichen Mühen, die es bereitet hätte, mit dem Wittelsbacher einen lockeren Smalltalk zu führen. Der norddeutsche Humor war des Königs Sache nicht.

Dennoch war er sicherlich kein Oberstudienrat, kein Oberfinanzdirektor. Dazu besaß er eindeutig zu viel Fantasie. Wer viel Fantasie besitzt, kann nicht humorlos sein, auch wenn er bereits als Jungkönig »mit ernstem, selbst strengem Blick herumschaut«, wie der bayerische Justizminister Eduard von Bomhard 1864 in sein Tagebuch schrieb. Wer ein Schloss wie Neuschwanstein erträumte, muss einen ausgeprägten Sinn für Grenzsituationen außerhalb des normalen Ordnungszusammenhangs gehabt haben und insofern auch Humor. Denn Humor ist ja, wenn man trotzdem lacht, das heißt, wenn man in Grenzsituationen außerhalb des normalen Ordnungszusammenhangs fantasievoll bleibt. Man darf sich insofern von den mitunter etwas düsteren Gesichtszügen des Märchenkönigs nicht irritieren lassen. Wahrscheinlich setzte er diese lediglich deshalb auf, weil Platon irgendwann einmal behauptet hatte, dass das Lachen eine moralisch höchst anstößige Sache sei, besonders für Führungskräfte. Anstatt jedoch nun wie sein Großvater mit der Pose eines edlen Griechen hausieren zu gehen, kultivierte er lieber die Geste des bayerischen Bierernstes. Ludwig II. war ein natur- und heimatverbundener Mensch. Innerlich jedoch wieherte er sich in den 22 Jahren seiner Regentschaft mit an Sicherheit grenzender Wahrscheinlichkeit regelmäßig zu Tode. Und mit ihm tun dies bis heute viele Besucher der Ludwig'schen Witzschlösser.

10. In Altötting

Ganz anders und doch auch wieder ziemlich ähnlich verhielt beziehungsweise verhält sich da die schwarze Madonna im offiziellen »Herzen« von Bayern, in der Gnadenkapelle zu Altötting. Auch wenn sich die exakte Stellung ihrer Mundwinkel im Halbdunkel des schummrigen Oktogons nur schwerlich eruieren lässt, herrscht unter den rund eine Million Wallfahrern, die diese frühgotische Marienstatue alljährlich aufsuchen, Einigkeit darüber, dass sie ein huldvolles Lächeln auf den Lippen trägt. Das ist, wenn es denn stimmen sollte, ausgesprochen mutig. Den meisten Sterblichen nämlich würde angesichts der Mühseligen und Beladenen, die sich tagtäglich nach Altötting schleppen, das Lachen beziehungsweise Lächeln schnell vergehen. Selbst Gerold Tandler, einem fidelen Altöttinger Hotelbesitzer und ehemaligen bayerischen Innenminister, ist irgendwann sein huldvolles Grinsen abhandengekommen. Die schwarze Madonna jedoch lächelt trotzdem weiter. Auch sie zeigt sich dadurch den Grenzsituationen außerhalb des normalen Ordnungszusammenhalts gewachsen und beweist insofern auf diskrete Weise persönlichen Humor.

Anderenorts freilich hat das Dauergrinsen in den letzten Jahrzehnten derart exzessive Formen angenommen, dass ihm in der interpersonalen Kommunikation mit steigendem Argwohn begegnet wird. Selbst im Rheinland fällt man nicht mehr auf das obsessive Politikerlächeln herein. Wer permanent nichts anderes als seine gute Laune zu Markte trägt, gilt als verdächtig. Weshalb viele bayerische Politiker schon seit Längerem lieber eine patriotische Sorgenmiene aufzusetzen pflegen. Mit dieser künden sie der endemischen Bevölkerung eloquent von den mannigfaltigen Gefahren des nationalen und internationalen Terrorismus, von amoklaufenden Schülern, schnauzbärtigen Integrationsverweigerern, gut genährten Sozialschmarotzern und verwahrlosten Wutrentnern. Als einer der Erfinder der neueren bayerischen Schwarzmalerei gilt gemeinhin der ehemalige Ministerpräsident Edmund Stoiber. Lachte er, so sah er oft wie ein dummer August aus, mimte er indes die schmallippige, bayerische Kassandra, so erstrahlten die Stammtische in seligem Lächeln.

Für viele nichtbayerische Humorforscher stellt dieses Verhalten ein permanentes Rätsel dar. Wie kann die detailgenaue Beschwörung drohender Gefahren so viele lachende Wähler akquirieren? Birgt die bayerische Lachkultur etwa eine unterschwellige Tendenz zur kollektiven Todessehnsucht, eine Art Selbstzerstörungstrieb in sich? Das Gegenteil ist der Fall: Je bierernster ein Politiker die Schlechtigkeit der Welt an die Wand malt, desto lustvoller gelingt es dem Auditorium, sich von ihr zu distanzieren. Bereits Sigmund Freud wies auf diesen humoristischen Trick der Affektentbindung hin. Das narzisstische »Ich« weigert sich ganz einfach, sich von außen zum Leiden nötigen zu lassen, und freut sich über diesen souveränen Akt des Widerstands in Grenzsituationen außerhalb des normalen Ordnungszusammenhangs.

Humor ist, wenn man trotzdem lacht. Natürlich ohne es allzu deutlich zu zeigen. Der Bierernst ist das Salz im Pudding, der Zucker auf dem Wurstsalat, die Perle im Misthaufen. Er gibt dem bayerischen Humor ein nach außen hin mitunter etwas irritierendes Erscheinungsbild, weshalb er in nichtbayerischen Gemütern vorzugsweise auf blankes Unverständnis stößt. Dann stellt sich bei Rheinländern und vielen anderen nördlich der Donau Wohnenden schnell die Frage: »Was, um Himmels willen, ist so saukomisch, wenn eine bierernste, kantige Spießbürgerfresse wie die von Großmeister Gerhard Polt über ihren Italien-, Griechenland- oder Bangkokurlaub referiert?« Antwort: »Keine Ahnung.«

11. In Olching

Sehr wahrscheinlich ist trotz alledem, dass der bayerischen Heiterkeit doch irgendwo und irgendwie eine gewisse Melancholie innewohnt. Auch wenn das moderne Bayern mancherorts fast so schön wie der legendäre Garten Eden in Erscheinung tritt, weiß man hierzulande doch sehr wohl, dass die Welt in ihrer metaphysischen Hülle und Fülle noch immer einem Jammertal gleicht. Blühende Geranien können das Übel kaschieren, aber nicht annullieren. Hypersensible Bayern erschüttert im Zweifelsfall schon der Gedanke an eine Berliner Weiße so stark, dass sie sich in psychiatrische Behandlung begeben müssen. Andere bekommen noch immer Gleichgewichtsstörungen, hören sie nur Namen wie Willy Brandt, Joschka Fischer oder Oskar Lafontaine. Um ihre Widerstandskräfte zu optimieren, muten sich deshalb manche ganz bewusst ein so lustiges Ereignis wie den alljährlich stattfindenden Olchinger Faschingsumzug zu ...

Warum die Olchinger im Gegensatz zu den meisten anderen oberbayerischen Gemeinden einen Faschingsumzug veranstalten, wäre eine spannende Frage für eine Doktorarbeit in Ethnologie oder Psychologie, spielt hier aber keine entscheidende Rolle. Sie tun es, und dies in sequenzieller niederrheinischer Form mit Witzen aus Pappmaché, seltsamen Verkleidungen und Bonbonattacken vom Fließband. So manche Mutter muss dem Kinderarzt am Aschermittwoch erklären, woher die Hämatome ihrer Kleinen stammen. Trotzdem erfreut sich der Olchinger Faschingsumzug selbst bei Schneesturm einer großen Beliebtheit. Masochismus? Eher nicht, ein gewisser Hauch von Schwermut scheint dem bayerischen Faschingskrapfen dennoch beigemischt zu sein. »Ois is Blues«, lautet das Theorem eines bekannten ortsansässigen Barden. Woher dieser Schwermut rührt? Fragen Sie Jean Paul: »Der Humor, als das umgekehrt Erhabene, vernichtet nicht das Einzelne, sondern das Endliche durch den Kontrast mit der Idee.«

Dem autochthonen Blues ist es unter anderem zu verdanken, dass der Bayer den Humor niemals auf die leichte Schulter nimmt. Scherzen ist eine ernste Sache, Lachen ebenso. Wer glaubt, Humor sei eine Art Spielwiese, auf der jeder Grenzdebile Grimassen schneiden, Kalauer reißen und Anzüglichkeiten von sich geben darf, kann sich vielleicht im ZDF oder bei RTL hochwitzeln, nicht jedoch auf den Applaus bayrischer Rezipienten hoffen. Humor – bayerischer Humor – ist nicht, wie Vertreter der Systemtheorie behaupten, ein symbolisch »schwaches« und insofern meist folgenloses Kommunikationsmedium, sondern ganz im Gegenteil eine gefährliche Schusswaffe. Wie viele ungewollte Verletzungen, Animositäten, Kontroversen und Missverständnisse gehen nicht auf eine leicht und lässig dahingesagte Injurie zurück?

Was uns sicherlich nicht zum letzten Mal zu FJS zurückführt: Der Mann konnte lachen, ohne seine Ecken und Kanten auch nur ansatzweise zu verziehen. Und wenn sich sein Gesicht trotzdem verformte, so hatte es etwas Haifischmäßiges an sich. Kritikern an der bayerischen Spaßkultur gegenüber konnte er mitunter sehr unwirsch auftreten. Weil er Humor hatte, verstand er keinen Spaß. Skeptische Äußerungen über seine Person, seine Amigos sowie Bayern als Ganzes hatten mit Humor grundsätzlich nichts zu tun. Da konnten er und seine Amigos, also der gesamte Führungsapparat des Freistaats, im Einzelfall beziehungsweise in Grenzsituationen außerhalb des normalen Ordnungszusammenhalts überraschend dünnhäutig, ungnädig und scharfkantig werden: Humor ist, wenn man trotzdem lacht ...

12. In Oettingen

Der Bayer mag das Massive, Wuchtige, Sperrige. Nicht alles, was massiv ist, muss indes heute noch sperrig sein. Ein PS-starker BMW ist auch als Limousine oder SUV ein Geschoss. Er mag noch so bullig, klotzig und breitbeinig aussehen und insofern fast mühelos an einen ISO-Container erinnern, auf der Überholspur kennt er kein Pardon. Dieser motorisierten Gnadenlosigkeit kann sich kaum ein Bayer entziehen, stellt sie doch alle Reiterdenkmäler, alle Strauß-Reden und alle Grenzsituationen jenseits des normalen Ordnungszusammenhalts mühelos in den Schatten. Und dies, obgleich kaum anderswo einst so vehement gegen den »Automobilismus« vorgegangen wurde wie hierzulande. So orakelte die Zeitschrift *Bayerisches Vaterland* in einer ihrer Ausgaben von 1906: »Gegenüber dem Verhalten des Automobilspleens, alles auf und an der Landstraße als vogelfrei zu behandeln, kann angesichts der Ohnmacht des Staates nur Selbsthilfe die Automobilrowdies zur Besinnung zurückführen, und es sollte uns wundern, wenn nicht da und dort der Landbewohner zum Schrotlauf langen sollte, um solch rasenden Autos die Weiterfahrt zu vergällen.« Wo nicht geschossen oder mit Steinen geworfen wurde, wurden Glasflaschen zertrümmert und auf die Straßen gestreut. 1913 wurde in Nürnberg, 1915 im gesamten bayerischen Oberland deshalb das Flaschenpfand eingeführt. Zu einer ganz anderen »Waffe« griffen unterdessen medizinische Fachkreise. Ihren Angaben zufolge übe die automobile Geschwindigkeit einen negativen Einfluss auf die »Sexualsphäre« aus. Angeblich soll sie zu »Erektionsschwäche bei Selbstfahrern« führen. Zur Information: Die Automobile um das Jahr 1905 erreichten Spitzengeschwindigkeiten von 40 bis 60 Kilometern in der Stunde.

Dennoch wurde bereits 1753 in Oettingen im heutigen schwäbischen Landkreis Donau-Ries mit dem Chausseebau nach französischem Vorbild begonnen; die erste fertiggestellte Kunststraße verband Oettingen mit Nördlingen. 1825 ließ sich bereits ansatzweise von so etwas wie einem »bayerischen Straßennetz« sprechen, bestehend aus 6621 Kilometern ausgebauten Hauptstraßen. Ab 1850 erhöhte sich der Anteil der Kunststraßen kontinuierlich. Neben der Landeshauptstadt München bildeten die Städte Nürnberg, Augsburg, Regensburg und Würzburg nun Knotenpunkte in einem vergleichsweise dichten Straßennetz.

Die automobile Massenmobilisierung nach dem Zweiten Weltkrieg verwandelte die Straße schließlich endgültig in eine allgegenwärtige asphaltierte Selbstverständlichkeit, wodurch Bayern der entscheidende zivilisatorische Durchbruch gelang. Stolz kann das bayerische Innenministerium heute feststellen: »Straßen und Brücken prägen ganz wesentlich die Kulturlandschaft Bayerns!« Und der Bayer liebt Kultur. 1950 teilten sich noch hundert Bayern einen Pkw. Saßen zwei vorn und zwei hinten, so standen 96 dumm am Straßenrand herum. Dreißig Jahre später, 1980, konnten alle Bayern, paarweise auf Vorder- und Rücksitze verteilt, gleichzeitig die motorisierte Bewegung genießen, ohne dass noch jemand mit der Bahn fahren musste. Heute braucht niemand mehr hinten sitzen, weshalb das Cabriofahren längst zu den beliebtesten Freizeitbeschäftigungen im Freistaat gehört. Was gibt es Schöneres, als an einem strahlenden Sommernachmittag mit einem BMW-Cabrio durch die Dörfer Oberbayerns zu cruisen, vorbei an malerischen Kirchen, geraniengeschmückten Balkonen, blutenden Heilanden und urigen Wirtshäusern?! Keine Frage: Der weiß-blaue Himmel fängt direkt auf dem Asphalt an!

13. An der Eschenrieder Spange

Einziger Haken an diesem Roadmovie-Dream: Gott erschuf nicht allein die Cabrios, den Individualverkehr und die Überholspur, sondern ebenso das Autobahnkreuz München-Nord, das Autobahnkreuz München-Süd, die Anschlussstelle Nürnberg-Hafen zur A 73, die Anschlussstelle Aschheim/Ismaning zur A 99, die

A 8 zwischen Adelzhausen und Odelzhausen, die B 16 bei Bad Abbach und, und, und ... Obgleich die bayerische Landeshauptstadt in der Rangliste der verstautesten Städte Europas mit rund 24 Prozent lediglich auf Platz 25 liegt, ist Autofahren auch in Bayern regelmäßig Staufahren beziehungsweise Staustehen. Und schon verwandelt sich der SUV von einem Geschoss zurück in eine Lagerhalle: massiv, wuchtig und (!) sperrig. Warum das so ist, müsste angesichts der Diversität der in Bayern praktizierten Lebensstile, Lebensentwürfe und sozialen Milieus eigentlich ein Rätsel sein. Wenn sich die Menschen in den letzten fünfzig Jahren tatsächlich vor allem differenzierten, »heterogenisierten« und »enttraditionalisierten«, warum zum Geier treffen sie sich dann alle an jedem Wochentagmorgen und jedem Wochentagabend an der Eschenrieder Spange zum automobilen Stillstand? Warum sind die einen nicht dabei zu konsumieren, die anderen auf den Terrassen ihrer Penthäuser, die Dritten in einem Museum und die Vierten auf einem Berg oder in Rio?

Fest steht: Weder der Stau noch die Rushhour sind vom Himmel gefallen. Beide sind vielmehr Symptome einer omnipräsenten Struktur, eines mächtigen Organismus, eines überindividuellen Gefüges, das große Teile der Gesellschaft trotz ihrer vermeintlich so pluralistischen Lebensstile leitet und lenkt. Morgens zu Hause aufstehen, anschließend zur Arbeit ins Büro, in den Betrieb, zu Kunden fahren und am Abend wieder zurück aus dem Arbeitsraum in den privaten, häuslichen Raum hinüberwechseln: Dieses Zeit-und-Lebens-Schema prägt die eindeutige Mehrheit der Erwerbstätigen, ganz egal, ob sie in Bayern, Südostwestfalen oder Los Angeles wohnen. Selbstverständlich gibt es daneben auch Schichtdienstleistende, Stripteasetänzerinnen und Astronauten, doch das sind eher die Ausnahmen, welche die Regel bestätigen. Darüber hinaus sind auch diese weitgehend strukturiert beziehungsweise standardisiert, halten sich im Rahmen ihrer Berufe an bestimmte Zeitvorgaben, die mit anderen Zeitvorgaben kollidieren können.

Staus sind Kulminationspunkte dieser zeitlichen Gleichschaltung. Staus nerven. Sicherlich, es gibt Stauwarnungen, und es gibt viele bunte Radioprogramme, die einen im Stau geschickt narkotisieren. Und dennoch sitzt man in erzwungener Immobilität in seiner eckigen Blechdose fest und sieht vor, hinter und neben sich nur Köpfe, die in erzwungener Immobilität in ihren eckigen Blechdosen festsitzen und vor, hinter und neben sich nur Köpfe sehen, die in erzwungener Immobilität in ihren eckigen Blechdosen festsitzen. Man kann sich, sofern noch fähig, einen Spaß daraus machen, sich zu überlegen, welches Leben der grauhaarige Hinterkopf vor einem führt. Leitet er einen Lebensmittelmarkt, sammelt er Eierbecher, und hat er schon einmal einen Menschen erschossen? Oder ist er Diabetiker, liebt heimlich eine Minderjährige und spricht sieben verschiedene Sprachen? Oder ist er professioneller Stimmenimitator und nebenbei aktives Mitglied bei den Pfingstlern, wo er gern »in Zungen redet«?

Oder ist er ich und ich er? So wie er da mit seinem Mittelklassewagen in diesem Stau steht, unterscheidet er sich zunächst einmal in nichts von mir. Und wenn er später weiterfahren und dabei denken wird: »Na endlich!«, so werde auch ich später weiterfahren und denken: »Na, endlich!« Und dann wird er zu seinen Eierbechern, seiner minderjährigen Geliebten oder zum Heiligen Geist fahren, und ich werde zu meinen Leichen und Trivialitäten fahren, und morgen früh oder in einem Jahr werden wir wieder in gleicher oder ähnlicher Konstellation hier stehen. Im Stau ahnt man Furchtbares. Im Stau ahnt man, sofern man über ein Restquantum an Fantasie verfügt, dass man selbst mit 400 PS unterm Arsch kein erhabener Bayer, kein FJS, kein Reiterstandbild, kein Zimmermann, kein lustiger Märchenkönig, sondern lediglich eine kantige Schachtel ohne Kant ist ...

Konflikte

*Sechstes Kapitel, in dem wir uns, nur weil wir einfache
und bodenständige Indianer sein wollen, im wahrsten Sinne
des Wortes in den Dreck reiten, weder von Franz Beckenbauer
noch von Asterix noch vom Gekreuzigten gerettet werden
und uns deshalb am Ende selbst begegnen.*

1. Bei den Indianern

»Wenn dein Pferd tot ist, steig ab!«, lautet eine original indianische Weisheit. Leider jedoch reiten wir Postmodernen im Straßenverkehr kaum noch Einhufer, weshalb dieser Rat mittlerweile ins Leere greift. Wenn unser Auto defekt beziehungsweise tot ist, was meistens irgendwo in Sizilien, Transsilvanien oder Kasachstan passiert, rufen wir einen Abschleppdienst an, geraten dabei unschuldig in die Fänge einer zwielichtigen Werkstatt, streiten uns mit einem grenzdebilen Kfz-Mechaniker, führen womöglich gar einen Prozess und ärgern uns, dass es keine Abwrackprämien mehr gibt. Also nehmen wir für die Anschaffung eines Neuwagens einen Kredit auf, bei dessen Rückzahlung wir aufgrund der Anwaltskosten und anderer direkt oder indirekt mit dem heimatfernen Tod unseres Autos in Zusammenhang stehender Rechnungen leider in Verzug geraten, sodass wir erst auf eigene Faust umzuschulden versuchen, dabei allerdings das

Kleingedruckte außer Acht lassen und so irgendwann auf die Hilfe eines professionellen Schuldenberaters zurückgreifen müssen. Letzterer inspiziert wortlos unsere Unterlagen, lächelt uns sodann freundlich an und sagt:»Wenn dein Pferd tot ist, steig ab!«

Seien wir ehrlich: Es gibt nichts Nervigeres als indianische Weisheiten. Nichts gegen Apachen, Sioux und Komantschen, nichts gegen Winnetou, Sitting Bull, Willy Michl oder Herbert Achternbusch! Sollen sie ihre Stammesbrüder und -schwestern mit einfachen Implikationen erheitern! Ihre Welt ist einfach, ihr Wigwam ist einfach, ihr Leben ist einfach. Oder besser gesagt: war einfach! Wir Heutigen jedoch sind längst anders gestrickt, anders getaktet, anders verkabelt. Wir können von einem toten Pferd nicht mehr einfach so absteigen, nur weil wir glauben, es sei tot. Wer entscheidet das? Besitzen wir eine zertifizierte Kompetenz, die uns zu einer solchen Annahme berechtigt? Und selbst wenn wir hinreichend entscheidungsbefugt sein sollten, ist es betriebswirtschaftlich unerlässlich, zunächst einmal einen Experten für Workforce-Management hinzuzuziehen, der im Rahmen einer umfassenden Marktanalyse die Planungsanforderungen für tote Pferde neu definiert und entsprechende Arbeitsfelder für ihren effizienten Einsatz entwirft. Erst dann kann nach einer eventuellen Testphase entschieden werden, ob es, das Pferd, tot oder scheintot ist, noch beritten werden kann oder ob es kostengünstiger ist, es in eine Art »Bad Bank« auszulagern.

Und doch gehört den Indianern und Vereinfachern landauf, landab die Bühne. Egal, wo man hinschaut, überall tanzen sie um pseudoprimitive Lagerfeuer und beschwören ihren Gott der Schlichtheit. Egal, ob es sich um Kleider, Möbel, Videokameras, Betriebssysteme oder die allgemeine Lebensführung handelt, überall führt der Minimalismus das große Wort. Nichts darf mehr so sein, wie es ist, nämlich verworren, verwickelt und schrecklich unübersichtlich. Alles hat möglichst klar und brav und rational zu sein.

Der schwedische Einrichtungskonzern IKEA verkauft seit über fünfzig Jahren Möbel, die sich bis heute stilistisch an einer Kartoffelkiste orientieren. Seit über vierzig Jahren läuft in der ARD »Die Sendung mit der Maus«. Angeblich handelt es sich bei ihr um eine Kindersendung, weshalb das Durchschnittsalter bei knapp vierzig Jahren liegt. Alles wird mit kurzen Sätzen sehr anschaulich erklärt: wie ein Bagger funktioniert, wie man Papierboote bastelt, warum Tischtennis »Pingpong« heißt, warum Gott keinen Bart trägt. Nach einer halben Stunde Maus fühlt man sich sauber, rein und einfach. Wie nach der Sonntagsmesse. Oder nehmen wir Apple: Bevor das kalifornische Fallobst den Markt aufrollte, war »mehr« schick: mehr Knöpfe, mehr Regler, mehr Funktionen, mehr Tamtam. Heute macht keiner so viel Tamtam um seine fast völlig knopflosen Produkte wie Apple. Man kann sie völlig knopf- und kopflos bedienen. Bester Beweis: George Bush, George W. Bush sowie Arnold Schwarzenegger sind begeisterte Apple-User!

Inspiriert von den Verkaufserfolgen dieser und ähnlicher Konsumwarenhersteller, bemühen sich selbstverständlich auch andere Gewerbetreibende seit einiger Zeit schon intensiv um Einfachheit. Im Bereich der hauptberuflich betriebenen Politik etwa geht man mit Banalitäten und Simplifizierungen sehr kreativ hausieren. Bereits 1976 verblüffte Alfred Dregger, ein Pionier des politischen Downshiftings, die Öffentlichkeit mit dem an Einfalt kaum noch zu unterbietenden Slogan »Freiheit statt Sozialismus«. Die Erotik dieser Trivialität war atemberaubend. Selbst die CSU zog anerkennend den Hut und übernahm das Juwel mit einer kleinen Änderung (»Freiheit oder Sozialismus«). Jahrzehntelang blieb Dreggers Slogan die Mutter der politischen Inhaltslosigkeit. Bis dann den Indianern von der FDP 2009 noch eine Steigerung gelang: »Mehr Netto vom Brutto«! 14,6 Prozent der deutschen Wähler belohnten diesen sowohl stilistisch als auch politisch extrem anspruchslosen Rumpfsatz, der so noch nicht einmal der Maus eingefallen wäre, mit ihren Stimmen. 2013 hat-

te die Partei dann allerdings ihre völlige Sinnlosigkeit erreicht
und flog aus dem Bundestag.

2. In Ascha

»Auf allen Gebieten ist die Einfachheit verschwunden, selbst aus
der Kinderstube. Schellen von Silber, von Gold, von Korallen, von
geschliffenem Kristall, Klappern von jedem Preise und jeder Gattung – was für unnützes und verderbliches Zeug! Fort mit all diesem Krame! Fort mit den Schellen! Fort mit den Klappern! Kleine
Baumzweige mit ihren Früchten und Blättern, ein Mohnkopf, in
welchem man die Samenkörner klappern hört, ein Stück Süßholz,
an dem es saugen und kauen kann, werden das Kind in ebenso
großes Entzücken versetzen.« Der das sagte, war Jean-Jacques
Rousseau, ein »einfacher« Bio-Philosoph, der seine fünf Kinder
einfachheitshalber ins Waisenhaus abschob. Es könnte aber auch
ein sogenannter echter, weil »uriger« Bayer gewesen sein, der seine Kinder einfachheitshalber den halben Tag vor der Glotze parkt.
   Auch der Bayer ist von der Magie der Einfachheit grundsätzlich fasziniert und leidet unter ihrer permanenten Zersetzung
»wie ein kranker Hund«. Schon lange vor IKEA, Apple und dem
Sozialismus glaubte er mit jeder Faser seiner Seele an das Einfache, weil Gute und Wahre. Skrupulöse Bedenkenträger hielt er
lange Zeit für so überflüssig wie einen Kropf, Kritiker für noch
überflüssiger als ein Loch im Kopf. Dem Herrn Lehrer wurde
nach der Kirche zwar devot zugenickt, aber trotzdem heftig
misstraut. Wie alle Studierten gehörte er zu den notorischen
»Verkomplizierern«, die an allem herumschrauben und her-
umfummeln müssen. Der einzige Fremdwörterbenutzer, dem
der Bayer ansatzweise Respekt zollte, war der Herr Pfarrer. Aber
der stand auch mit Manitu höchstpersönlich im Bunde.
   Gehen wir zum Lokaltermin in ein niederbayerisches Dorf, sagen wir nach Ascha im Landkreis Straubing-Bogen. Trotz seiner

Provinzialität hat Ascha mit den Schellen, Klappern und anderem »verderblichen Zeug« durchaus zu schaffen: 2012 ereignete sich auf der nahen B 20 ein Horrorunfall mit drei Toten und vier Schwerverletzten, 2015 brannte die Diskothek »Penker« vollständig ab. Disko und Bundesstraße sind die beiden Hauptberührungspunkte von Ascha mit der urbanen Hochzivilisation. In Diskos und auf Bundesstraßen saugt die Landjugend des Nachts nicht mehr am Süßholz der natürlichen Einfalt, sondern an Silber, Gold und geschliffenem Kristall.

Auf der anderen Seite gibt es nichts Einfacheres, Simpleres, Natürlicheres, Selbstverständlicheres, Reineres, Stilleres, Wahreres und Besseres als den frühen Sonntagmorgen in beziehungsweise über Ascha. Egal, ob wolkenverhangen oder kristallklar, am Sonntagmorgen gehört der Himmel über Ascha allein der heiligen Lichtwerdung des Tages. Niemand kann sich der Magie entziehen, wenn hier die Welt, nackt und noch ungewaschen und nach Gras und Gülle duftend, wie am ersten Tag, da Gott Licht von Schatten schied, die Bühne betritt. Die Szene ist ebenso einfach wie perfekt, sie ist perfekt einfach und einfach perfekt.

Und sie ereignet sich selbstverständlich nicht exklusiv in Ascha, sondern allüberall, wo Bayern noch Bayern ist. Und allüberall, wo Bayern noch Bayern ist, kann es deshalb vorkommen, dass wie aus dem Nichts plötzlich ein glückseliger Jauchzer oder gar ein Jodler erschallt, der sich wie von einem Schlagschrauber bewegt in den Himmel schraubt, wo er von Cherubim und Seraphim mit einem ebensolchen Jauchzen oder Jodeln retourniert wird. Und schon liegen sich Himmel und Erde, Mensch und Numen, fachmännisch fixiert, in den Armen: Bavaria Sancta!

3. Am Boden

Heilige Momente zu prolongieren erweist sich in 99,9 Prozent der Fälle als sinnlos. Perfektion ist kein Aggregatzustand der Zeit, Perfektion ereignet sich, wenn, dann im entscheidenden Moment und keine Sekunde früher oder später. Dennoch oder gerade deshalb ist der Wunsch, heilige Momente vom Himmel zu pflücken, sie zu vakuumieren und ins Kühlfach zu legen, absolut menschlich. Den Himmel auf den Boden zu holen, den Himmel in Boden zu verwandeln, den Boden umgekehrt in etwas Himmlisch-Numinoses zu verklären, all diese Motive schwingen im Begriff der »Bodenständigkeit« mit. Bodenständig ist, wer im Spiegel des Bodens, seines Bodens, den Himmel zu erahnen vermag. Das können nicht alle, der Bodenständige kann es. Ebendeshalb genügt ihm sein Garten: Er sieht darin alle Horizonte des Himmels.

Auf nichts kapriziert sich Bayern mehr als auf seine Bodenständigkeit. Wer bodenständig ist, so das Axiom, ist einfach und gut. Bodenständig ist, wer an das Gute im Boden glaubt. Der Boden ist fest, der Boden gibt Halt, der Boden bleibt Boden, selbst wenn er mit einer Tiefgarage unterkellert ist. Eines der schönsten Gewächse auf dem Boden der Bodenständigkeit ist die Sicherheit. Bodenständige Sicherheit ist weit mehr als eine bloße Emotion. Bodenständige Sicherheit ist auch weit mehr als eine »Lage«, eine Situation. Bodenständige Sicherheit ist etwas rundum Einfaches.

Weshalb sie auch vornehmlich einfacher, schnörkelloser Mittel bedarf, um intensiv gelebt zu werden. Eines davon ist die typische Hemdsärmeligkeit vieler als »urig« verschriener Bayern. Kein echter Bayer würde je auf den Gedanken kommen, seine Echtheit mit einem schicken Anzug von Brioni oder Armani beweisen zu wollen. Echt kann man als Bayer ikonografisch nur in »Casual Wear« sein, wobei wir bewusst nicht von Tracht reden wollen. Es kann auch ein T-Shirt oder ein Hawaiihemd sein. Hauptsache, das Ganze bewegt sich zeichenmäßig im basalen Kumpelbereich. Hemdsärmel zeigen den Menschen ohne Frack und Lack, ohne Perücke und Puder und signalisieren dadurch subliminal Ehrlichkeit, Einfachheit, Sicherheit.

Was ikonografisch gilt, gilt auch habituell: Wer sich hemdsärmelig benimmt, benimmt sich deshalb nicht unhöflich und noch nicht einmal »gschert«. Der Hemdsärmel gehört eigentlich in den Bereich der Demutsgesten. Er zeigt, dass man keinen Dolch im Gewande und keine schlechten Absichten im Gemüte führt. Gleichzeitig präsentiert er aber auch, vor allem im hochgekrempelten Zustand, diskret die Unter- sowie Teile der Oberarmmuskulatur, verbunden mit dem unausgesprochenen Hinweis, diese zur Kenntnis zu nehmen, falls man auf anstrengende Diskussionen bestehen sollte. In dieser minimal dosierten Androhung von Gewalt verbirgt sich die Bitte, nicht endlos um den heißen Brei herumzureden, sondern zur Sache, zum Kern, auf den Punkt zu kommen. Habituelle Hemdsärmeligkeit ist insofern ein typisches Grenzphänomen, angesiedelt im Niemandsland zwischen Servilität, Spontaneität und Brutalität.

4. Im bairischen Hemdladen

Der linguistische Hemdsärmel heißt Dialekt. Der bairische Dialekt klingt speckig wie eine intensiv eingetragene Lederhose. Bairisch ist gesprochene Bodenständigkeit. Sobald irgendwo Bairisch gesprochen wird, nehmen die Sprechinhalte, die Gesprächsgegenstände, eine gröbere Form an. Was nicht mit »primitiver« oder »ordinärer« verwechselt werden sollte. Der Hemdsärmelige will nicht primitiv oder ordinär sein, er will nur nicht im Spitzen-Tutu verbale Pirouetten um die Dinge herumdrehen. Er will so direkt wie möglich zu einem Ende kommen, wo es ein Ende gibt.

Ein Beispiel: Zwei Hochsprachler streiten sich, sagt der eine: »Depp!« – »Depp!« erfüllt den Tatbestand der Beleidigung. »Du Depp, du!« personalisiert diesen Tatbestand und wirkt von daher noch ein wenig verletzender. Andererseits: Schreit der eine: »Du

Depp, du!«, und der andere schreit »Du, Depp, du!« zurück, so wird die Sache kompliziert. Es steht eins zu eins unentschieden. Man müsste dieses Theater nun ad infinitum fortführen und käme dennoch zu keinem befriedigenden Ende. Schreit der eine allerdings: »Du Depp, du!«, und der andere antwortet lediglich mit einem kaum vernehmbaren, fast beiläufig hingeworfenen »Dummal«, so gleicht dies einer Exekution. Der Diminutiv »Dummal« gibt nicht mit gleicher Münze heraus. Er transferiert des Gegners geistige und soziale Kompetenz mit zwei Silben in den Nanobereich. Er trifft den Gegner tödlich.

Als eine der ältesten Sprachen Mitteleuropas reicht das Altbairische bis ins 6. Jahrhundert n. Chr. zurück. In dieser langen Zeit hat es sehr viel Mutterboden und ebenso viel Achselschweiß aufgenommen und dadurch seine Schlagkraft erheblich optimiert und präzisiert. Wer einmal im Mündungsfeuer einer bairischen Verbalattacke stand, egal, ob laut oder leise, weiß, wie grausam präzise das Bairische sein kann. Ein Originalzitat aus einer nicht ganz billigen Absteige in der Nähe von Waging: »Waar gscheida gwen, dei Voda hätt a Hirschkua gvegld, nachad waar vielleicht a gscheide Lederhosn aus dir worn.« Nicht wenige Dialektologen halten das Bairische für einen der gefährlichsten »Regionalekte« der Welt und vergleichen das bairische Schimpfwort mit einer Schnellfeuerwaffe.

Es wäre gleichwohl falsch, das Bairische eindimensional auf seine letale Schlagkraft zu reduzieren. Sowohl auf phonologischer und morphologischer als auch auf syntaktischer und lexikalischer Ebene zeichnet es sich durch eine verblüffende Vielschichtigkeit aus. Der Klangreichtum der Vokale und Diphthonge, die Variabilität der Präfixe, die Geschmeidigkeit der Orts- und Richtungsadverbien, die Klitisierung der Personalpronomina, die doppelte Verneinung sowie die immense Begriffsvielfalt, all das zeugt von einer extremen Elastizität des Bairischen. Diese verwirrt den Sprachunkundigen gewaltig. Er glaubt, in einem Nebel zu stehen. Oder in einer Kuhherde.

4. Im bairischen Hemdladen   **147**

Ebendeshalb bemühten sich lange Zeit viele norddeutsche Aufklärer darum, das Bairische als bildungsfeindliches Gemuhe zu denunzieren. Noch 2005 behauptete ein deutscher Philologenverbandsvorsitzender allen Ernstes, dass ein starker Dialekt die Sprachkompetenz und die Bildungschancen bayerischer Kinder erheblich einschränke. Selbstverständlich jaulten die Dialektschützer pflichtbewusst auf, krempelten ihre Hemdsärmel hoch und zeigten ihre muskulösen Unter- und Oberarme. Mittlerweile gibt es in Bayern vereinzelt Kindergärten, in denen »zur Förderung der Sprachkompetenz« von neun bis zehn und von fünfzehn bis sechzehn Uhr bairisch gesprochen wird. Das Ganze erinnert freilich mehr an eine logopädische Behandlung als an einen natürlichen Vorgang. Mit Bodenständigkeit hat das nichts mehr zu tun.

Kein Wunder also, dass immer weniger Menschen heute noch bairisch sprechen. »Von einem Dialektsterben kann im Großraum München nicht mehr gesprochen werden«, meinte ein Experte schon vor Jahren, »die Leiche ist bereits am Verwesen.« Auch wenn wir in die Fläche gehen und neben Altbayern Österreich, Südtirol, Teile von Graubünden, die Zipser in der Ostslowakei, die Landlerdörfer im rumänischen Siebenbürgen sowie das Tirolerdorf Pozuzo in Peru mitberücksichtigen, genießen Bairischsprecher längst den Status von bedrohten Minderheiten. Auf der roten UNESCO-Liste der aussterbenden Sprachen hat Bairisch einen Stammplatz. Umso hektischer und besserwisserischer bemühen sich spätestens seit der Jahrtausendwende Legionen von selbsternannten Experten mit bairischen Sprachführern, Wortkunden, Lexika und Crashkursen um das Überleben des komatösen Patienten. Allein es hilft wenig. Nachträglich lässt sich Bairisch nur extrem schwer erlernen, selbst für Münchner, Starnberger oder Freisinger. Nur wer von frühester Kindheit an diesem Geräusch ausgesetzt war, hat es wirklich in Ohr, Maul und Hirn.

5. Beim Franz

In dieser Situation gab es deshalb nur eine einzige, wirklich über-
zeugende Lösung: Man musste den bairischen Dialekt neu erfin-
den. Frage nur: »Wie?« Eine Art Pidgin-Bairisch für Hochsprachler
und Preußen entwickeln? Oder Steuererleichterungen für alle Di-
alektsprecher einführen? Oder Immigranten künftig nicht mehr
in Deutsch-, sondern in Bairischkurse schicken? Als wesentlich
effizienter erwies sich da eine ebenso unspektakuläre wie radikale
Lösung – die Neuverortung des Bairischen: weg von den Kuhställ-
len, Hinterhöfen, Kfz-Werkstätten, Kartoffeläckern, Dorfkneipen,
Kirchplätzen, Bordellen und Bauernbühnen, hin zu den elektroni-
schen Informationsträgern. Oder anders ausgedrückt: raus aus
dem aktiven Alltag, rein in ein passives Mediendasein.

Angefangen hat diese Neupositionierung bereits irgendwann
in den letzten Jahrzehnten des 20. Jahrhunderts. Sicher ist: Im
Anfang war das Wort, und es kam von Franz Beckenbauer. Dieser
sprach in einem mittlerweile berühmten Werbespot(t): »Kraft in
den Teller, Knorr auf den Tisch!« Das war im Jahr des Herrn
1966. 37 Jahre später, 2003, sprach der Beckenbauer-Franz immer noch Werbespots. Diesmal allerdings klang es so: »Mei, is'
des schön. Dass es so was noch gibt. So a herrliche Landschaft, so
viel Herzlichkeit und so a guats Weißbier. Ja, gibt's wos Schöneres?!« Haben Sie ihn bemerkt, den Unterschied? Die Lichtgestalt
spricht plötzlich – bairisch.

1966 sprach da einer mit aller ihm zur Verfügung stehenden
Kraft das, was man sprach, wenn man als Giesinger Straßenfuß-
baller im Fernsehen für einen fünfstelligen D-Mark-Betrag acht
Wörter aufsagen sollte: Hoch- beziehungsweise Standard- respektive Schriftdeutsch! Dass dieses Hoch- beziehungsweise Stan-
dard- respektive Schriftdeutsch nicht seine phonetische Heimat
war, merkte man sofort. Trotzdem führte kein Weg daran vorbei:
Wer in den provinziellen sechziger Jahren eine pulverisierte
Fleischklößchensuppe an den Mann beziehungsweise die Frau

bringen wollte, konnte sich keine provinziellen, kleinregionalen, nichtstandardisierten Wörter leisten. Die Suppe sollte schließlich überall schmecken.

Anders 2003: Der Franz wirkt jetzt wesentlich entspannter. Die hoch- beziehungsweise standard- respektive schriftdeutschen Daumenschrauben wurden gelockert. Auch wenn es noch immer nicht nach Giesing-Kiswahili klingt, hört man die weißblaue Einfärbung nun ganz deutlich. Natürlich ist das Absicht: Die globale Welt ist mittlerweile nämlich so global geworden, dass sie keine globalen Allüren mehr benötigt. Im Gegenteil: Sie will wieder provinziell klingen, sich wieder leutselig und kameradschaftlich unters Konsumentenvolk mischen und sich mit regionalem Kolorit als Kumpel und Freund präsentieren. Denn merke: Was aus der Region kommt, kommt nicht aus der Fabrik, sondern von Herzen.

Spätestens mit Beginn der Nullerjahre hatte sich das Bairische von einer nur noch rudimentär gesprochenen Sprachvarietät in ein attraktives mediales Entertainmentprodukt verwandelt. Anteil an diesem Relaunch hatten in den Jahrzehnten zuvor neben Franz Beckenbauer und der Werbebranche unter anderem so unterschiedliche Persönlichkeiten wie Franz Josef Strauß, Josef Ertl, Gustl Bayrhammer, Fritz Wepper, Gerhard Polt, Herbert Achternbusch, Rainer Maria Fassbinder, die Mittermeier-Rosi, der Wasmeier-Marcus, der Monaco Franze sowie all die bunten TV-Sendungen, in denen Blasmusiker, bauernschlaue Kommissare, dumme Streifenpolizisten und fesche Madl die Hauptrollen spielten. Erfolgreiche Sportler, machtbewusste Politiker, populäre Künstler, markante Typen sowie die Rosenheim-Cops, was kann sich eine regionale Sprache mehr wünschen? Sie alle haben, ob gewollt oder nicht, der Metamorphose des Bairischen von einem aktiv gesprochenen Dialekt in einen passiv konsumierbaren Sound zugearbeitet.

Und dies mit Erfolg: Heute klingt dieser Sound penetrant nach Natur, Wohlbehagen und Urlaub – Urlaub vom standarddeutschen Alltag, Urlaub vom Abstraktivismus der deutschen Hochsprache. Und wenn dann zusätzlich noch ein paar Berge herumstehen, auf denen saisonal angestellte Jodler seltsame Lautsilben ausstoßen und über die sich ein weiß-blau karierter Himmel wölbt, dann scheint selbst dem Uckermärker Landjunker irgendwann weithin sichtbar »d' Sunna aus'm Oarschloch«.

6. Bei Asterix

Einziger Wermutstropfen: Dieses Bairisch ist kein gesprochener und gelebter Dialekt mehr, sondern nur mehr ein clever inszenierter Gag. Die »Vergagung« ist die derzeit letzte Stufe eines in die Entertainmentbranche transponierten Dialekts. Sie bedient sich des Bairischen nicht mehr zum Kommunizieren, sondern zitiert es nur noch, »... weil es witzig beziehungsweise spaßig ist«. Nehmen wir, pars pro toto, die bairischen Asterixbände. Asterix gibt es auf Deutsch sowie in hundert weiteren Hochsprachen. Obgleich es sich bei ihm um einen typisch französischen Provinzler handelt, ist er extrem polyglott. Eigentlich ein Widerspruch in sich, aber das Schicksal vieler populärer fiktionaler Helden: James Bond spricht auch russisch, Forrest Gump italienisch, Horst Tappert alias Derrick japanisch. Trotzdem konvertiert Bond nicht zum KGB, Gump nicht zum Katholizismus und Derrick nicht zum Kenjutsu. Das Ganze hat allein damit zu tun, dass wir seit dem Turmbau zu Babel in syntaktisch, grammatikalisch und phonetisch unterschiedlichen Zeichensystemen zu Hause sind.

Warum dann aber bairisch? Jeder Bayer versteht Deutsch. Sollen Asterix und Obelix dadurch, dass sie plötzlich bairisch reden, zu Bayern beziehungsweise Bajuwaren umfunktioniert werden? Sicherlich, rein theoretisch könnten sie welche sein: Sie sind grantig und humorfähig. Sie besitzen ein extrem gesundes Selbstvertrauen, pflegen ihre Vorurteile ohne Furcht und Tadel und misstrauen allem, was nach Globalisierung riecht. Sie leben und lassen leben. Sie sind obrigkeitshörig und anarchistisch, kleinkariert und tolerant, offen und hinterfotzig. Im Feiern von lauten und kalorienreichen Festen erfüllt sich der Sinn ihres Daseins. Und dennoch sind sie keine Bajuwaren, sondern Gallier. Und wenn sie im Band *Graffd wead!* plötzlich bairisch parlieren, so nicht aufgrund eines Verständigungsproblems, einer Zeitmaschine (zwischen dem letzten Atemzug Cäsars und dem ersten mutmaßlichen Bajuwaren liegen über 600 Jahre) oder einer schweren psychotischen Störung, sondern allein des theatralischen Effekts willen. Auf diese Weise soll ein aus dem Bereich der Standardsprache wohlbekanntes Massenprodukt nachträglich dialektal regionalisiert beziehungsweise weiß-blau angepinselt werden. Das Ergebnis ist, was bei allen bairischen Adaptionen (und davon gibt es eine Menge, fragen Sie Odysseus, Hamlet, den Fliegenden Holländer oder Jesus) mehr oder minder deutlich mitschwingt: ein Gag!

Ein Gag, der zeigt, wo wir Bayern uns mental und emotional befinden: Wir sind keine hemdsärmeligen Provinzler mehr, sosehr wir dies von Zeit zu Zeit auch sein wollen. Wir sind globalisierte Arbeitnehmer mit globalisierten Verbraucherbedürfnissen, einem globalisierten Benehmen und einer globalisierten Kommunikation. In einem Dialekt ganz zu Hause zu sein kommt für uns nicht mehr ernsthaft infrage. Längst schon sind wir polyglott, sprechen Hoch-, Fach- und Fremdsprachen. Wir reisen durch die Welt, frönen unseren Hobbys und Lebensstilen, fahren Auto, stehen im Stau, liegen in der Badewanne, essen Sushi, sprechen mit unseren Gartenbuddhas und schlafen vor der Glotze ein.

Nichts an uns ist einfach, nichts an uns war je einfach: weder unsere Geschichte noch unsere Religion, unsere Gesellschaftsstruktur, unser Familienleben, unsere Tracht, unsere Wirtshäuser, unser Bier, unser Humor, ja, noch nicht einmal unsere Unschuldsmiene. Selbst der Boden, auf dem wir stehen, ist heute bereits zur Hälfte versiegelt, keine würzig-duftige Heimatscholle mehr, offen für Sonne, Wind und Regen, sondern ein gefühlloser, wasserundurchlässiger Beton-Zement-Asphalt-Panzer, der Jahr für Jahr um 25 Fußballfelder anschwillt und bald schon ganz Bayern verschluckt haben wird.

7. In Gröbenzell

Und es kommt noch schlimmer, denn nicht einmal unser Streben nach Einfachheit ist einfach. Siehe Gröbenzell, siehe Werner Tiki Küstenmacher! Gröbenzell ist eine Gemeinde im Westen München, die sich sehr poetisch »aufblühende Gartenstadt« nennt und zwei heraldische Rosen in ihrem Wappen führt. Tatsächlich jedoch handelt es sich bei dem Gewächs weniger um ein Gedicht als vielmehr um eine endlose Litanei: Gröbenzell ist eine der am dichtesten besiedelten Gemeinden Deutschlands. Allein seine »Alpenland«-Siedlung besteht aus 250 ziemlich hässlichen Reihenhäusern.

Zu den prominentesten Gröbenzeller Gartenstadtbewohnern zählt Werner Tiki Küstenmacher. Er ist der ungekrönte König der theoretischen Anspruchslosigkeit in Zeiten des praktischen Überflusses. Das Motto des gelernten evangelischen Pfarrers lautet: »Simplify your life!« Warum der Herr Pfarrer seine Zentralthese auf Englisch formuliert, hat, soweit ersichtlich, zwei Gründe. Erstens, weil sie nicht von ihm stammt, sondern das Mitbringsel von einer USA-Reise ist, und zweitens, weil nicht nur Gröbenzell, sondern die ganze Welt einen Anspruch auf die frohe Botschaft vom Primat des Einfachen über das Komplexe haben soll.

Ontologisch betrachtet sieht Küstenmacher im Menschen kein Zoon politikon, kein Animal rationale und auch sonst kein Altphilologentier, sondern ein – »Simplify-Lebewesen«. Begründung: »Wenn Sie im Zoo oder in der freien Wildbahn unsere nächsten Verwandten, die Affen, beobachten, werden Sie deren grandiose Fähigkeiten zum stundenlangen Herumhängen, Spielen und Nichtstun entdecken. Simplify in seiner Urform: einfach da sein!« Mit anderen Worten: Der Aff' macht's vor, der Mensch macht's nach.

Der Teufel freilich steckt im Detail: Ganz offensichtlich ist dem Affen namens Mensch beim Herumhängen und »Einfach-da-Sein« irgendwann und irgendwie der dumme Fehler unterlaufen, sich verknotet zu haben. Küstenmacher: »Altersvorsorge, Grunderwerb, Haushaltsgeräte, Bürokratie und vieles, vieles aus unserer komplizierten Welt wurde geschaffen, damit wir es einfacher haben und glücklicher sind. Aber die gute Absicht ist in vielen Fällen aus dem Blick geraten. Aus dem Streben nach Einfachheit ist eine Geschichte nachwachsender Komplexität geworden.«

Frage nur: »Warum?« Weil der Mensch vielleicht doch kein Affe, kein »Simplify-Lebewesen«, sondern ein Herumtreiber ist, der nicht einfach nur »da«, sondern womöglich auch »dort« und »oben« und »unten« und »hinten« und »vorn« sein will und deshalb beispielsweise ein Pferd besteigt und es tot reitet? »Alles Unheil dieser Welt«, so einmal Blaise Pascal, »geht davon aus, dass die Menschen nicht still in ihrer Kammer sitzen können.« Warum können sie das nicht? Herr Küstenmacher ignoriert diese Frage großzügig, was sein gutes Recht ist. Schließlich will er ja nichts unnötig kompliziert machen, sondern die Welt von ihrer verschachtelten, Pascal'schen Vielschichtigkeit erlösen. Sein kongenialer Rat deshalb: »Vereinfachen Sie Ihr Leben: Setzen Sie auf lebendige Pferde!«

Gehen wir trotzdem noch einmal kurz in den Zoo und schauen wir bei den Affen vorbei: »Am Herrgott sei Tierpark is groß, da hat a Aff' leichd Blatz.« Wenn Sie dort jedoch einen Affen sehen, der wirklich stundenlang herumsitzt, nichts tut und einfach nur »da ist«, so können Sie mit hoher Wahrscheinlichkeit davon ausgehen, dass er entweder tot ist oder es sich um einen als Affe verkleideten buddhistischen Mönch handelt. Weder Affen noch normale Menschen können auf Dauer ruhig sitzen bleiben. Niemand will einfach nur »da sein«. Im Gegenteil: Der Mensch unternimmt so gut wie alles, um mehr zu sein als ein toter Tierparkaffe. Er ist ein typisches »Mehr«-Wesen. Sein Wunsch nach einem wie auch immer gearteten »Weniger« muss von daher im Kontext dieses »Mehr« betrachtet werden. Ein derartiger Wunsch steht nicht am Anfang des Begehrens, ist kein simples Primärbedürfnis, sondern das (beispielsweise buddhistische) Endprodukt einer langen komplexen Bedürfniskette und deshalb selbst alles andere als einfach.

Der Wunsch nach Einfachheit ist weder ein totes noch ein lebendiges, sondern vor allem ein trojanisches Pferd. So harmlos es daherkommt, so heimtückisch ist es. In seinem hohlen Bauch lauern keine kampfbereiten griechischen Krieger und auch keine besserwisserischen preußischen Landjunker, in seinem Bauch lauert etwas viel Beunruhigenderes und Lästigeres: ein einfacher, unverschämt runder, perfekt in sich ruhender Bayer, ein Bilderbuchbayer, ein Bayer, der in jener in sich kreisenden Radzeit lebt, die ihn, den ewigen Pflanzer, im Lauf der Jahrhunderte mental entscheidend geprägt hat, ein Bayer, der in sokratischer Gelassenheit vor seinem Weißbierglas hockt und jedes Ansinnen der Welt mit einem achselzuckenden »Schaumamal« aus seinem runden Nestraum hinwegmurmelt. Und nicht nur in jenem trojanischen Pferd sitzt er, sondern, viel schlimmer noch, als Schimäre in unseren bayerischen Köpfen und manchmal auch, wir erinnern uns, im DEZ, im Regensburger Donau-Einkaufs-Zentrum.

8. In Gammelsdorf

Sagen wir es, wie es ist: Der Bayer ist des Bayern Qual! Er, der postmoderne Normalbayer, kann dem runden Idealbayern nicht das Wasser reichen. Obgleich sich Letzterer kaum bewegt, kann ihn Ersterer niemals einholen. Stets muss er hinter ihm herlaufen und kommt dabei in seinem schneidigen Trachtenhemd mit abgesteppten Biesen und seiner Hirschlederhose mit bunten Handstickereien gewaltig ins Schwitzen. Irgendwie erinnert dieses Drama ein bisschen an den berühmten Wettlauf zwischen Achill und der Schildkröte. Der griechische Muskelprotz und eine griechische Landschildkröte machten dem griechischen Philosophen Zenon von Elea zufolge ein Wettrennen. Die Schildkröte bekam dabei einen Vorsprung von hundert Fuß zugesprochen, schließlich war sie kleiner und nicht so kräftig wie Achill. Kein Problem, dachte Achill. Als er jedoch die ersten hundert Fuß hinter sich gebracht hatte, musste er feststellen, dass die Schildkröte, so langsam sie auch war, zwischenzeitlich einen erneuten Vorsprung herausgearbeitet hatte, den Achill erst wieder aufholen musste. Nachdem er dies gemacht hatte, war die Schildkröte schon wieder etwas weiter. Und wieder musste Achill auf die Tube drücken, und wieder hatte die Schildkröte einen Vorsprung gewonnen. Und so weiter, und so fort. Zwar wurde der Vorsprung der Schildkröte immer kleiner, aber Achill gelang es nie, sie einzuholen, geschweige denn, sie zu überholen.

Ganz ähnlich und doch völlig anders ergeht es dem Bayern. Trotz seines stetigen Bemühens, ein ebenso einfacher wie perfekter Bayer zu sein, trennt ihn immer ein letzter klitzekleiner Rest von seinem Ziel, von sich selbst. Da kann er sich noch so bayerisch in Schale werfen, noch so viele Weißwürste in sich hineinstopfen, sich noch so hemmungslos auf der Wiesn oder einer anderen Großgaudi volllaufen lassen, sich noch so hemdsärmelig danebenbenehmen, er bleibt ein Abbild, ein Imitat, ein Plagiat seiner selbst.

Wer's nicht glaubt, mache die Probe aufs Exempel und begebe sich ins tote Auge der Mimikry nach Gammelsdorf. Dort treffen sich alljährlich im Januar die Hardcore-Bayern vom Stamme der Königstreuen zu ihrem sogenannten Patriotentreffen. Gammelsdorf ist eine 1500-Seelen-Gemeinde im Landkreis Freising, in deren Nähe Ludwig der Bayer 1313 im Kampf gegen die Österreicher unter Führung von Friedrich dem Schönen die Herrschaft über Niederbayern errang. Ob es sich bei dieser »Schlacht von Gammelsdorf« tatsächlich um ein geschichtsträchtiges Blutbad oder lediglich um ein eher unbedeutendes Scharmützel gehandelt hat, ist unter Experten umstritten. »Die Schlacht bei Gammelsdorf«, so das *Historische Lexikon Bayerns*, »ist von mehreren mythischen Schichten überlagert und lässt sich als historisches Ereignis im Detail kaum mehr rekonstruieren.«

Den Königstreuen ist das egal, sie lieben »mythische Schichten«. Ihr Marsch durch das Dorf ist längst selbst zu einer Art Mythos geworden. In Festtracht und Fantasieuniformen paradieren sie unter Trommelwirbel und Marschmusik zum 1842 errichteten Schlachtdenkmal, einer ziemlich hässlichen Stele im neugotischen Stil, an der nach ein paar Reden zum Gedenken an die Opfer »kurz innegehalten wird« und sodann eine Kranzniederlegung stattfindet. Mit von der Partie sind Salutschüsse, Standarten, Freistaat-Bayern-Fahnen, Ludwig-zwo-Bilder, Voll- und Gamsbärte, männliche Pfauen und Gockel mit breiten Brüsten, Glatzen und fetten Wampen. Das Finale bildet die gemeinsame Einkehr in das örtliche Wirtshaus, wo man sich, mit vollen Backen, über die neuesten Theorien zum Mord am Märchenkönig auslässt.

Insgesamt wirkt die Darbietung ebenso kreuzbrav wie irreal. Man weiß nicht, ob man sich auf einer Gedenk- oder einer Faschingsveranstaltung befindet. Selbst beim zeremoniellen Höhepunkt des Ganzen, der Kranzniederlegung, schwingt beständig etwas zutiefst Lächerliches mit. Es kichert unter den Hüten und Pickelhauben, es kichert in den Jankern und Lodenmänteln, es kichert in den Blasinstrumenten und Gewehrläufen. Jeder der Anwesenden hört es, doch niemand will es wahrhaben, weshalb man staatstragende Gesichter aufsetzt und würdevoll den Schneeschauern trotzt. In Abänderung des berühmten Adorno-Zitats könnte man sagen: Es gibt kein echtes Leben im inszenierten, nur ein groteskes. Und Uwe Dicks ergänzt: »Ich bin Monarchist. Es lebe der Zaunkönig!«

9. Am Kreuz

Spinnen wir die Geschichte von Achill und der Schildkröte ein
wenig weiter: Nachdem es Ersterem auch nach 42,195 Kilometern nicht gelungen war, die Schildkröte einzuholen, gab er auf
und versank in tiefes Selbstmitleid. Was gibt es Lächerlicheres als
einen antiken Sprintweltmeister, dem es nicht gelingen mag,
eine Schildkröte zu überholen? Er fühlte sich schlecht und min-
derwertig. Wehmütig gedachte er seiner Heldentaten, doch sie
konnten ihn nicht mehr trösten. Er wusste, dass er irgendwann
zum Gespött der Nachwelt werden würde. Und so kam es denn
auch: Während Pindar, Platon und Aristoteles den Helden von
Troja in leuchtenden Farben malten, erzählte der bereits erwähnte Zenon von Elea überall seine Niederlage gegen die Schildkröte
herum. Kein Wunder, dass sich das Lästermaul Sokrates schließlich über seine intellektuellen Fähigkeiten lustig machte.

Auch der Bayer weiß, dass man sich hinter seinem Rücken
gern das Maul über ihn zerreißt und seine Bemühungen, den rustikalen Naturburschen zu spielen, belächelt. Im tiefsten Kellerge-
schoss seines Herzens weiß er, dass er nicht ist, was er zu sein
glaubt. Dass er nie ein in sich ruhender bajuwarischer Monolith
war, ist oder sein wird, auch wenn er sich noch so echt gibt und
sich aller Welt als bayerisches Urviech präsentiert. Er ist ein Konstrukt, etwas Zusammengesetztes, Konstruiertes, Komplexes,
ein Sammelsurium, ein Kuddelmuddel, ein Chaos, ein Misthaufen. Ein Vieleck! Ein Komplex! Ein Minderwertigkeitskomplex!

Dass der Bayer massiv leidet, ist nicht zu übersehen. Auch
wenn er gern den lustigen Alpenhallodri spielt und mit Lust und
Leberkäs lebt, sind ihm die Mysterien des Leidens nicht unbekannt. Wie viele öffentliche und halbprivate Feste es in Bayern
derzeit gibt, ist unbekannt. Offizielle Zahlen existieren nicht.
Doch schätzt man mindestens 5000. Kenner der Szene veran-
schlagen die Dunkelziffer auf weit über 10000. Die privaten Fest-
lichkeiten gehen gar in die Millionen. Woraus folgt, dass hierzu-

lande rein statistisch keine Sekunde vergeht, ohne dass sich irgendwo irgendwelche Individuen in aufgekratzter Gemütslage zusammenrotten und ihrer guten Laune oder dem, was sie dafür halten, freien Lauf lassen.

Und dennoch gehört Bayern zu einer der blutigsten und insofern traurigsten Regionen der Welt. Man denke nur an die bayerische Kruzifixkultur. Spätestens seit der Gotik leidet der Herr hierzulande mit allem, was dazugehört: Riss-, Stich-, Quetsch- und Platzwunden sowie Schürfungen, Ödemen und Hämatomen aller Art. Kunstvoll geschnitzt zeigen ihn die bayerischen Kruzifixe, wie Hegel es ausdrückte ... »in der Qual eines martervollen, langsamen Todes dahinsterbend«.

Während sich die Gesichtszüge der Gottesmutter über die Jahrhunderte hinweg immer mehr vermütterlichten, brutalisierte sich die Performance des leidenden Christus parallel dazu: Das frühe Mittelalter zeigte Jesus fast ausschließlich in der Pose des Weltenherrschers. Selbst am Kreuz sah er nicht aus wie ein zu Tode Gemarterter, sondern eher wie ein frisch geduschter Segnender. Von Blut, Schweiß und Tränen fehlte noch jede Spur. Erst zu Beginn des 13. Jahrhunderts änderte sich der Geschmack dann drastisch, und die expressive Gestaltung des Schmerzes rückte mehr und mehr in den Mittelpunkt.

Bayerns Christusfiguren zählen fast ausschließlich zur zweiten Kategorie. Mit Strömen von Blut garniert hängen ihre geschundenen Holz- und Gipsleiber in fast pornografischer Deutlichkeit heute in Kirchen, an Wegesrändern, auf Berggipfeln, in den Herrgottswinkeln der Wohnstuben, in Krankenhäusern sowie in Klassenzimmern. Depressiv veranlagten Personen kann deshalb nur dringend geraten werden, an verhangenen Herbsttagen all diese Lokalitäten tunlichst zu meiden. Nicht wenige bayerische Kinder zeigen schon in jüngsten Jahren Symptome von Staurophobie.

Was die bayerischen Entscheidungsträger freilich bis heute nicht daran hindert, im Kreuz einen Dreh- und Angelpunkt der bayerischen Kultur zu sehen, der in jedem Klassenzimmer zu hängen hat. Als das sogenannte Kruzifixurteil des Bundesverfassungsgerichts vom 16. Mai 1995 dies anzuzweifeln wagte, hyperventilierten Bayerns geistige und geistliche Eliten und weigerten sich, jenes antike Folterinstrument zu entsorgen. Mit hochroten Köpfen und wilden Gesten beriefen sie sich auf die »geschichtliche und kulturelle Prägung« Bayerns und deklarierten bekennende Kreuzallergiker zu leibhaftigen Ausgeburten des Antichristen.

Was den Verdacht nahelegt, dass hier subkutan noch ganz andere Motive mit am Werke waren und sind: Zum einen gäbe es da beispielsweise die frommen Oberammergauer Herrgottsschnitzer. Sie vor dem Ruin zu bewahren gehört zu den unerlässlichen Pflichten eines Christenmenschen. Bereits im 19. Jahrhundert entstand im schönen Oberammergau eine Art Leidensindustrie, die den Gekreuzigten in »Spitzenqualität« und zu einem vernünftigen Preis anbot. Bis heute hat sich daran nichts geändert. Das Modell »Alpenchristus« beispielsweise gibt es unkoloriert bereits ab 34,99 Euro, das 2-Meter-Feldkreuz mit wetterfest koloriertem Christuskorpus für knapp 1700 Euro.

Zum anderen sollte in Betracht gezogen werden, dass diese fast obsessive Liebe zum Symbol des Kreuzes nicht nur wirtschaftliche, sondern möglicherweise auch psychische Gründe hat. Könnte es nicht sein, dass sich hinter der obsessiven Zurschaustellung des geschundenen Christuskörpers so etwas wie ein autoaggressives Verhalten verbirgt? Dass es weniger um ein Bekenntnis zur »geschichtlichen und kulturellen Prägung« Bayerns und auch nicht um eine hyperrealistische Spielart plakativer Religiosität geht als vielmehr um ein unterbewusstes Verlangen nach Selbstbestrafung? Warum sollte jeder Hügel, jede Wegkreuzung, jedes Klassenzimmer von der »geschichtlichen und kulturellen Prägung« Bayerns plappern müssen? Geschichte und Kultur sind doch keine Hunde, die alle naselang ihr Beinchen heben und eine Duftnote zurücklassen müssen. Und haben wir nicht bereits ziemlich ausführlich festgestellt, dass der Kampf gegen den postmodernen Alltagsnihilismus selbst in Bayern längst nicht mehr mit Feuer und Schwert geführt wird? Warum also dieses Empörungstheater?

Liegt es da nicht viel näher, die vielen geschundenen Christuskörper im öffentlichen Raum mit der tragischen Figur des Bayern in Verbindung zu bringen, dem es nicht gelingt, ein runder Bayer zu sein, und der sich deshalb für dieses Versagen, symbolisch komprimiert, mit dem Kreuz bestraft? Noch drastischer gefragt: Hängt am bayerischen Kreuz in letzter Konsequenz vielleicht gar kein Erlöser, sondern ein Bayer? Ist das die Krux des Kruzifixes? »Ich komme aus einfachen Verhältnissen und bin doch viel zu kompliziert«, bekannte einst Herbert Achternbusch, der sicherlich bekannteste Gekreuzigte der bayerischen Filmgeschichte.

Wie auch immer, das Kreuz besteht aus zwei Strichen, die vier Rechtecke bilden. Rund ist an ihm nichts, weshalb es die geeignete Rute für die Bestrafung der Eckigkeit wäre.

10. In der Nähe von Bad Reichenhall

Und dann gäbe es da selbstverständlich noch den Wolpertinger, falls es ihn denn gibt. Was genau ein Wolpertinger ist, lässt sich nicht ganz so mühelos beantworten, wie es scheint. Das liegt vornehmlich daran, dass schon seine bloße Vielfalt jeden allzu plausiblen und stringenten Erklärungsversuch sabotiert. Zu den sogenannten echten Wolpertingern, den Wolpertingeria, zählen der Einhorn-Urmel, die vierzehige Rottengeiß, der gefleckte Baumpfrimel, der steilschwänzige Riffelbock, der schlitzohrige Rackelhahn, der Großhorn-Schurifroasla, der Weißhaar-Wedltrenza, der Walross-Spießalmler, der Flupertinger, der Seepertinger, der Wal- beziehungsweise Wiepertinger, der Fliepertinger, der Lupertinger, der Gepertinger, der Flepertinger sowie der Alpertinger. Doch das ist nicht alles: Neben den Wolpertingeria gibt es noch die Pseudo-

wolperia (die Unechtwolper), die Parawolpertopsida (die Fastwol-
pertähnlichen), die Wolpertomorpha (die Wolperscheinenden),
die Wolperterrales (die Wolp-Erdinger), die Dinowolpa (die Schre-
ckenswolper) und die Piscicatolpa (die Fischkatzigen).

Diese hypertrophe Taxonomie deutet schon an, worum es
sich beim Wolpertinger im Kern handelt: um eine permanent
mutierende zoologische Chaostheorie. Der Wolpertinger ist ein
komplexes Mischwesen, bestehend aus allem, was die heimische
Fauna zu bieten hat: Hasenohren, Gamshörner, Eichelhäherflü-
gel, Entenfüße, Wildschweinhauer, gelb leuchtende Raubtier-
augen, Rehbockhufe, Buntspechtbeine, dolchförmige Adlerkral-
len, Schwimmflossen ... Alles kann mehr oder minder wahllos
mit allem kombiniert werden, solange nur vorn vorn und hinten
hinten ist.

Dennoch sollte auch bei ihm zwischen Vorder- und Hintergrund tunlichst unterschieden werden. Vordergründig betrachtet ist der Wolpertinger nichts weiter als eine ausgestopfte Witz-
figur, die in einschlägigen Restaurationsbetrieben in irgendeiner
verstaubten Ecke vor sich hin gammelt. In diesem präparierten
Zustand erregt er weder großes Aufsehen, noch geht von ihm irgendeine Bedrohung oder Gefahr aus. Kinder begutachten ihn
mitunter mit einem großen Fragezeichen über dem Kopf, doch
wie das Gagbairische ist er nichts weiter als ein Zitat. Daran än-
dert auch das Wolpertinger-Museum in Mittenwald nichts.

Ganz anders verhalten sich die Dinge, wenn man ihn als ein
reales Spiegelbild der bayerischen Seele zu begreifen versucht.
Das kollektive Unterbewusstsein artikuliert sich gern in Archety-
pen, und der Wolpertinger ist so ein überindividuelles, authenti-
sches »Ursprungsbild«. In dieser Form macht ihn sein disparates,
völlig sinn- und regelwidriges Erscheinungsbild plötzlich durchaus zu einem gefährlichen Wesen, zeigt es doch die paradoxe,
alles andere als einfache Gemütsarchitektur des Bayern. Im
Zerrspiegel des Wolpertingers, im grotesken Gewand des Wolpertingers, begegnet sich der Bayer als irriges, inadäquates und

deshalb störendes Element in der allgemeinen Ordnung der Dinge. Scheu wie ein Reh und gleichzeitig aggressiv wie ein hungriger Wolf durchstreift er die dichten, dunklen Wälder des bayerischen Unterbewusstseins. Geht er zum Angriff über, so kann es durchaus blutig werden, wie ein Marterl in der Nähe von Reichenhall beweist, das vor einigen Jahren jedoch leider dem Blitzschlag zum Opfer fiel: »Durch einen Wolperstoß / Kam ich in den Himmelsschoß; / Und ging ein zur ewigen Ruh, / Durch dich, du Scheißvieh, du!«

Erste Hilfe

Siebtes Kapitel, in dem wir versuchen, mithilfe von Brezn und diversen Wanderstöcken wieder in Gang zu kommen, uns aber vor allem ein Antispastikum, ein Spiegel sowie unser eigenes Gesicht aus der Patsche helfen.

1. Beim Bäcker

Der Bayer wäre kein Bayer, wäre er kein Bayer. Will heißen: Auch wenn sein Persönlichkeitsprofil noch so sehr von seinem Persönlichkeitsideal abweicht, löscht ihn diese Deviation als Bayer nicht aus. Er bleibt Bayer, auch wenn er oft nur wie eine Karikatur seiner selbst wirkt, weil er ein Bayer ist und es darüber hinaus über sieben Milliarden Menschen gibt, die sich eindeutig als Nichtbayern identifizieren lassen. Die Tatsache, dass der Bayer mit sich selbst in einer inneren Konfliktsituation lebt, problematisiert ihn, nicht aber seine Existenz.

Im Gegenteil: Die Sache wäre relativ einfach, könnte sich der Bayer als Bayer einfach abschaffen, so wie sich die DDR einst verdrückte und der allgemeinen bundesdeutschen Angestelltenidentität beitrat. Wo es keinen Bayern mehr gäbe, bestünde auch kein innerer Konflikt mit dem Bayerischsein mehr. Da es Letzteren aber sehr vehement gibt, muss es notgedrungen auch ihn, den Bayern, sehr vehement noch geben. Woraus folgt: Der Bayer ist nicht tot, sondern lebt und bebt! Auch wenn er nicht weiß, wer oder was er ist, sein Minderwertigkeitskomplex atmet.

Und wenn er sich wieder einmal in seiner mentalen und körperlichen Eckigkeit wie ein gekreuzigter Wolpertinger fühlt, so gibt es als Erste-Hilfe-Maßnahme kaum ein anetisch wirksameres Präparat als eine Brezn. Sie haben richtig gelesen, eine Brezn! Jeder Bayer kennt sie, jeder Bayer liebt sie. Sie ist keine von diesen aufgetakelten alimentären Schicksen, weder eine »Delikatesse« noch eine »Spezialität« oder ein, horribile dictu, »Schmankerl«, jenes seltsame Etwas, mit dem die bayerische Landhausküche so gern hausieren geht. Die Brezn ist einfach immer nur da, wenn man Hunger hat und etwas schnell und einfach Verzehrbares benötigt. Die Brezn brezelt sich nicht auf, man muss sie aus keiner Schale pulen, in keine obskure Soße dippen, mit keiner gestelzten Genießermiene inkorporieren. Sie erhebt keine Ansprüche, nennt keine Bedingungen, macht keine Zicken. Man kann sie überall, zu jeder Tageszeit, an jedem Ort, in jeder Montur, in jeder Stimmungs-, bei jeder Wetterlage goutieren.

Und dies, obgleich sie, näher betrachtet, eigentlich eine Pretiose ist. Der Duft einer frischen, noch warmen Brezn ist flauschig-weich wie Samt. Er hüllt den Hungrigen ein, umfängt ihn und raunt ihm olfaktorische Zärtlichkeiten in die Nase. Auch haptisch ist die Brezn extrem sexy: Ihre feinen, symmetrischen Rundungen machen sie zu einem Topmodel unter den Backwaren. Keine Semmel, keine Schrippe, kein Bagel, kein Baguette kann ihr das Wasser reichen. Ihre beiden ineinander verschlungenen Ärmchen verleihen ihr etwas Elegantes, Schwungvolles und Charmantes. Darüber hinaus sitzt die Brezn nicht griesgrämig da wie ein Strudel oder posiert affektiert wie eine Torte; sie bewegt sich, sie tanzt, sie lacht, sie ist fröhlich. Ihre stetige Präsenz auf Volksfesten ist kein Zufall.

Wo und von wem die Brezn einst erfunden wurde, lässt sich nicht mehr mit letzter Bestimmtheit eruieren. Dass sie uralt ist, belegt ihre Darstellung im *Hortus deliciarum*, einer im 12. Jahrhundert im Elsass verfassten Enzyklopädie. Gewisse Historiker glauben, behaupten zu dürfen, dass die Brezn alemannisch-schwäbischen Ursprungs sei und von einem Bäcker aus Bad Urach erfunden wurde. Dies mag vielleicht auf die sogenannte Brezel und deren Derivate zutreffen, als da wären die schwäbische Palmbrezel, die ungelaugte Neujahrsbrezel oder die Biberacher Fastenbrezel, nicht aber auf die Brezn. Mit der Brezel hat die Brezn nichts zu tun.

Dies wird umso deutlicher, wenn man nicht nur die äußere Form, sondern auch die innere Logik der Brezn in Augenschein nimmt. Letztere kann ihre urbayerische Abstammung nicht verleugnen. Grundsätzlich gilt: Die Brezn denkt vom Allgemeinen zum Besonderen hin, funktioniert also deduktiv. Von ihrem oberen, meist etwas dickeren, leicht gekrümmten Bogen aus umgreift sie das Gedachte auf dialektische Art und Weise von zwei Seiten her ringförmig, um es in der chiralen Verdrillung ihrer Arme in einer Synthese aufzuheben und in überkreuzter Form wieder auf die Gedachtheit des Anfänglichen zurückzuwerfen. Gut verknotet breitet sich das so Reflektierte – »Zurückgebogene« – diagonal in alle Richtungen aus und bleibt doch ganzheitlich in sich geschlossen, wobei die drei Öffnungen in ihrem Inneren genügend Spielraum für spekulative Einschübe gewähren. Die Brezn stellt eine ganzheitliche Denkmethode dar, in der alles mit allem über mehrere Richtungsänderungen hinweg zusammenhängt. In der Brezn vereinen sich Ecke und Kreis, Komplexität und Einfachheit, Anfang und Ende, Oben und Unten, Strich und Faden, Denken und Essen. Extrakte des mit dieser Methode gewonnenen Denkens lauten zum Beispiel »So gengan de Gang«, »Nix ist besser als gar nix« oder »Ja mei!« ...

Mit anderen Worten: Nach dem Genuss einer Brezn sieht die Welt, auch wenn sie noch so verschachtelt ist, meist schon wieder etwas anders, etwas wärmer und runder aus. Die verschlungen-runde Komplexität der Brezn sättigt den Magen, fördert die Muskelmasse und stabilisiert den Geist. Zu Risiken und Nebenwirkungen lesen Sie die Packungsbeilage und fragen Sie Ihren Arzt oder Apotheker!

Leider hat die Sache einen kleinen Haken: Die Brezn zu formen erfordert Geschick. Um einen Teigstrang händisch in die Form einer Brezn zu verdrillen, braucht es eine besondere Wurftechnik, die heute nur noch wenige Bäcker im Repertoire haben. Was zur Folge hat, dass die meisten Brezn nicht mehr aus dem Handgelenk, sondern aus der Breznschlingmaschine kommen und also ähnlich wie Badeenten, T-Shirts oder Computerchips Massenprodukte der Automatisierung sind. 2000 Industriebrezn wirft so eine Maschine stündlich aus, alle in Geschmack, Gewicht und Form vollständig identisch. Für einen lediglich Hungrigen keine große Sache, möchte man meinen, für einen um Bodenständigkeit ringenden Identitätskrüppel hingegen ein schweres Manko.

2. Beim Metzger

Weil wir gerade bei Alimentärem sind: »Ob Brezn, ob Schwein, ins Mei muaß rein!« Tröstet die Brezn, so stärkt das Schwein. Sicherlich, auch in Frankreich, Italien und Norddeutschland wird Schweinefleisch gegessen, in Bayern jedoch wird dessen Verzehr zelebriert. Ein bayerischer Schweinebraten ist für den Bayern etwas Heiliges. Er sättigt ihn nicht nur körperlich, sondern auch und vor allem seelisch. Mögen Unrast und Hektik das alltägliche Leben in ein Tollhaus verwandeln, in der zärtlichen Zwiesprache mit einem Schweinebraten kommt der Bayer in jeder Lebenslage zu sich, findet Ruhe und Frieden, Glück und Gelassenheit. Dem Bayern beim Genuss eines Schweinebratens zuzusehen hat deshalb stets etwas Schweinisches an sich. Wie das Schwein suhlt er sich in seinem momentanen Wohlbehagen und lässt die Welt Welt sein. Einziger Kommentar am Ende des Mahls: »Saugut!«

Vegetarier mögen das anders sehen, aber bestimmt nicht richtiger: Wahre Liebe, so einst der göttliche Marquis de Sade, kann nie zärtlich sein. Zärtlich ist der Kleinmütige, der Heiratsschwindler, der Schlagersänger. Wahre Liebe ist eindeutig kannibalisch veranlagt. Sie fackelt nicht lange herum, sie kennt keine Rücksicht, sie will immer nur das eine: den Gegenstand ihrer Sehnsucht mit Haut und Haaren verschlingen. So auch der zum Schwein in Liebe entbrannte Bayer. Er hätschelt das Schwein nicht, foltert es nicht mit pseudomenschlicher Zuneigung, schiebt ihm keine seidenen Sofakissen unter den Ranzen. Er frisst es. Mit den sogenannten Zierschweinen, kleinen, extra für die Schoßtierhaltung gezüchteten, asiatisch eingekreuzten und ringelschwanzlosen Minipigs, kann er absolut nichts anfangen. Zum Schmusen sind Mehrschweinchen und Dackel da. Ein Schwein hingegen ist ein Schwein ist ein Schwein!

Und was macht das domestizierte Borstentier? Es revanchiert sich für diese ehrliche, schnörkellose Liebe freiwillig und spontan mit dem Besten, was es zu bieten hat, mit Rippchen, Schinken, Hüften und Schultern. Es weiß, dass es in der Liebe immer um die Wurst geht. Das Resultat dieser gegenseitigen Zuneigung ist die bayerische Küche. Es gibt Möchtegern-Franzosen und Neoasketen, die die bayerische Küche für einen gezielten Anschlag auf die Würde der kulinarisch sensiblen Menschheit halten. Wir wollen ihre unappetitliche Argumentationskette an dieser Stelle nicht en détail rekonstruieren. Nur so viel: Wer einmal mit einem ordentlichen Hunger im Bauch in letzter Sekunde von einem bayerischen Schweinebraten erlöst wurde, weiß, dass das Schwein die stärkeren Argumente auf seiner Seite hat. Selbst als Papst Gregor II. im Jahr 716 in einem Kapitular an den Herzog Theodor II. von Bayern alle Tiere für unrein erklärte, die »den Götzen geopfert wurden«, und damit auch die Schweine meinte, ließen sich die Bayern nicht beirren. Keine Nanosekunde dachten sie ernsthaft daran, auf den Genuss von Schweinefleisch zu verzichten. Im Gegenteil: Stur, wie sie waren und sind, machten sie aus dem Schweinefleischessen einen Kult.

Eine der schönsten Oden an das Glück der Schweine stammt übrigens von dem walisischen Dichter Dylan Thomas, den wir deshalb an dieser Stelle zum Ehrenbayer ernennen wollen. Es geht wie folgt:

> »*Schweine grunzen im nassen Suhlebad und*
> *lächeln im nuschelnden Traum.*
> *Sie träumen vom Eichelfresstrog der Welt,*
> *vom Wurzelwühlen nach Schweineobst,*
> *von den Dudelsackzitzen der Muttersau*
> *und dem Quicken und Schnüffeln der jasagenden Schweine-*
> *weibchen zur Brunstzeit.*
> *Sie suhlen sich und schnauzen in der schweineliebenden Sonne;*
> *ihre Schwänze ringeln sich,*
> *sie rollen und seibern und schnarchen sich ein,*
> *in den tiefen behaglichen Schlaf nach dem Fraß.*«

Artgerecht gehaltenen Schweinen dabei zuzuschauen, wie sie das Leben genießen, ist für den dynamischen Zappelphilipp nicht immer ganz einfach. Es geht etwas unverschämt Positives und Sorgloses von ihnen aus. Sich suhlende Schweine sind Meister der in sich versunkenen Zufriedenheit. Kein Wunder, dass ihnen seit Jahrhunderten schon der Vorwurf der Lüsternheit gemacht wird. Allen Asketen und Moralisten müssen die Augen bluten, wenn sie sehen, wie einfach man vollkommen glücklich sein kann. Die Schweine freilich lassen sich von allen Beschimpfungen nicht aus der Ruhe bringen. Was stört es die Sau, wenn die Schafe blöken?! Sie wissen: Die Würde des Schweins ist unantastbar! Schweinemastanlagenbetreiber sind da mitunter freilich anderer Ansicht. Für sie sind Schweine nichts weiter als Muskelmasse. Nicht so für den Bayern. Er weiß: Ganz tief in ihm steckt mehr als nur ein Bayer. Ganz tief in ihm steckt immer auch irgendwo – und das ist schön und gut und gottgewollt – ein Schwein!

3. Im Norden

Depressionen freilich fördern nicht den Appetit. Darüber hinaus zeichnen sie sich oft durch eine lähmende Antriebslosigkeit aus. Auch der Bayer sitzt gern stundenlang bewegungslos in seiner ganzen Körperfülle da und nagt stumpfsinnig an den kahlen Knochen der Sinnfrage herum. So labend das Prinzip »Dahockn und nix tun« an sonnenüberfluteten Tagen sein kann, so selbstzerstörerisch ist es, wenn der Wolpertinger wie ein unverdauter Semmelknödel in den seelischen Eingeweiden sitzt und vor sich hin brütet. Dann wird alles zum Problem, und selbst die Frage, ob man zum Bäcker gehen und sich eine Brezn kaufen soll, türmt sich vor einem auf wie das Karwendelgebirge.

In diesem Fall hilft nur noch Bewegung. Bewegung öffnet den Körper und die Seele, Bewegung reanimiert. Der Bayer steht der sportlichen Bewegung im Allgemeinen sehr aufgeschlossen gegenüber. An motorisch intensiven Verrichtungen wie dem Schwammerlsuchen, dem Raufen oder dem Maibaumstehlen findet er großen Gefallen. Apropos »Karwendelgebirge«: Eine sehr dynamische Sportart ist selbstverständlich auch das Bergsteigen. Dass es sexuell stark aufgeladen ist, braucht nicht eigens betont zu werden. Eine Analytiker-Faustregel besagt: »Bergsteigen in den Alpen steht für das Besteigen der Mutter. Bergsteigen im Himalaja für das Besteigen der Großmutter!«

Die meisten Bayern begnügen sich indes an einem wolkenlosen, bundesligafreien Samstagnachmittag mit einer gemütlichen, topografisch nicht allzu ambitionierten Tour im Alpenvorland, was in etwa einem »Handjob« entspräche. Dies aktiviert die Lebensgeister und die Gesichtsfarbe. Noch bevor Bayerns Kinder das Lesen und Schreiben lernen, werden sie deshalb auf zahlreichen Sankt-Martins-Laternenumzugs-Seminaren ebenso behutsam wie gewissenhaft in die Technik des Berg-und-Tal-Wanderns eingeführt. Die engagiertesten und talentiertesten Jungsportler Bayerns dürfen an der alljährlich stattfindenden Fronleichnamsprozession in der Landeshauptstadt teilnehmen.

Unerlässlich beim sportlichen Wandern war lange Zeit der Wanderstab. »An einem Sommermorgen, / Da nimm den Wanderstab, / Es fallen deine Sorgen / Wie Nebel von dir ab«, dichtete einst Theodor Fontane. Dass Fontane kein niederbayerischer Verseschmied, sondern ein Brandenburger war, tut nichts zur Sache. Sommermorgen gibt es nirgendwo imposantere als in Bayern, Sorgen dito. Interessanter ist die Frage: Von welcher Art »Wanderstab« sprach Fontane eigentlich? Von einem mehr oder minder geraden Ast, dessen Länge zur Körpergröße seines Benutzers passt und den man zum Nulltarif in Wald und Flur findet? Oder von einem professionell gefertigten Exemplar aus jungem Haselnuss- oder Steinweichselholz, lackiert und versehen mit einer Metallspitze und einem zu einem Rundhaken geformten Griff? Oder von einem Knotenstock mit verdickten Auswüchsen, der im Zweifelsfall auch als Waffe zum Einsatz gebracht werden kann? Oder haben wir es mit einem sogenannten Stenz zu tun, einem kunstvoll verdrehten Wanderstock, der seit dem 18. Jahrhundert vor allem in den Kreisen des fahrenden Handwerks beliebt war?

Bayern hat im Laufe seiner Geschichte viele Wanderstöcke und viele Geher gesehen. Als richtungsweisend müssen dabei vor allem die Wandermönche des 6. und 7. Jahrhunderts angesehen werden, unter ihnen der heilige Emmeram, der heilige Rupert sowie der heilige Corbinian. Mit ihrer Ausdauer, ihrer Lauftechnik und ihrer Kommunikationsbereitschaft erzielten sie bei der noch halbnomadischen Bevölkerung hohe Sympathiewerte und noch mehr Respekt. Als Zeichen der Anerkennung überreichte man ihnen lange Wanderstäbe mit aufwendig verzierten Krümmen aus vergoldetem Silber oder Kupfer. Der höhere Klerus bedient sich ihrer bis heute. Das ganze Mittelalter hindurch – es dauerte in Bayern in etwa bis zur Erfindung der Melkmaschine gegen Ende des 19. Jahrhunderts – ging auch der weiß-blaue Fortschritt vornehmlich zu Fuß, langsam, aber festen Schrittes. Einzige Ausnahme: König Ludwig II. Der fuhr am liebsten Schlitten.

Doch zurück zur Literatur, zurück zu Fontane, zurück zum Wanderstab beziehungsweise -stock. Was es zu Fontanes Zeiten sicherlich noch nicht im einschlägig sortierten Sportfachhandel gab, war der »Speed Pacer Vario«. Wer zu einem Speed Pacer Vario greift, hat im Allgemeinen keine »Sorgen« beziehungsweise Depressionen, sondern eher Gewichtsprobleme. Mit dem Speed Pacer Vario und ähnlichen leichtgewichtigen Kohlenstofffaserpräparaten kann man, paarweise verwendet, vornehmlich das machen, was seit der Jahrtausendwende gern als »nordisches Wandern« bezeichnet wird. Es handelt sich dabei, grob gesprochen, um eine Fortbewegungsart, bei der die oberen Extremitäten des Menschen durch extrem leichte, individuell höhenverstellbare Hightechprothesen künstlich wieder in tierische Vordergliedmaßen zurückverwandelt werden, wodurch der aufrechte Gang zumindest funktional außer Kraft gesetzt wird und man temporär zu einem, postmodern formuliert, »vierradantriebsähnlichen Wesen« degeneriert. Tatsächlich feierte der selbsternannte Fitnesspapst Ulrich Strunz, ein Sachse, Mitte der Nullerjahre das »nordische Wandern« völlig ironiefrei als eine, Zitat, »Ode an den Vierradantrieb«, bei dem 700 involvierte Muskeln angeblich 50 Prozent mehr Fett verbrennen als beim Wandern ohne Trekkingstöcke.

Und so brechen sie denn seit geraumer Zeit schon überall aus Tann und Gebüsch hervor, die nordischen Walker! Ob im Sommer oder Winter, ob in den Tiefen des Bayerischen Waldes oder auf den Höhen Oberbayerns, ob auf dem »Fränkischen Karpfenweg« oder dem schwäbischen »Jakobusweg«, ob im Naherholungsgebiet hinter dem Gewerbepark von Oberkleinpfuideifi oder mitten im Englischen Garten der Residenzstadt, stechschrittartig pflügen sie mit ihren spindeldürren Kunststoffstangen durch die Landschaft. Ihre Gesichter sind verbissen, ihre Körper vorzugsweise in neonfarbige, technoid glänzende Shirts und Mikrofaserhosen gezwängt. Das Signal »Achtung, wir gehen nicht zweckfrei, sondern als gesundheitsbewusste Individuen durch die Welt« soll in die Augen springen. Dabei fällt auf, dass sich die meisten nordischen Wandergesellen, obgleich sie gern im Verbund unterwegs sind, nur selten miteinander unterhalten. Ganz offensichtlich haben sie sich nicht viel zu sagen. Wahrscheinlich unterhalten sie sich lieber mit ihren 700 involvierten Muskeln. Narzissmus ist ja generell gern schweigsam.

Dabei gäbe es durchaus Gesprächsstoff, zum Beispiel über die Frage, ob diese seltsame Fortbewegungsart überhaupt noch unter die Kategorie »Gehen« beziehungsweise »Bewegen« fällt oder ob es sich bei ihr nicht eher um eine paramilitärische Übung handelt. Und kann man sich als mechanisch durch die Landschaft zappelnder Kasperl wirklich öffnen und reanimieren? Oder verschließt man sich auf diese Art und Weise nicht sowohl der Landschaft als auch sich selbst? Gehen, das weiß jeder Bayer, kann etwas sehr Magisches sein. Jede Wallfahrt ist nichts anderes als ein magisches Gehen, ein »Beten mit den Füßen«, ein »Flehen mit den Zehen«. Gehend versucht der Pilger, sich zu öffnen und Gott zu finden. Gehend versucht der Pilger, ganz unmittelbar auf dem Boden zu bleiben, bodenläufig bodenständig zu werden.

4. In Paris

Eine ziemlich verrückte Pilgerreise ohne Speed Pacer Vario, ohne Knotenstock, ohne Stenz, ohne Wanderstock, sondern ganz im Einklang mit Lukas 9, 3 unternahm in den siebziger Jahren der Filmregisseur Werner Herzog, ein gebürtiger Münchner. Sein legendärer 22-tägiger Fußmarsch von München nach Paris gab dem bayerischen Gehen ganz neue Impulse und gehört bis heute zu den spektakulärsten spirituellen Sportereignissen weltweit.

Herzog unternahm seine Seelen-und-Sohlen-Reise von München nach Paris nicht aus Fitness-, sondern allein aus magischen

Gründen. Kurz zuvor hatte ihn ein Anruf aus Paris erreicht: Lotte Eisner, die große Historikerin des deutschen Stummfilms, liege im Sterben. Dies, so sein irrwitziger Plan, versuchte er zu verhindern, indem er sich per pedes auf den Weg nach Paris machte. Seine Hoffnung: Solange er gehe, werde, könne, dürfe die alte Dame nicht sterben! Nach drei mühseligen Wochen kam Herzog im Dezember 1974 erschöpft in Paris an. Die »Eisnerin«, wie Bertolt Brecht sie nannte, lebte noch, starb erst neun Jahre später, 1983. Am Stock gehend stand er am Ende seiner Reise in ihrem Zimmer und rief: »Öffnen Sie das Fenster, seit ein paar Tagen kann ich fliegen.«

Die Moral von der Geschicht': Gehen kann sowohl reanimieren als auch neue Räume eröffnen, das »vierradantriebsähnliche« Gehen mit Trekkingstöcken hingegen ist lediglich eine Vorform des Gehens am Rollator.

5. In Friedberg

Man kann gehen, und man kann sich gehen lassen. Was letztere Bewegungsart anbelangt, so kennt die komplexe bayerische Persönlichkeitsstruktur mindestens zwei Varianten. Die eine ist die Wurstigkeit, die andere die Aggression. Die Wurstigkeit mäandriert, die Aggression destruiert. Mit der Wurst hat die Wurstigkeit nichts zu tun. Die Wendung »Des is mia wurscht!« bezieht sich nicht auf irgendein in Därmen oder Blasen abgefülltes fleischhaltiges Nahrungsmittel, sondern verbalisiert eine gemeinhin gemütsarme, interesselose, indolente Geisteshaltung. Um Verwechslungen vorzubeugen, bietet sich das umgangssprachliche Nomen »Wurschtigkeit« an. Während die Wurst im Regelfall bekanntlich zwei Enden hat, besitzt die Wurschtigkeit unendlich viele. Sie lässt alles offen, bringt nichts zum Abschluss, entscheidet sich für keine Alternative, keine Perspektive, keine Meinung, bezieht keine Stellung, zieht keinen Schluss aus nichts. »Des geht mi nix o«, winkt der Wurstfreund ab, wenn er auf die Zustände in bayerischen Großmastanlagen angesprochen wird. »Na und?«, fragt der SUV-Fahrer, wenn er einen Behindertenparkplatz in Anspruch nimmt. »Der Weise ist ohne Mitleid«, lehrten einst die Stoiker.

Mit dem antiken Ideal der Sophrosyne, der inneren Gelassenheit, lässt sich die Wurschtigkeit freilich so wenig vergleichen wie mit der stoischen Ataraxis, der seelischen Unerschütterlichkeit. Auch wenn viele Bayern mitunter den Eindruck unerschütterlicher Ignoranz gegenüber allem vermitteln, was sich 20 Zentimeter jenseits ihres Bauchnabels ereignet, steht dahinter oft kein ethisches Streben nach Autarkie und auch kein Wissen um eine göttliche Harmonie, sondern lediglich eine starke Tendenz zur emotionalen Faulheit. Für sich betrachtet kann man der Faulheit keine Vorwürfe machen. Sie entkrampft Leib und Seele und schafft Raum für mannigfaltige Tagträume. In den eBay-Kleinanzeigen inserierte einmal ein Friedberger seinen »5 Minutes Sharper« mit den herrlichen Worten »wegen Faulheit zu verkaufen«. Souveräner kann man den ständigen Anwürfen der Fitnessgeräteindustrie, sich fleißig um seine Muskulatur zu kümmern, nicht begegnen. Dennoch steht die Acedia, die »Trägheit des Herzens«, in der katholischen Kirche durchaus zu Recht auf der Liste der sieben »Wurzelsünden«. Die »Trägheit des Herzens« speist sich direkt aus der Wurschtigkeit. Ihr ist es gleich, wie und was andere wann und warum fühlen oder denken, weshalb sie zum Beispiel mit der Problematik der Prekarität meist wenig anzufangen weiß.

Zu den eindeutig positiven Eigenschaften der Wurschtigkeit hingegen gehört ihre gut entwickelte Immunität gegenüber Dogmen. Mangelnde Toleranz kennt sie kaum. In sozialen Beziehungen erhebt sie keine allzu rigorosen Ansprüche, lässt jedem Tierchen sein Pläsierchen. Wenn der Kongolese rote Ameisen essen will, soll er rote Ameisen essen. Wenn der Herr Pfarrer seine Ministranten herzen will, soll er seine Ministranten herzen. Wenn die NSA alle Handys abhören will, soll sie alle Handys abhören.

Bairisch versteht sie eh nicht. Juristisch sicherte bereits im 18. Jahrhundert der große Rechtsgelehrte Wiguläus Aloysius Freiherr von Kreittmayr die Wurschtigkeit wasserdicht ab: »Jeder kann regulariter in dem Seinigen thun und machen was er will, folglich auch bis in die Höll hinunter graben oder bis an den Himmel hinauf bauen.«

Eine durchaus beachtenswerte Wendigkeit erzielt die Wurschtigkeit darüber hinaus auf theoretisch-philosophischem Gebiet. Ausgehend von dem Theorem, dass dem Universum keine prästabilierte Harmonie und auch kein höherer Endzweck, sondern allein das Prinzip des Sauhaufens innewohnt, kann sie völlig skrupel-, erbarmungs- und tabulos alles mit allem kreuz und quer kombinieren, um es gleichzeitig aus allen Zusammenhängen zu lösen. Keiner höheren Ordnung und keinem Denkverbot verpflichtet kann sie sich im wahrsten Sinne des Wortes gehenlassen und pfeilgerade wie eine Brezn in alle Richtungen hin kreativ austoben. Das Bivalenzprinzip der Logik, demzufolge jeder Aussage entweder der Wahrheitswert »wahr« oder der Wahrheitswert »falsch« zugeordnet werden muss, ignoriert sie mit einer wegwerfenden Handbewegung. Die dazugehörige Beschwichtigungsformel lautet: »Ma sogt jo nix, ma redt jo bloß.« Ganz in diesem Sinn behauptete zum Beispiel ein prominenter CSU-Spitzenkandidat einmal: »Jesus Christus wäre in die CSU eingetreten.« Einen intellektuellen Geländegewinn erzielen derartige Thesen sicherlich nicht. Bleibt die Frage, welche Geländegewinne die menschliche Vernunft generell für sich verbuchen kann. Darüber könnte man an einem faulen Nachmittag in oder um Friedberg herum lange und trefflich nachdenken. Die sanften, sich wie in Zeitlupe dahinstreckenden Hügel des Wittelsbacher Landes können sehr wurschtig machen.

6. In Zorneding

In gravierenden Fällen jedoch kann der Durchschnittsbayer auch ganz anders. Nicht immer ist es ihm auf dem Spielfeld des Alltags vergönnt, den Ball schön flach zu halten und auf die besänftigende Stimme seiner Wurschtigkeit zu hören. Tritt ihm beispielsweise ein preußisches Gscheidhaferl mit seinen langatmigen Erkenntnissen über Gott, die Welt und Bayern zu nahe, so kann er schnell wie Popcorn explodieren. Bevor er sich dann in längere kontroverse Diskussionen einlässt, bekommt er lieber einen anständigen Tobsuchtsanfall und schreit, schubst und rauft sich die Seele frei. Das spart Zeit, Geist und Nerven. Nicht nur in Zorneding ...

Darüber hinaus zieren Wut und Zorn bekanntlich Helden und Götter. »Den Zorn singe, Göttin, des Peleus Sohn Achilleus ...«, heißt es in der *Ilias* des Homer. Das Wort »Zorn« ist somit das erste Hauptwort in der europäischen Literatur überhaupt und sein Signifikat die große Emotion, die alle Akteure des 15 693 Verse langen Epos in ihren Taten und Schicksalen leitet. Dieser XXL-Zorn ist weder Beiwerk noch Sturm im Wasserglas. Dieser Zorn macht die *Ilias* zu einer blutigen Angelegenheit, zu einer furiosen Sinfonie der Gewalt und Achill zu ihrem Popstar: »Im Blutrausch einem Dämon ähnlich, hackte er rund um sich alles nieder. Schrecklich schallten Todesschreie über das Toben hinweg, rot rollten die Wellen ans Ufer.«

Aber auch dem alttestamentarischen Gott platzte bekanntlich öfter die Hutschnur. Dann radierte er in seinem göttlichen Zorn gern ganze Städte aus, siehe Babylon, siehe Sodom und Gomorrha, siehe Ninive. Laktanz, ein frühchristlicher Apologet und Kirchenvater, sah darin kein großes Malheur, sondern stellte nur trocken fest: »Wenn Gott verzeihen kann, so kann er auch zürnen!« Und das ist gut so, denn wer nicht von Zeit zu Zeit einmal kräftig auf den Tisch haut, darf nicht hoffen, ernst genommen zu werden. Selbst Seneca, ein Musterbeispiel an Gelassenheit und hochzivilisierten Umgangsformen, hieß den kleinen Amoklauf zwischendurch gut: »Der Zorn ist nötig, und nichts kann ohne ihn durchgesetzt werden, wenn nicht er die Seele erfüllt und den Mut entzündet.« Allerdings fügte der Römer sicherheitshalber sogleich hinzu: »Man darf ihn freilich nicht zum Führer, sondern nur zum Mitstreiter nehmen.«

Genau hier liegt der Hase im Pfeffer: Während Helden und Götter sich seiner sozusagen aus der Position des Arbeitgebers heraus bedienten, den Zorn, die Wut quasi für sich arbeiten ließen, verhält es sich bei Normalsterblichen meist andersherum: Nicht sie bedienen sich der Wut, sondern die Wut bedient sich ihrer. Ganz offensichtlich ist die Wut ein Kleidungsstück, das nur Helden und Götter wirklich auszufüllen vermögen. Dem Normalbürger, dem kleinen Mann, hingegen fehlt das entsprechende Format, und wenn er in die Kleider des Zorns steigt, dann sieht er entweder wie ein Zombie oder wie ein Hanswurst aus. An den Fäden seiner hyperventilierenden Affekte zappelnd, kann er nicht anders, als sich gehenzulassen, wohl wissend, dass er bald schon die Rechnung für seinen Kontrollverlust wird zahlen müssen. Und trotzdem steht er bebend da und sagt dem despotischen Vorgesetzten, dass er eine alte Schwuchtel, und der gnadenlosen Politesse, dass sie eine noch ältere Wachtel sei. Und je höher ihm die Galle ansteigt, desto mehr Schimpfwörter drängen sich ihm auf die Zunge und begehren durch die Pforten der Lippen ins Freie.

In Anlehnung an den platonischen Furor poeticus, den rauschhaften Zustand des inspirierten Dichters, sprechen Ethnopsychologen vom »Furor bavaricus eruptus«. Besondere Beachtung verdient in diesem Zusammenhang auch das sogenannte *shortway syndrome*. Kennzeichnend für dieses Verhaltensmuster ist das Bemühen, Konstellationen aller Art nicht unnötig lange vor sich hin köcheln zu lassen, sondern auf dem kürzesten Weg zu bereinigen. »Unter allen Deutschen hat das Bayerntum fraglos die stärkste Neigung, sein Recht, oder was es dafür hält, sich nicht im Wortgefecht, sondern im tätlichen Zugriff zu holen«, konstatierte Willy Hellpach, Politiker in der Weimarer Republik, Arzt und Begründer der Umweltpsychologie. Doch siehe da: Plötzlich fühlt er, der wutschnaubende Bayer, sich endlich wieder wie ein echter Bajuware ...

Der bayerische Historiker Benno Hubensteiner führte diese schnell aufflammende Wutbereitschaft auf das »keltische Blut« in den bayerischen Adern zurück. Keltisches Blut ist italienisches Blut. Italiener sind Südländer. Auch wenn wir uns hier verdächtig nah am Rande eines Klischees bewegen, lässt sich doch kaum bestreiten: Der Süden geht mit Emotionen gemeinhin großzügiger um als der kühle Norden. Ein Funke genügt, und er schluchzt entweder »Amore« oder »fährt in die Welt wie die Kugel in die Schlacht« (Peter Sloterdijk).

So kritisch der wohlerzogene postmoderne norddeutsche Affektallergiker emotionalen Entgleisungen gegenüber eingestellt ist und Entschuldigungen für Wuteruptionen im zwischenmenschlichen Bereich kaum gelten lässt, so dringend muss doch auf dreierlei hingewiesen werden. Erstens: Wut ist Wut, und wenn sie da ist, was ist dann besser: sie mit allen Mitteln zu kaschieren und hinunterzuschlucken und seine Eingeweide damit zu vergiften – oder aber sie auszustoßen, abzustoßen, mit Sauerstoff zu verdünnen und so schließlich verfliegen zu lassen? Das postmoderne Affektmanagement präferiert eindeutig: kaschieren und hinunterschlucken. Immer schön cool bleiben! Der große Michel de Montaigne, Südländer, Wutbürger ante rem und alltagstauglicher Philosoph, meinte: »Der Zorn greift unseren Körper desto stärker an, je mehr wir ihn verbergen ... Ich will lieber meine Leidenschaften sehen lassen als sie auf Kosten meiner Gesundheit unterdrücken; sie vermindern sich, wenn sie ausbrechen.«

Zweitens: So olympiareif der Bayer mitunter an die Decke zu gehen vermag, er ist kein Spitzensportler, kein Marathonläufer. Will heißen: Spätestens nach dem zweiten Schlag auf den Tisch oder den Kopf des Kontrahenten gehen ihm die Argumente aus, und er lässt sich mangels Weg nicht mehr gehen. Der Bayer in ihm beruhigt sich mitunter schneller, als es dem Möchtegern-Bajuwaren lieb ist. Dann steht er nur noch keuchend da, ringt hörbar nach Luft und nimmt mehr oder minder beschämt wahr, wie seine stolz emporragende Wutpotenz in kürzester Zeit in sich zusammensinkt. Am Ende bleibt ihm allein der Trost der Religion.

Noch einmal Laktanz: »Nicht ganz und gar verbietet Gott das Zürnen; denn dieser Trieb liegt unaustilgbar im Menschen; Gott verbietet nur das Verbleiben im Zorne; denn der Zorn der Sterblichen muss sterblich sein; würde er fortdauern, so würden die Feindschaften sich festsetzen zu immerwährendem Verderben. Und wenn Gott uns wiederum gebietet, zwar zu zürnen, aber nicht zu sündigen, so wollte er damit sicherlich nicht den Zorn mit der Wurzel ausrotten, sondern nur mäßigen, damit wir bei jeder Züchtigung Maß und Gerechtigkeit einhielten.«

Drittens: Der Bayer kann bereuen. Auch wenn er noch so hysterisch aus der Haut fährt, ist sein Zorn einmal verraucht, so fühlt er sich ohne Haut ganz schnell furchtbar nackt und unbehaust. Dann fröstelt es ihn, und er sehnt sich zurück in die Wärme und Behaglichkeit seiner Wurschtigkeit. Wenn alle Bierbänke in Trümmern und alle Maßkrüge in Scherben liegen, dann nervt die entstandene Leere mehr, als alle norddeutschen Gscheidhaferl dieser Welt je zu nerven imstande sein könnten. Mögen sich Helden und Götter an dieser wüsten Tabula rasa delektieren, der Bayer sehnt sich am Ende aller Schlachten nicht nach Leere und eingeschlagenen Schädeldecken, sondern nach Hause auf sein Kanapee. Die Unbehaustheit macht ihm Angst. Schamvoll verkriecht er sich deshalb wie ein waidwunder Eber in seine Höhle und leckt seine Wunden.

Leider jedoch nicht immer mit dem gewünschten Erfolg. So impulsiv und imposant der Zorn den Zornigen auch auffahren lässt, so kläglich lässt er ihn am Ende gern fallen. Ob in Zorneding oder anderswo. Und wenn sich dann auch noch das schlechte Gewissen mit auf die heimische Sofalandschaft kuschelt, ist es mit der Ruhe endgültig vorbei. Dann wird es Zeit für den Beichtstuhl, den Psychotherapeuten oder ein Wunder.

7. Auf der Wies

Für Wunder ist in Bayern die Kirche zuständig. Die Sankt-Martin-Kirche in Zorneding ist ein schmuckes Gotteshaus aus dem 18. Jahrhundert. Seine Akanthusranken, das Muscheldekor und der prächtige Hauptaltar besitzen durchaus das Potenzial, den Reumütigen wieder ein wenig aufzumuntern. Zum Durchschnaufen und Beruhigen sicherlich kein falscher Ort.

Mit der Emmerams-Basilika zu Regensburg oder dem Freisinger Mariendom kann St. Martin freilich nicht mithalten, geschweige denn mit einem Wunder wie der Wallfahrtskirche »Zum Gegeißelten Heiland auf der Wies« nahe Steingaden. Wer diese Touristenattraktion als bloßer Tourist betritt, erblickt meist nichts anderes als eine ziemlich üppige, um nicht zu sagen: protzige Touristenattraktion. Hier jodelt der Manierismus und stößt dabei spitze Schreie aus. Trotz aller Symmetrie, die das Innere beherrscht, quillt das reine Chaos aus Wänden und Nischen hervor. Chaos und Tumult, ja, fast – Wut! Der Versuch, sich in einem solchen Innenraum beruhigen zu wollen, muss scheitern.

Das Geheimnis dieser Rokoko-Orgie liegt denn auch weniger in ihrer prachtvollen Fülle als vielmehr in ihrer Geschwindigkeit. Die Wieskirche ist definitiv kein Andachtsraum, kein Raum der Ruhe, kein Kanapee, sondern ein Jahrmarkt, ein Vergnügungspark, ein Volksfest. Wer die Wieskirche offenen Auges betritt, befindet sich augenblicklich in einer ornamentalen High-Speed-Achterbahn mit Extremgefälle und Mehrfach-Looping. Ständig wird ihm bei der visuellen Fahrt durch die verschiedenen Gewölbe dieses »Raumwunders« der Kopf nach oben oder zur Seite gerissen, wobei sich die Pupillen in wild gewordenen Rocaillen und orgiastischen Kartuschen verirren, bis schließlich alle Sorgen entgleisen und zwischen den Girlanden, Blumen, Blätterranken, Amphoren, Wolken, Vorhängen, drallen Putti und geflügelten Engelsfiguren in alle Himmelsrichtungen verpuffen. Hier tobt sich die Transzendenz in reinster Lebensfreude aus. »Mei, is des a Gaudi …«, jauchzt der Achterbahnfahrer und legt sich übermütig in die nächste Kurve.

Unweigerlich fragt man sich, warum die komplexen, in sich verknoteten Bewegungen des Rokoko ausgerechnet im gemächlichen Bayern so exzessiv wuchern konnten. Sicherlich, der gesteigerte Repräsentationswille des 18. Jahrhunderts spielte auch hierzulande eine gewichtige Rolle. Nicht nur die kirchlichen, sondern auch die weltlichen Mächte beschleunigten. Während die Geistlichkeit ihre sakralen Innenräume mit Pomp und Stuck garnierte, begeisterte sich der Adel für Gartenanlagen, Prunktreppen, Spiegelkabinette, Kunst- und Wunderkammern, Teehäuser, Pavillons, Eremitagen, Orangerien und Fasanerien. Die Kaiserzimmer in der Würzburger Residenz, der Festsaal von Schloss Ansbach, das Münchner Cuvilliés-Theater, sie alle sind geniales Blendwerk, ganz nach dem Geschmack des Absolutismus.

Dass sie gleichwohl bis heute auch beim einfachen Volk Gefallen finden, hat sicherlich nicht ausschließlich mit dessen manifester Gaffsucht, sondern ebenso mit einem intensiven, wenn auch latenten Hang zur in sich verwickelten Beweglichkeit zu tun. Die zügellose Hochgeschwindigkeitsornamentik der Wieskirche löst alles Feste, alles Greifbare radikal auf, egal, ob dies Wände, Säulen, Decken oder Fenster sind. Ebenso löst sie aber auch alle Verkrampfungen im Inneren des Betrachters auf. Sie ist ein Antispastikum, ein krampflösendes Mittel. Die Verdrillungen der Brezn finden sich in ihr ebenso wieder wie die reanimierende Magie des Gehens, die kreative Wendigkeit der Wurschtigkeit und die spontane Impulsivität der Wut. Dank ihrer Dynamik reißt diese Hochgeschwindigkeitsornamentik den Betrachter mit, animiert ihn, sich gänzlich gehen zu lassen, ohne dabei in mäandrierender Wurschtigkeit zu versinken oder aber in destruktiven Wutdetonationen. Im Gegenteil: Je intensiver sich der Betrachter dem Tornado der in sich kreisenden Formen, Farben und Muster aussetzt, desto mehr Jubel und Dynamik dringen in ihn ein. Und am Ende steht er dann mit durchgeschütteltem Gehirn auf zittrigen Beinen glücklich, aber erschöpft da und sucht nach Orientierung sowie einer bodenständigen Gastwirtschaft.

8. Vor dem Spiegel

Und trotzdem lässt sich nicht bestreiten: Auch das Wunder der Wieskirche kann den Bayern nicht von seinem inneren Wolpertinger, von seiner inneren Widersprüchlichkeit, seiner Eckigkeit und seinem daraus resultierenden Minderwertigkeitskomplex erlösen. Will es aber auch gar nicht. Wie viele andere komplexe Dinge, denen wir bereits in den unterschiedlichsten Zusammenhängen begegnet sind, will es den Bayern vielmehr mit seiner Kompliziertheit konfrontieren, will ihn auf sinnfällige Weise daran erinnern, dass er ein Widerspruch in sich, ein Paradox, eine Kontradiktion, eine Aporie, eine Antinomie, eine Anomalität, ein Freak ist. Nur wer Angst hat, kann Mut entwickeln. Nur wer ein richtiger Sünder ist, kann ein Heiliger werden. Nur wer immer wieder nachhaltig daran erinnert wird, dass er ein Monstrum ist, kann die Kraft aufbringen, sich in einen TV-Schönling zu verwandeln. Nur wem elementar bewusst ist, dass er ein polygonales Missverständnis ist, kann den nötigen Geltungsdrang aktivieren, sich in eine runde Kugel verwandeln zu wollen. Nur wer ein Wolpertinger ist, kann sich dazu zwingen, freiwillig eine Lederhose anzuziehen.

Wer seinen Minderwertigkeitskomplex kurieren will, muss deshalb seinen Minderwertigkeitskomplex erst einmal lustvoll hegen und pflegen, muss alles daransetzen, sich klein, hässlich und wertlos zu fühlen. Koste es, was es wolle. Nur so kann er mit

voller Energie in die Rolle des arroganten Egozentrikers hinein-
wachsen und über sich hinauswachsen.

Objektiv betrachtet war Bayern niemals groß und wollte es
auch die längste Zeit seiner Geschichte nicht wirklich sein. Groß
und mächtig waren immer nur die anderen, die Karolinger, die
Preußen, die Franzosen, die Habsburger. Bayern hingegen war von
Anfang an vor allem ein Vasall, ein Mitläufer, ein Satellit, ein
Kleinstaat, eine Marginalie, eine Fußnote. Selbst in den wenigen
geschichtlichen Augenblicken, in denen bayerische Platzhirsche
kurzzeitig die Gelegenheit erhielten, politisch in der ersten Liga
mitzuspielen, gelang es ihnen nicht, Bayern als feste Größe nachhaltig zu etablieren. Ludwig der Bayer war zwar ein großer mittelalterlicher Kaiser im Heiligen Römischen Reich, dennoch blieb er
eine Episode. Wie gesagt zettelte Maximilian I. zwar einen der blutigsten Kriege Europas, den Dreißigjährigen Krieg, erfolgreich an
und erhielt dafür zum Dank die Kurfürstenwürde, am Ende seiner
Regierungszeit jedoch befand sich Bayern nicht im Zentrum der
europäischen Politik, sondern am Rande des Staatsbankrotts.

Beide hatten viele Feinde, die ihnen tatkräftig halfen, sich mit
aller Macht und Rücksichtslosigkeit in Szene zu setzen – Ludwig
der Bayer legte sich mit dem Papst an, Maximilian mit halb Europa –, und dennoch fehlte beiden der wichtigste Feind überhaupt:
sie selbst! Beide mochten sich, beide waren, wenn auch auf sehr
unterschiedliche Weise, ganz eins mit sich. Der Chronist Alberto
Mussato schilderte Ludwig als einen völlig ausgeglichenen und in
sich ruhenden Mann: »Er war gegen niemanden streng oder
missmutig, sondern bescheiden, umgänglich und gutmütig wie
jemand, der von jedermann geliebt und nicht gefürchtet werden
wollte.« Wesentlich despotischer und doch ebenfalls keinen Mil-
limeter neben sich stehend wird Maximilian geschildert, der es
sich laut Carlo Caraffo, dem damaligen päpstliche Nuntius, erlau-
ben konnte, »einfach mit einer Handbewegung zu befehlen«.

Auch wenn Maximilian sicherlich keine Zierde der Bescheiden-
heit war, leistete er sich nie den Luxus eines latenten Minderwer-

tigkeitskomplexes. Und auch sein Volk verzichtete auf derlei Eskapaden: »Niemals wird ein wahrer Bayer sich selbst loben und seine Verdienste herausstreichen ...«, behauptete einst Lorenz Westenrieder. So seltsam diese Feststellung aus heutiger Sicht klingen mag, sie belegt überdeutlich, dass im Bayern des Lorenz Westenrieder, im Bayern des ausgehenden 18. Jahrhunderts, noch kein Minderwertigkeitskomplex, noch keine Profilneurose die hohe Kunst des Eigenlobs nachhaltig befeuerte. Bevor sich der Bayer von anno dazumal zu einer Laudatio auf seine eigene Person hinreißen ließ, setzte er sich lieber vor einen Spiegel, hob langsam ein Bierglas und prostete sich schweigend zu. Kein Wunder, dass beispielsweise Friedrich der Große Bayern ein »irdisches Paradies« nannte, das von sprachlosen Tieren bewohnt werde. Der Gefahr, für klein, dumm und etwas zurückgeblieben gehalten zu werden, fühlte sich zumindest im einfachen Volk mangels Minderwertigkeitskomplexes noch niemand ernsthaft ausgesetzt.

9. Hinter der Maske

Heute ist alles ganz anders. Der moderne Bayer ist nicht mehr, was er war oder ist, sondern was er sein will. In Zeiten der entfesselten Eigenverantwortungsideologie weiß man: Wer will, der kann. Alles ist ein Spiel, eine Inszenierung, eine Simulation; es kommt lediglich darauf an, sich überzeugend in Szene zu setzen, Profil zu gewinnen, interessant zu werden, mitreißend, packend, dramatisch. So wie das Stuckwerk in der Wieskirche, das letztendlich nichts anderes als ins Symmetrische, also Inszenierte, gewendete Wut ist, reiner Furor. Ein Furor freilich, der nicht aus dem eigenen Inneren kommt und auf destruktive Weise in das Innere des Gegenübers eindringen will, sondern an der Oberfläche bleibt und sich dort austobt. Ein Furor, der Maske ist.

Masken sind uralt. Bereits in der Steinzeit trugen die Menschen Masken – schwere Masken aus Holz, Leder, Ton, ja, sogar

Stein. Noch viel früher bereits trugen sie Masken, die keine materiellen Artefakte waren, sondern allein mit der Gesichtsmuskulatur erzeugt wurden: keine Gesichtsmasken, sondern Maskengesichter, verliebte Gesichter, wütende Gesichter, dumme Gesichter.

Obgleich es heute weit über sieben Milliarden verschiedene Gesichter gibt, machen die meisten Menschen am Morgen ein typisches Morgen-, beim Frühstück ein typisches Frühstücks-, beim Weg zur Arbeit ein typisches Weg-zur-Arbeit- und im Gespräch mit dem Chef ein typisches Ganz-Ihrer-Meinung-Gesicht.

Mit anderen Worten: Wer ein Gesicht hat, macht auch eins, »spricht« mit ihm. Lange bevor das gesprochene Wort in der menschlichen Kommunikation tonangebend wurde, war es beispielsweise ein herzhaftes Zähnefletschen, das dem Kommunikationspartner unmissverständlich anzeigte, dass seine Anwesenheit unerwünscht war. Bereits für Charles Darwin besaß die Mimik, die sich im Laufe der Evolution immer mehr verfeinerte, vor allem Signalcharakter. Das »Gesichtmachen« gehört deshalb mindestens so sehr zu unserer vorderen Schädelanatomie wie das »Gesichthaben«. Hinzu kommt: Wie ein Wort, ein Begriff, je nach Zusammenhang verschiedene Bedeutungen annehmen kann, so auch das Maskengesicht. Erinnert sei in diesem Zusammenhang an den sogenannten Kuleschow-Effekt. Lew Kuleschow war ein Regisseur und Dozent an der sowjetischen Filmhochschule. In einem Experiment zur Montagetechnik fügte er 1921 ein und dasselbe Gesicht in völlig verschiedene filmische Zusammenhänge ein, einmal in Bilder von einem Teller, einmal in Bilder mit einer verführerischen Frau, einmal in eine Friedhofsszene. Und die Zuschauer glaubten auf dem immer gleichen Gesicht einmal Hunger, einmal Begierde, einmal Trauer zu erkennen. Fazit: Gesichter sind stark kontextuell, sie haben einen großen »Resonanzraum«.

Womit wir bei der spannenden Frage wären: Gibt es auch so etwas wie ein bayerisches Maskengesicht? Die Antwort lautet eindeutig: »Ja!« Ja, weil der Bayer ein geborener Maskenträger ist,

wie sich schon bei seinem Umgang mit der Unschuldsmiene sehr
eindrucksvoll zeigte. Und nochmals »Ja«, weil Bayern ein Kontext
ist, und dies nicht zu knapp. Mit dem bayerischen Staatsgebiet ist
besagter Kontext nicht deckungsgleich, weil sehr viel weitläufi-
ger. Der Kontext Bayern ist oft schon dort virulent, wo eine Weißwurst aus einer Weißblechdose befreit wird oder ein 1er-BMW
einen Honda Accord überholt. Er stellt sich im Zusammenhang
mit dem Schütteln einer mit einem Miniatur-Neuschwanstein gefüllten Schneekugel ebenso mühelos her wie mit ein paar Tönen
aus einer Tuba. In geballter Form zeigt er sich freilich am liebsten
in Form von Bergwiesen, Alpengipfeln sowie karierten Hemden.

Doch Vorsicht, bereits 1932 suchte die Fotografin Erna Lendvai-Dircksen, »das Gesicht der Landschaft in der Landschaft des
Gesichts« zu entdecken. 1932 erschien ihr Fotoband *Das deutsche
Volksgesicht* mit vielen eindrucksvollen Porträtaufnahmen aus
Ost- und Süddeutschland. Die freilich nicht nur bei stadtmüden
Intellektuellen Anklang fanden, sondern ebenso bei den Nazis,
die von der »Monumentalität und Ewigkeit des Volksgesichts«
begeistert waren. Lendvai-Dircksen avancierte zu einer vielbe-
schäftigten Fotografin, unter anderem für die Zeitschrift *Volk
und Rasse*.

Selbstverständlich können wir hier keine auch nur halbwegs
vollständige Phänomenologie des bayerischen Maskengesichts
präsentieren. Dazu reichen weder Raum noch Zeit. Deshalb mögen an dieser Stelle Andeutungen genügen, wie man mit einem
bayerischen Kontextgesicht alltägliche Gesichtskonstellationen
bavarisieren kann. Nehmen wir beispielsweise das Anzugsge-
sicht. Anzüge neutralisieren und optimieren. Anzüge machen
smart, überregional, kosmopolitisch. In einem Anzug ist man ein
Anzug. Einer von denen, die nicht mit ihren Händen oder Kör-
pern, sondern mit Dienstvorschriften oder Doktortiteln arbeiten. Funktionäre tragen Anzüge, Sachbearbeiter, Bankangestell-
te, Manager, Vorgesetzte. Anzüge changieren zwischen eher
lächerlich und *high-end*.

Lässt sich ein Niederbayer auf eine solch eindeutig-zweideutige Kluft ein, so macht sein Gesicht augenblicklich Quantensprünge in die verschiedensten Richtungen. Besitzt er eher ein Fredl-Fesl-Gesicht, so sieht er in einem Anzug kaum je besser aus als die am meisten abgewetzte Stelle seines Tuchs. Die Fadenscheinigkeit steht ihm ins Gesicht geschrieben. Er kann dagegen nichts tun. Sein markantes bayerisches Gesicht spiegelt es wider. Trotzdem kann er die Situation optimieren, indem er freundliche Miene zum aussichtslosen Spiel macht und sich als netter Kerl präsentiert.

Hat er indes ein Roman-Herzog-Gesicht, so kann er sagen, was immer er will. Man wird ihm Aufmerksamkeit schenken. Roman-Herzog-Gesichter strahlen zwar immer eine gewisse Provinzialität aus, in einem klassischen Dreiteiler mit Nadelstreifen jedoch stets auf höchstem Niveau. Wenn diese Gesichter von einem »Ruck« reden, schlagen alle Fredl-Fesl-Anzugsgesichter augenblicklich die Hacken zusammen und – erstarren.

Es könnte auch Sonntag sein, und man sitzt in der Kirche. Ganz vorn, in der ersten Reihe, thront ein typisches Uli-Hoeneß-Gesicht: groß, rot und mit sich im Lot. Es weiß, dass es unter Beobachtung steht. Da ist der liebe Gott, und da sind die lieben Leute. Mit Ersterem hat das Uli-Hoeneß-Gesicht kein Problem: Gott steht für die nächsten zwanzig Jahre unter Vertrag und besitzt keine Ausstiegsklausel.

Natürlich, auch ein Uli-Hoeneß-Gesicht kennt schwere Niederlagen, nicht jedoch, um an ihnen zu scheitern, sondern um an ihnen zu wachsen. Ein Hoeneß macht nicht auf Hiob! Was keineswegs bedeutet, dass er nicht auch auf »schwacher Sünder« machen könnte. Nicht für sich, nicht für Gott, aber für die lieben Leute.

Ebenfalls ein bayerischer Schwabe ist Mario Götze: ein junger Erfolgsschwabe mit einem jungen, glatten Erfolgsschwabengesicht. Einem solchen Gesicht gelingt im Zweifelsfall alles, gleich, ob im Fußballstadion oder in der Kirche. Es schaut beim Dribbeln genauso blendend aus wie beim Beten. Schmutzig kann sich ein solches Gesicht kaum machen. Alles auf ihm sieht stets aufgeräumt aus. Nie springt es aus den Geleisen, nie kommt es unter die Räder. In der ersten Reihe säße das Mario-Götze-Gesicht dennoch nicht. Es wüsste, dass ihm dann niemand mehr von vorn in sein smartes Antlitz schauen könnte. Und das wäre wirklich schade ...

Ein Wunder ganz eigener Art ist Mariae Gloria von Thurn und Taxis. Eigentlich ist die hauptberufliche Fürstin, Katholikin, Rapperin, Afrikaexpertin, Tennisspielerin und Managerin gar keine gebürtige Oberpfälzerin, sondern eine, man wagt es kaum zu erwähnen, Stuttgarterin. Trotzdem hat sich ihr Gesicht seit ihrer Ehe mit Johannes von Thurn und Taxis nachhaltig »regensburgifiziert«, sodass eine Art Transsubstantiation stattgefunden hat, die es uns heute erlaubt, sie als waschechte Oberpfälzerin zu bezeichnen. Ein Gloria-von-Thurn-und-Taxis-Gesicht zu haben, kurz auch »GT-und-T-Gesicht« genannt, heißt: freier Eintritt überall! Mit einem GT-und-T-Gesicht kann man auf allen Hochzeiten tanzen, ohne das Brautpaar zu kennen, und trotzdem im Mittelpunkt stehen. Ein GT-und-T-Gesicht ist leutselig und hochherrschaftlich, gütig und gnadenlos, ultramodern und erzkonservativ. Es kann sich grundsätzlich allen Situationen anpassen – oder besser: dafür sorgen, dass sich alle Situationen ihm anpassen. Selbstverständlich ist das GT-und-T-Gesicht davon überzeugt, immer und überall hundertprozentig authentisch zu sein.

Bis hierher sprachen wir freilich nur vom Gesicht als Maske. Will der Bayer seinem Minderwertigkeitskomplex gerecht werden, so muss er mit seinem ganzen Land »Gesichter machen«.

Simulationen

Achtes Kapitel, in dem wir mit einem französischen Philosophen Panama suchen, Wahlplakate aufstellen, Spitzenleistungen vollbringen, Kleinteiliges zusammenkehren, unsere Wampe streicheln und – zusammen mit unseren deutschen Brüdern und Schwestern – Panama finden.

1. In Panama

Eines Tages findet der kleine Bär im Fluss eine alte Bananenkiste mit der Aufschrift »Panama«. Er schnuppert daran und weiß sofort, dass dieses Panama das Land seiner Träume ist. Zusammen mit dem kleinen Tiger, dem er in den höchsten Tönen von Panama vorschwärmt, bricht er am nächsten Tag auf. Da die beiden nicht wissen, wo Panama genau liegt, errichten sie einen Wegweiser mit der Aufschrift »Panama« und folgen ihm. Unterwegs erkundigen sie sich dann bei verschiedenen Tieren nach dem Weg, doch ohne Erfolg. Unbeabsichtigt laufen der kleine Bär und der kleine Tiger dabei im Kreis herum, bis sie schließlich wieder zu Hause ankommen. Da die Vegetation ihr Heim in der Zwischenzeit ein wenig verändert hat, erkennen sie es nicht wieder, wähnen sich aber aufgrund eines am Boden liegenden Wegweisers mit der Aufschrift »Panama« am Ziel ihrer Träume: Oh, wie schön ist Panama!

»Panama« hat mit Panama nichts zu tun. Panama ist ein kleiner mittelamerikanischer Staat mit einem großen Kanal, zahlreichen Briefkastenfirmen und vielen Waffen. Bisweilen streifen das Land Wirbelstürme. Krankheiten wie Cholera, Gelbfieber und seit neuestem Zikavirusinfektionen stellen erhebliche Gesundheitsrisiken dar. Real betrachtet ist Panama sicherlich nicht der richtige Ort für kleine Bären und kleine Tiger. Der kleine Bär und der kleine Tiger betrachten Panama freilich auch gar nicht real, sondern hyperreal, wie es der französische Soziologe Jean Baudrillard ausdrücken würde. Real betrachtet würden sich, so Baudrillard, die Dinge, die Sachen, die Wirklichkeit in der »symbolischen Ordnung der Imitation« befinden. Zwischen Zeichen, Wörtern, Begriffen und der Wirklichkeit bestünde ein adäquates Abbildungsverhältnis. Wahr sind in der »symbolischen Ordnung der Imitation« Aussagen, sofern sie adäquat imitieren beziehungsweise abbilden, falsch, wenn Original und Abbild divergieren. Laut Baudrillard jedoch wurde diese altehrwürdige »Ordnung der Imitation« im Lauf der Moderne beziehungsweise Postmoderne von einer neuen Ordnung, der »Ordnung der Simulation«, überwuchert, unterlaufen, okkupiert. In dieser neuen Ordnung der Simulation imitieren die Zeichen die Wirklichkeit nicht mehr, bilden sie nicht mehr einfach nur ab, sondern simulieren sie, sind selbst zu etwas Wirklichem geworden. Die Grenzen zwischen Wahrem und Falschem, Wirklichem und Imaginärem lösen sich auf.

Die kleine Janosch-Geschichte zeigt dies sehr schön: Das Panama von Bär und Tiger bezieht sich nicht mehr auf ein reales Land in Mittelamerika, sondern ist ein imaginär aufgeladenes Zeichen, das sich seine eigene Wirklichkeit schafft, sie simuliert. Nach ihrer Rückkehr leben Bär und Tiger nicht mehr in der Realität, sondern in der simulierten Hyperrealität ihres Panama.

Was der kleine Bär und der kleine Tiger können, können die großen Bayern schon lange: aus ihrem Bayern ein Panama machen, das »Panama-Bayern«. Dazu müssen sie noch nicht einmal die Geografie vergewaltigen, es genügt schon, ein wenig im Kreis herumzulaufen und Bayern möglichst zeichenkonform, möglichst panamakonform zu betrachten. Also nicht so, wie es ist (oder wie naive Realisten glauben, dass es sei), sondern so, wie es im Zeichen eines emphatischen Bayernbegriffs erscheint. Auch wenn der Schein in moralinsauren Zitaten und ebensolchen Quintessenzen notorisch gegen ein ominöses sogenanntes Sein ausgespielt wird, lebt es sich in ihm, dem Schein, und mit ihm in aller Regel doch ziemlich angenehm. Fakt ist: Die Wahrnehmung ist seit jeher eine passionierte IKEA-Stammkundin. Am liebsten nimmt sie wahr, was sie möglichst schnell und effizient in vorgefertigte Schubladen stecken kann. Ob es sich dabei um Sein oder Schein oder puren Blödsinn handelt, ist ihr meist herzlich egal, Hauptsache, es passt!

Zahlreiche soziologische Untersuchungen belegen dies immer wieder. Und sie belegen sogar noch mehr, nämlich dass der Schein, auch wenn er nur »scheint« und nicht »ist«, hochgradig ansteckend sein kann. Die Sozialpsychologen nennen es den »Rosenthal-Effekt«: Robert Rosenthal und Lenore F. Jacobson besuchten in den sechziger Jahren Schulen, beobachteten die Schülerinnen und Schüler und gaben den diensthabenden Pädagogen fingierte Informationen über die Kinder: Max und Maggie, so behaupteten sie, seien sehr intelligent, Egon und Martha hingegen, na ja … In Wirklichkeit verhielt sich die Sache genau andersherum, aber siehe da: Nach einem Jahr konnten sich Max und Maggie über durchwegs anständige Zeugnisnoten freuen, wohingegen Egon und Martha ihren Eltern einiges zu erklären hatten.

2. In Freiburg

Das Hirnkastl heißt Hirnkastl, weil es wie die Kommode viele Schubladen hat. Sowenig sensationell diese Erkenntnis ist, so wenig konsequent wird sie zur Kenntnis genommen. Im Gegenteil:

Je schubladiger, je scheinheiliger, je pauschaler und klischeehafter sich die Welt präsentiert, desto verbissener versuchen manche, sie »vorurteilslos« und »unvoreingenommen« zu »hinterfragen«. Mit dem Ergebnis, dass besagte Welt dadurch meist nicht etwa stabiler, übersichtlicher oder gar »besser« wird, sondern noch verwirrender, noch instabiler. Seit dem weltweiten Zusammenbruch fester Überzeugungen, hausgemachter Wahrheiten und eindeutiger Schuldzuweisungen zerbröselt die Wirklichkeit permanent in immer kleinere und feinere Wahrheitsatome, die untereinander in keinem intuitiv erfassbaren Zusammenhang mehr zu stehen scheinen. Wo frühere Generationen noch ein festes »System«, eine »Schöpfung«, einen »Wald« wahrzunehmen glaubten, erblicken wir Heutigen meist nur noch Bäume – eine chaotische, weder quantifizierbare noch qualifizierbare Masse von Wahrheiten, die uns in ihrer hypertrophen Diversität wenn, dann nur noch das eine zu lehren vermag, nämlich Hilflosigkeit.

Ebenso drastisch wie plastisch belegt dies beispielsweise ein Rechtsfall aus Freiburg, bei dem das dortige Verwaltungsgericht so vorurteilsfrei und unvoreingenommen zu Werke ging, wie sich dies für die deutsche Rechtsprechung gehört. Zwar liegt Freiburg nicht in Bayern, aber auf demselben Breitengrad wie Memmingen, wo auch schon sehr vorurteilsfreie Urteile gesprochen wurden: Man denke nur an den sogenannten Memminger Prozess gegen den Arzt Horst Theissen im Jahr des Herrn 1989. In Freiburg wiederum saß 1995 ein junger Richter über einen noch jüngeren Pakistani zu Gericht. Der Pakistani war Arztsohn und Katholik und bat in Deutschland um Asyl, da es in Pakistan Christenverfolgung gebe und er Folter und Haft befürchte. Drei Stunden währte die Verhandlung, dann lehnte der Richter den Asylantrag ab. Für die schriftliche Begründung ließ er sich zwei Monate Zeit. In ihr stand wortwörtlich: »Der Kläger kann nicht als glaubwürdig angesehen werden. Dabei ist zu berücksichtigen, dass Täuschungen und Fälschungen in Pakistan – wie auch in anderen orientalischen Ländern – derart häufig verbreitet und üblich sind, dass Unehrlichkeit geradezu als ein sozialtypisches Phänomen zu betrachten ist, welches dort nicht in gleichem Maße einem gesellschaftlichen Unwerturteil unterliegt wie in den von christlichen Traditionen noch stark beeinflussten europäischen Ländern, wobei allerdings das Ausmaß der auch hier vorhandenen Korruption vom Gericht durchaus nicht unterschätzt wird. Es fehlt somit beim Kläger an der glaubhaften Darlegung einer politischen Vorverfolgung in seinem Heimatland.«

Angesichts solcher Bruchlandungen des unvoreingenommenen Denkens lohnt es sich vielleicht, auf den Wert des Vorurteils hinzuweisen: Wenn das Klischee, die Schublade, das Vorurteil erwiesenermaßen notwendige Bestandteile der Conditio humana sind, dann macht es keinen Sinn, diese Tatsache zu ignorieren, zu verschweigen, vorzuverurteilen. Dann ist es vielmehr im Namen der Humanität oftmals wesentlich ehrlicher, das Vorurteil gegen das Vorurteil zu revidieren. Dazu muss man es freilich aus dem modrigen Keller des Unterbewusstseins hervorkramen, es gründlich von allen subliminalen Ablagerungen reinigen und für den gefahrlosen, alltäglichen Gebrauch »genießbar« machen. Nur so befreit man sich aus der Rolle eines passiven Objekts unterbewusster Mechanismen und wird zum aktiven Gestalter gut konstruierter Vorurteile.

Genau dies tut der Bayer. Offen und ehrlich bildet er sich brauchbare, alltagskompatible Stereotype: Vorurteile, die man hören, sehen, riechen und schmecken kann. Vorurteile, die sich nicht hinter Höflichkeitsfloskeln und billigen Ausreden verstecken, die nicht kleinlaut angekrochen kommen, sondern den aufrechten Gang bevorzugen, die nicht unterbewusst ausgeschieden, sondern bewusst gehegt, gepflegt und zur Anwendung gebracht werden. Vorurteile gegen Sozis, Altachtundsechziger, Arbeitslose, Behinderte, Schwule, Demonstranten und – immer wieder gern in einer besonders engen Schublade entsorgt – Ausländer.

Frage: Was haben all diese Menschen gemein? Antwort: Sie gehören nicht ins bayerische Panama, denn sie stören die bayerische Hyperrealität, die fiktionale Durchdringung Bayerns, die Sehnsucht nach einem Rundheit simulierenden Land.

3. Beim Baden

Betrachten wir ein Bild: Zu sehen ist ein Holzsteg unter weiß-blauem Himmel, von dem gerade drei Generationen Hand in Hand ins kühle Nass eines – schätzungsweise – oberbayerischen Sees springen. Ganz außen links die Oma im schwarzen Badeanzug, eine Inkarnation sportiver grauhaariger Lebensfreude. Rechts außen der Opa, ebenfalls total high. Seine Gesichtszüge erinnern an die Blödelsendung »Klimbim«, Mitte der siebziger Jahre. Dem Mann geht's mental und finanziell gut, man muss nur seine Badehose anschauen: pensionierter Oberregierungsrat oder Ähnliches. Innen von links nach rechts: die putzige Tochter beziehungsweise Enkelin im türkisen Zweiteiler, circa sechs Jahre alt. Ihr ganzes Gesicht schreit vor Freude. Daneben der Papa: Seine Pose ist nicht ganz so ausgelassen. Bei aller Euphorie haftet ihm etwas Verhalten-Genießerisches an. Kein Wunder, er ist der amtierende Versorger und Beschützer der inneren Kernfamilie. Wahrscheinlich muss er Kredite abzahlen. Was einem bayerischen Familienvater freilich keine ernsthaften Sorgen bereitet. Auch er freut sich auf den nächsten Sekundenbruchteil, wenn es einen Riesenplatscher gibt. Die strahlende Mitte des Bildes, die strahlende Zukunft Bayerns, nimmt der Sohn ein, ebenfalls circa sechs bis sieben Jahre alt. Er schaut bei aller Ausgelassenheit irgendwie schon wie ein künftiger Siemens- oder Bayern-LB-Manager aus. Und dann ist da noch die Mama: Mitte dreißig, super Figur, trägt einen weiß-blau rautierten Triangelbikini. Keine Frage, sie pflegt sich, denn sie weiß, was sie will. Eine glückliche Familie!

Das Bild heißt »Sommer, Sonne, Bayern!« und gehört zum mythischen Kronschatz von Panama-Bayern. Es hängt in keiner Pinakothek und auch nicht in den Praxisräumen eines kunstsinnigen

Starnberger Kieferchirurgen, sondern zierte im Landtagswahl-
kampf 2008 Bauzäune und sogenannte Wesselmänner. Mit nichts
als ein bisschen Naherholungsromantik und drei simplen Wörtern
in einem blauen Balken kündete es von der unermesslichen Lust,
im »Wohlfühlland« Bayern zu leben. Selbstverständlich existieren
auch in Niedersachsen oder Brandenburg mitunter sommerähnli-
che Witterungsverhältnisse, bei denen die Sonne scheint und
stark euphorisierte Menschengruppen von Holzstegen aus ins
Wasser eines Sees springen, aber das ist Zufall. Hierzulande hingegen besitzen Sommer, Sonne, Himmel, Wasser, Holzsteg, Familie
und alles andere einen festen ontologischen Grund. Sie sind nicht
das willkürliche Ergebnis blinder Zufälligkeit, sondern ein planmäßig entworfenes und sorgfältig zusammengesetztes Artefakt
mit dem Namen »Bayern«. Den Schöpfer, den Organisator, den
Konstrukteur dieses Wohlfühlartefakts benennt das Plakat nicht.
Das CSU-Kürzel über dem rechten Rand des blauen Balkens will
nur ein bescheidener Hinweis sein.

Wie genial dieses Wahlplakat war beziehungsweise noch immer ist, belegen nicht zuletzt die vielen abschätzigen Kommen-
tare, die es erntete. Sinnfrei sei es, banal und überflüssig. »›Sommer, Sonne, Bayern!‹ – Wo bleibt da die politische Aussage?«,
greinten Altachtundsechziger und Junglinke. Besserwisser aller
Couleur mokierten sich über seine angeblich kontraproduktive
Unprofessionalität. Woraus man schließen darf, dass sich niemand ernsthaft mit den Informationsstrukturen des Plakats
auseinandergesetzt hat. Niemand wollte die Ungeheuerlichkeit
der Botschaft, die es ebenso still wie laut verkündete, hören beziehungsweise sehen. Warum nicht? Ganz einfach – weil sie bereits tief in unseren Köpfen verankert ist.

Wir alle wissen längst, dass Bayern ein Artefakt ist. Wir alle
wissen längst, dass wir beim Sprechen über Bayern nie von
Bayern, sondern immer von einem Kunsterzeugnis, einem Fol-
kloreartikel, einer Simulation sprechen. Wir alle wissen längst,
dass wir keine natürlichen, sondern künstliche, geschminkte,

maskierte Bayern sind, auch wenn wir in fünfter Generation aus Straubing oder Giesing stammen. Wir wissen es, doch haben wir Schwierigkeiten, unser Wissen zu akzeptieren. Genau dabei hilft uns die sorgfältig konstruierte Banalität dieses Bildes.

Zu dieser sorgfältig konstruierten Banalität gehört übrigens auch das, was auf dem Bild nicht zu sehen ist. Nicht zu sehen sind Sozis, Altachtundsechziger, Arbeitslose, Behinderte, Schwule, Demonstranten und Ausländer. Nicht einmal ein italienischer Eismann hat seinen Weg aufs Plakat gefunden, geschweige denn ein türkischer oder griechischer Schwiegersohn oder ein adoptiertes Kind aus Schwarzafrika. Die sechs Protagonisten sind allesamt unverdächtig hellhäutig. Dezidierte Diskriminierung ist dabei jedoch nicht im Spiel. Das Plakat richtet sich nicht gegen Ausländer, Arbeitslose oder Schwule. Es plädiert lediglich für die anderen, die Mehrheit, die »Normalen«. Selbstverständlich könnte man nun einwenden, dass zur bayerischen Normalität doch auch Ausländer, Arbeitslose und Schwule gehören. Die Antwort ist einfach: »Zur bayerischen Realität ja, nicht aber zur bayerischen Hyperrealität!« Hyperreal steht Bayern für eine Enklave im Herzen Europas, in der alle Menschen familiär, das heißt im Familienverband, aufgehoben sind. Familien sind eine runde Sache. Sozis, Altachtundsechziger, Arbeitslose, Behinderte, Schwule, Demonstranten und Ausländer gehören nicht zur Familie.

Natürlich, das Ganze ist nichts weiter als ein Wahlplakat. Wahlplakate sind Werbeplakate für Kandidaten beziehungsweise Parteien und deren politische Programme. Mit ihren meist ziemlich martialischen Slogans, Symbolen und Farben verweisen sie *plakativ* auf das, wofür sie stehen. Ihr primäres Ziel lautet: Bohre dich, wie auch immer, in das Gehirn möglichst vieler Rezipienten. Oder anders ausgedrückt: Wahlplakate sind Zecken! Auch das Plakat »Sommer, Sonne, Bayern!« ist eine Zecke. Aber eine besonders raffinierte.

Bereits bei den Bundestagswahlen 1953, als man allgemein noch fast ausschließlich mit klassischen Wahlplakatmethoden arbeitete, also mit martialischen Slogans, Symbolen und Farben, versuchte die CSU, neue Wege zu beschreiten. Und so überraschte sie mit einem extrem braven Schmuseplakat. Es zeigte einen süßen kleinen Fratz, der direkt von der Penatencremedose stammen könnte, kombiniert mit dem Text »Vati und Mutti wählen für mich CSU!«. Dazu muss man vielleicht wissen: In den frühen fünfziger Jahren gewann die Familienpolitik immer mehr an Bedeutung – mit dem Ergebnis, dass 1953 schließlich das damals sogenannte Bundesministerium für Familienfragen gegründet wurde. Doch nicht der politische Hintergrund zeichnete dieses CSU-Plakat aus, sondern die neue Sprache, die es sprach. Diese Sprache war nicht mehr laut, nicht mehr provokant, nicht mehr rechthaberisch, sondern kindlich, unschuldig, »liab«. Und sie transportierte keine auf den kürzesten Nenner gebrachte politische Meinung mehr, sondern, ganz im Gegenteil, eine ziemlich diffuse, kaum greifbare, dennoch deutlich getönte familiäre Stimmung. Diese Stimmung konnte erwerben, so der stille Subtext des Plakats, wer seine Stimme der CSU gibt.

Was die CSU 1953 mit ihrem »Vati-und-Mutti«-Plakat initiierte, perfektionierte sie bei den Bundestagswahlen 1998 mit ihrem »Schön-in-Bayern-zu-leben«-Plakat. Wie das Motiv »Sommer, Sonne, Bayern!« ist es von geradezu genialer Schlichtheit: Man sieht einen Weg sowie unscharfes, pastellenes Grün im Hintergrund. Auf dem Weg ein junges Ehepaar, beide mehr oder minder mit dem Rücken zur Kamera. Aus Kleidung und Haltung freilich – lässig sportiver Calvin-Klein-Look – lässt sich erahnen, dass beide nicht am Hungertuch nagen: er vermutlich Architekt, sie vielleicht PR-Managerin oder Juristin. An beider Arme hängt zwischen ihnen, mit dem Gesicht frontal zur Kamera gewandt, ein Fünf- bis Sechsjähriger in »Engelchen-flieg«-Pose. Dazu der Text: »Es ist schön, in Bayern zu leben – für Mama, Papa und Kinder!«

Die CSU stellte und stellt auf diese Weise überall in Bayern systematisch »Panama«-Wegweiser auf, die uns in ein hyperreales Bayern führen sollen. Das ist eines ihrer Erfolgsgeheimnisse.

Selbstverständlich bestehen diese Panama-Wegweiser bei Weitem nicht nur aus Wahlkampfplakaten. Alle Mittel, die die symbolische Ordnung der Simulation hergibt, werden eingesetzt. Die CSU hat sich dadurch zu einer riesigen, bayernweit operierenden Werbeagentur gemausert, die das Bild des Freistaats erfolgreich fiktionalisiert. Wenn Horst Seehofer Bayern »eine Weltmarke, ein Premium-Land, eine Vorstufe zum Paradies« nennt, so spricht er eindeutig von »Panama«.

Und noch etwas ist der CSU ganz hervorragend gelungen: die Optimierung des Pareto-Prinzips. Das nach dem italienischen Wirtschaftssoziologen Vilfredo Pareto benannte Prinzip besagt, dass 80 Prozent des Outputs von 20 Prozent des Inputs herrühren. Die knapp 150 000 Mitglieder der CSU stellen lediglich 1,18 Prozent der bayerischen Gesamtbevölkerung dar. Selbst wenn man noch alle Trachten-, Schuhplattler-, Blasmusik-, Schützen- und Wehrsportvereine sowie den Bayerischen Brauerbund, den Verein gegen betrügerisches Einschenken, den bayerischen Landesverband der Marktkaufleute und Schausteller, alle Angestellten in der Lederhosenindustrie, alle Denkmalpfleger sowie den arbeitenden Teil des Bayerischen Rundfunks hinzuzählt, werden maximal 2 Prozent gerade noch mit den Fingerspitzen erreicht: 2 Prozent der Bevölkerung, die 98 Prozent Bayern kreieren: Wenn das keine gute Quote ist! Andererseits: Auch der kleine Bär und der kleine Tiger waren nur zwei …

4. Auf der Liste

Wer nach »Panama« gehen will, darf vor Superlativen keine Scheu haben. Dies ist leichter gesagt als getan, ist doch der Superlativ im Grunde seines Wesens vor allem ein erschreckend langweiliges Geschöpf. Egal, welcher Provenienz, er muss protzen und Leistung vorweisen, Leistung vorweisen und protzen. Das macht ihn monoton. Das macht ihn zum Streber. Mit einem Superlativ in eine Kneipe zu gehen kann insofern nur anstrengend sein. Ständig palavert er über nichts anderes als über Spitzenleistungen, Weltrekorde und Guinness-Buch-Einträge. Ebendeshalb ist die Bereitschaft, dem Superlativ aus vollem Herzen zuzuhören, bei Weitem nicht so verbreitet, wie man naiverweise meinen möchte. Man meidet ihn, geht ihm aus dem Weg, gibt sich lieber mit überschaubareren Zeitgenossen ab, mit »seinesgleichen« eben ...

Bei Profilneurotikern freilich findet der Superlativ immer offene Ohren. Da kann sich der Profilneurotiker noch so wurschtig, noch so gemütlich, noch so kreisrund in sich ruhend geben, spaziert ein herrenloser Superlativ auf der Straße herum, so erwachen augenblicklich die Jagdtriebe in ihm, und aus dem jovial grinsenden Lodenmantelträger wird ein Säbelzahntiger. Schon spritzt das Blut nach allen Seiten hin:

Wussten Sie, dass der Bayerische Wald die größte Waldlandschaft Mitteleuropas ist? Wussten Sie, dass die Pinakothek der Moderne in München zu den am meisten besuchten Gemäldegalerien der Welt gehört? Wussten Sie, dass es nirgendwo in Mitteleuropa so viele Golfspieler wie in Bayern gibt? Wussten Sie, dass die größte Kirchenorgel der Welt mit 17 974 Pfeifen und 233 Registern im Passauer Stephansdom steht? Wussten Sie, dass Bayerns Frauen länger in Beichtstühlen verweilen als Spanierinnen und Italienerinnen? Wussten Sie, dass in Landshut zwischen 1535 und 1543 der erste Renaissancepalast Deutschlands erbaut wurde? Wussten Sie, dass die erste Unterwasserkanone der Welt im Starnberger See abgefeuert wurde? Wussten Sie, dass Deutschlands erste Beautyfarm 1957 in Rottach-Egern eröffnet wurde?

Immer wieder ist es faszinierend, mit ansehen zu dürfen, wie sich um Selbstbewusstsein ringende Menschen beziehungsweise Völker respektive Nationen mit nichts anderem zu beschäftigen wissen als mit Spitzenpositionen; wie sie, getrieben von dem Verlangen, selbst etwas zu sein, sich ununterbrochen mit anderen vergleichen und erst dann zufrieden sind, wenn sie auf irgendeiner, beliebigen Kriterien verpflichteten Liste die oberste Stelle erklommen haben. Dass Alpha-Hühner Omega-Hühnern die Augen aushacken, ist ein Beleg dafür, dass der Zivilisationsprozess unter Hühnern noch nicht allzu weit fortgeschritten sein kann. Dass Menschen mittels Ranglisten der unterschiedlichsten Art mehr oder minder Gleiches praktizieren, lässt zumindest die Sieger an ihre kulturelle Einmaligkeit glauben.

Bayern hat das Rankingfieber spätestens seit der Wirtschaftswunderzeit ab den sechziger Jahren ereilt. Nirgendwo blühte Deutschlands Nachkriegswüste explosiver und nachhaltiger auf als in dem unter amerikanischer Besatzung stehenden Bayern. Nirgendwo prasselte der Wohlstand intensiver auf wehr- und schutzlose Opfer hernieder als in Bayern. Nirgendwo ließ sich der Protz behaglicher nieder als ausgerechnet in Bayern, einem Land, das seit dem 16. Jahrhundert beinahe ununterbrochen mit dem Staatsbankrott geflirtet hatte. Geniale Prasser wie die Kurfürsten Albrecht V., Wilhelm V., Max Emanuel oder König Ludwig II. trieben ihre Finanzbehörden und Schuldentilgungskommissionen regelmäßig in den nackten Wahnsinn. Kreditgeber aller Couleur machten lange Zeit große Bögen um das Land. Und auch die wundersamen Land- und Bevölkerungsvermehrungen zu Beginn des 19. Jahrhunderts bescherten Bayern zunächst einmal nur das eine: katastrophale Schulden, die sich das gesamte 19. Jahrhundert hindurch im weiß-blauen Königreich sehr wohlfühlten und prächtig vermehrten.

Heute gibt es so gut wie keine wirtschaftliche oder sonstige staatstragende Statistik mehr, in der der Freistaat nicht einsam und verlassen an erster Stelle stünde: armes, superreiches, wohlstandstraumatisiertes Bayern! Die bayerischen Politiker lassen sich von diesem schweren Schicksal freilich nicht in die Knie zwingen. Mit stoischer Gelassenheit und in treuer Pflichterfüllung verkünden sie nach wie vor jeden Tag jeden von Bayern in irgendeiner Weise neu errungenen Sieg und preisen sich dafür ohne Rücksicht auf Verluste.

Und siehe da! Die meisten derer, die Bayerns Großtuerei für unerträglich halten und sich in großer Geste von ihr distanzieren, schielen gleichwohl mit aller Kraft heimlich Richtung Süden, Richtung Bayern. Und nicht nur ihre Augenwinkel arbeiten *full time*, sondern auch ihre Ohrmuscheln sind wie riesige Radarschüsseln auf Bayern ausgerichtet und bilden dadurch einen akustisch extrem sensiblen Resonanzraum für jeden Pfurz, der über die Donau Richtung Norden weht. Mit an Sicherheit grenzender Wahrscheinlichkeit ist es kein bis dato noch unbekanntes Naturgesetz, das all den CSU-Angebereien immer wieder ein so großes Echo bereitet, sondern allein die ungebrochene Aufmerksamkeit und klammheimliche Bewunderung der deutschen Brüder und Schwestern. Die CSU tut nur, was eine CSU tun muss, wenn sie eine Panama-CSU sein will. Edmund Stoiber brachte es auf den Punkt: »Die CSU und ihre Führung muss den Stolz der Bayern verkörpern. Das ist der entscheidende Maßstab.« Den Rest erledigen diejenigen, die wie die Kaninchen vor der bayerischen Schlange sitzen und uneingestanden fasziniert zuhören.

Wussten Sie, dass die beliebteste deutsche Touristenattraktion nicht das Brandenburger Tor, sondern Schloss Neuschwanstein ist? Wussten Sie, dass die Feste Marienberg über Würzburg die älteste Kirche auf deutschem Boden ist? Wussten Sie, dass die Gaststätte Röhrl in Eilsbrunn in der Nähe von Regensburg das älteste durchgehend geöffnete Gasthaus der Welt ist? Seit 1658 werden dort Gäste bewirtet. Wussten Sie, dass der FC Bayern mit seinen über 250 000 registrierten Mitgliedern seit 2014 der größte Verein der Welt ist? Wussten Sie, dass es nirgendwo in Deutschland so viel regnet wie in Balderschwang im Oberallgäu? Wussten Sie, dass Bayerns Selbstmordrate die höchste in Deutschland ist?

5. In Elmau

Dass der, die oder das Erfolgreiche meist auch schön ist oder zumindest für »schön« befunden wird, ist eine weitverbreitete
Wahrnehmungsstörung. Immerhin: Bayernherzog Albrecht V.
sah in seiner Jugend tatsächlich ziemlich manierlich aus, wenn
man dem Mielich-Gemälde in der Alten Pinakothek zu München
trauen darf. Später wurde der prunkliebende Voralpen-Medici
dann leider etwas schwammig. Ebenfalls ein fescher Bursche
dürfte Maximilian III. Joseph in seiner Frühphase gewesen sein,
auch wenn seine Nase stets zu viel Platz in seinem Gesicht bean-
spruchte. Nie zuvor und nie danach erfreute sich ein lebender
Bayernherzog so großer Popularität wie er. Leider blieb »der Viel-
geliebte«, wie er genannt wurde, kinderlos. Schweißausbrüche
und Schnappatmung vor allem beim weiblichen Publikum soll
das Erscheinungsbild des jungen Märchenkönigs ausgelöst haben. Gegen den »schwärmerischen Ausdruck« seiner »großen
dunklen Augen« hätten weder die Hüftgelenke von Elvis the Pel-
vis noch die Griffe von Michael Jackson in seine Genitalgegend
eine Chance gehabt.

Ansonsten zeigte sich die körperliche Anmut in der Familie
der Wittelsbacher eher zugeknöpft. Albrecht IV. soll man zu seiner Zeit (1447–1508) laut Aventinus zwar »für den witzigsten
und weisesten Fürsten in teutschem Land« gehalten haben, sein
Stiernacken indes signalisierte wenig Esprit. Kurfürst Ferdinand
Maria sah nicht nur wie eine etwas zu dick geratene Schlaftablet-
te aus, sondern war auch eine. Bei der Zeugung des Stammhal-
ters, den ihm seine hübsche Gattin Henriette Adelaide von Savo-
yen 1662 schenkte, soll gerüchteweise ein italienischer Dottore
behilflich gewesen sein.

Auch in der Riege der bayerischen Ministerpräsidenten lässt
sich bis heute nur wenig echte männliche Attraktivität ausfindig
machen, weshalb man in der CSU schon vor Jahrzehnten das einzig Vernünftige beschloss, nämlich fortan ausschließlich das

Land Bayern mit Attributen der Kategorie »schön« zu belegen. Seitdem beginnt jede Wortmeldung eines Parteigranden in der heimischen Provinz mit einem bukolischen Bekenntnis zur ästhetischen Qualität der Landschaft, des Himmels und der Berge. In vielen Wahlbezirken werden die Listenplätze durch Poesiewettbewerbe entschieden, bei denen es allein darauf ankommt, die Begriffe »Bayern«, »Natur«, »Mensch« und »Gott« in einen möglichst wohlklingenden Zusammenhang zu bringen. Selbstverständlich macht es die Natur den Hobbytroubadouren in Bayern oft verdammt leicht, den rechten lyrischen Ton zu treffen.

Bayerische Abiturienten wurden darüber hinaus bei der feierlichen Übergabe ihrer Reifezeugnisse lange Zeit mit farbigen Bildbänden beschenkt, die sie nach ihren frugalen und entbehrungsreichen Jahren auf bayerischen Schulbänken langsam an die natürliche Pracht und Herrlichkeit ihrer Heimat heranführen sollten. Derlei Präsente bewahrten vor Irritationen, wie sie beispielsweise die ehemalige SPD-Generalsekretärin Yasmin Fahimi beim G7-Gipfel 2015 in Elmau erfahren musste: Überrascht von der hochgradig klischeehaften Idylle der bayerischen Natur an herrlichen Sonnentagen lästerte sie etwas voreilig: »Ich hab so ein bisschen das Gefühl, dass da doch ein bisschen zu viel Disneyland ... präsentiert wurde.« Die CSU-Antwort folgte prompt: Fahimi solle »weniger Disneyfilme anschauen und dafür mal in Bayern Urlaub machen«. Fahimi machte ihr Fachabitur 1987 in Niedersachsen.

6. In Pisa

Fahimi hatte die basale Kitschkonzentration Bayerns unterschätzt. Sie wusste nicht, dass der Kitsch in Bayern grundsätzlich allgegenwärtig ist und, zumindest bei Sonnenschein, stets das tut, was er am besten kann: umarmen! Kitsch berührt, Kitsch hält fest, Kitsch wärmt, Kitsch behütet, Kitsch tröstet, Kitsch

muntert auf, Kitsch emotionalisiert. Viele der Früchte, die Psychotherapeuten der Praxis der körperlichen Umarmung zuschreiben, wachsen auch auf den bunten Feldern des Kitschs. Ihre Süße
sediert den Kostenden augenblicklich. Und schon möchte er nur
noch wie ein Baby gehalten und gestreichelt werden, egal, ob im
Büro, im Supermarkt, in der Mode, in der Musik, in der Literatur,
ja, selbst in der Wissenschaft.

Doch bleiben wir noch kurz bei der Frage »Was ist Kitsch?«,
und fragen wir weiter: »Wie gelingt es dem Kitsch, uns zu umarmen?« Das Wort stammt höchstwahrscheinlich aus der Münchner Kunstszene. In einem satirischen Epigramm des Kritikers
Max Bernstein aus dem Jahr 1878 auf ein reichlich klischeebela-
denes Gemälde des Schlachtenmalers Franz Adam ist, soweit bekannt, erstmals dezidiert von Kitsch die Rede. Das Substantiv
bezieht sich vermutlich auf das Verb *kitschen* für »zusammen-
scharren, zusammenkehren«. Kitsch ist demnach Zusammenge-
scharrtes, Zusammengekehrtes: Scherben, Kleinzeug, Kleinteiliges. Dass der Kitsch dem Kleinen, Harmlosen, Kindlichen und
Unschuldigen herzlichst zugetan ist, weiß man spätestens seit
der Geburt des Gartenzwergs aus seinem Geiste. Im Kleinen
schlummert jede Menge Kitsch- und Rührungspotenzial. Das
Kindchenschema macht alles und nichts rührig, niedlich und
weich. Und was nicht klein, nicht harmlos, nicht kindlich und unschuldig ist, wird einfach zerkleinert verharmlost, infantilisiert,
bagatellisiert, marginalisiert. Und schon ist es – Kitsch!

Zerkleinerungs- beziehungsweise Marginalisierungsmetho-
den gibt es heutzutage en masse. Im Zweifelsfall genügt schon
das bloße Kopieren, um aus Dürers »Betenden Händen«, einem
großen Kunstwerk, ein kleines, sofakissentaugliches, allein der
genüsslich inhalierten Dekoration dienendes Kitschstück zu machen. Oder aber man zerstückelt: Indem man Dinge aus ihrem
originären Zusammenhang montiert und auf seine Kommode
stellt, hat man sie auch schon, wie Adorno sagen würde, in ein
»verwesendes Ornament« verwandelt beziehungsweise darauf

reduziert. Zerstückeltes zeigt immer nur eine Seite des Ganzen. So wie jede Maske immer nur eine Seite zeigt und die andere verbirgt. So wie jeder Profilneurotiker grundsätzlich nur ausgewählte, sorgfältig oberflächenbehandelte Fragmente seiner selbst in den Schaukasten stellt und alle anderen Facetten ausblendet.

Puristen ist Kitsch ein Dorn im Auge. Puristen beklagen am Kitsch vor allem seine mangelnde Authentizität. Da manipulativ behandelt, kann Kitsch tatsächlich kaum authentisch sein. Kitsch ist nie etwas Unmittelbares, etwas Frisches, etwas Neues, sondern immer etwas fest Etabliertes, tausendmal Repetiertes und gut Abgehangenes. Genau deswegen garantiert es stets Orientierung. Wo Kitsch ist, kann man sich nicht verlaufen. Wo Kitsch ist, herrscht Ordnung. Überraschungen, Überrumpelungen, Sensationen gibt es beim Kitsch nicht, und das ist gut so. Kitsch markiert die Dinge wie Hundepisse. Wer aus einem verworren-dunklen Rausch auf einer Straßenbank erwacht und im diamantenen Gegenlicht einen dicken, schiefen Campanile erblickt, kann ziemlich sicher sein, sich nicht in Buxtehude oder Papua-Neuguinea, sondern auf der Piazza dei Miracoli in Pisa zu befinden. Wer aus einem verworren-dunklen Rausch auf einer Straßenbank erwacht und im diamantenen Gegenlicht eines zarten Morgens eine dunkelbraune Lederhose erblickt, kann ziemlich sicher sein, nicht in Hawaii oder auf Feuerland, sondern irgendwo in Panama ... Pardon! ... Oberbayern gestrandet zu sein.

Diese Verlässlichkeit macht Kitsch extrem wertvoll und extrem beliebt. Aus ebendiesem Grunde konsumieren Touristen, also Menschen, die an den von ihnen besuchten Orten strukturell nicht heimisch sind, nichts lieber als Kitsch, kaufen sich schiefe Türme, zwängen sich in eine Lederhose. Auch wenn sie nicht zu alkoholischen Exzessen neigen und keine Filmrisse zu befürchten haben, gibt ihnen am Ende einer langen Reise ein sorgfältig ausgewähltes Kitschfragment die unbedingte materielle Gewissheit, tatsächlich am von besagtem Kitschfragment eindeutig definierten Ort gewesen zu sein. Weshalb es im Nachhinein saudumm wäre, sich in Pisa keinen Plastikcampanile und in München keine Plastiklederhose gekauft zu haben.

Und auch Pisaner und Münchner profitieren letztlich vom Kitsch. Nicht nur pekuniär, sondern ebenso orientierungsmäßig. In einer sich inflationär globalisierenden, inflationär nihilisierenden Welt kann es selbst für Eingeborene identitätsstrategisch nie verkehrt sein, über ein hinlänglich gesichertes Kitschreservoir zu verfügen, erleichtert es einem im Fall der Fälle doch den kulturellen Reset: Nur wer am Abend in weiß-blau rautierter Biberbettwäsche schlafen gegangen ist, kann sichergehen, am nächsten Morgen noch als Bajuware aufzuwachen.

Leider jedoch muss er, der Bayer, bei seinen Kitschexzessen immer wieder feststellen, dass Kitsch extrem redundant ist. Sicherlich, man kann sich einen Oktoberfest-Bierkrughut aus 100 Prozent Polyester zulegen. Oder eine Grillschürze »Ozapft is«, ebenfalls aus einem zu hundert Prozent unnatürlichen Material. Oder eine Kaffeetasse »Dahoam« aus Steingut. Oder ein T-Shirt »Almdudler« mit Hirschgeweih, made in China, hundertprozentig brennbar. Und ja, natürlich könnte man sich auch preisintensiver munitionieren: beispielsweise mit einem »Kaffeebecher Schloss Linderhof« aus »Premium-Porzellan mit Echtgoldauflage«. Oder einem »Longschal Herrenchiemsee«, 100 Prozent Seide. Wo und wann genau kann man einen solchen Schal tragen?

Insgesamt betrachtet umfasst landestypischer Kitsch meist nur ein erstaunlich kleines Ensemble an symbolisch genau fixierten »Ornamenten«. Im Fall Bayerns bedeutet das: ein bisschen Weiß-Blau, ein paar Rauten, ein paar goldene Löwen, ein paar Trinkgefäße (zylinderförmig und mit Henkel), ein paar Textilien, ein paar Fressalien (vorrangig Schwein), ein paar Diphthonge und Kehllaute, ein bisschen Jodeln, ein bisschen Schuhplatteln, ein bisschen BMW und ein bisschen FCB: Zusammengekehrtes eben …

7. In China

Ein zumindest ansatzweise originelles und bis zu einem gewissen Grad sogar authentisches, ebenso Orientierung wie Halt gewährendes Utensil stellt die Wampe dar. Bayern haben Wampen, Bayern ohne Wampen wären wie Amerikaner ohne Revolver oder Russen ohne Wodka. Wampen freilich kann man nicht kaufen, Wampen muss man sich anfressen. Je prächtiger sie über den Gürtel hängen, desto bayerischer sind sie. Generationen von »gwamperten« Großbauern und Amtsstubendiktatoren haben die Wampe zu einer Zierde der bayerischen Christenheit heranreifen lassen. Wampen konzentrieren Blicke auf sich. Nur als Wampe ist der Bauch ein Ereignis. Wampen sind vornehmlich männliche Phänomene. Die Bauchgegend gilt als *die* Problemzone des Mannes. Interessant ist, dass sie häufig erst dann unübersehbare Dimensionen annimmt, wenn die Frauen ihre postmenopausale Phase erreicht haben, also keine dicken Bäuche mehr bekommen können. Ob hier eine ausgleichende Gerechtigkeit oder der nackte Zufall am Werk ist, sei einmal dahingestellt.

Sicherlich, auch andere haben Wampen: In Löbau, einer Kreisstadt in der sächsischen Oberlausitz, soll einmal ein Bischof residiert haben, dessen Wampe solche Ausmaße besaß, dass sie von zwei Ministranten mit Handtüchern getragen werden musste, wenn Seine Exzellenz einen Verdauungsspaziergang unternehmen wollte. Noch ein wenig bizarrer muss die Wampe von Sanctius I. gewesen sein, einem nordspanischen König aus dem 10. Jahrhundert. Er konnte wegen seines dicken Bauchs angeblich nicht einmal mehr gehen. Und ein Stockholmer Bösewicht soll gar so voluminös gewesen sein, dass er nicht durch die Tür zur Henkerstube passte und so seiner Hinrichtung entging.

»Der bauch ist ein grosser shalk, / macht uns alle zu schelmen«, heißt es in Sebastian Francks Sprichwortsammlung von 1541. Daran scheint sich nichts Wesentliches geändert zu haben. Auch wir Heutigen haben unsere Probleme mit ihm, wissen nicht genau, was wir von dem Schalk halten sollen, und werden dadurch selbst zu Schelmen. Die Wampe, der Bauch und alles, was in und um ihn herum geschieht, befinden sich trotz textiler Freizügigkeit in einem gigantischen Verdrängungsprozess. Bereits Aristoteles soll in der Wampe ein Zeichen für Dummheit, Arroganz und »Geilheit« gesehen haben. Dies zumindest behauptete einer der einflussreichsten Physiognomiker des Abendlandes, der neapolitanische Universalgelehrte Giambattista della Porta. In seiner *Menschlichen Physiognomie*, die von der Renaissance bis ins 19. Jahrhundert hinein die europäische Körperlesekunst dominierte, wird der feiste Bauch, der Wanst, für mehr oder minder unzurechnungsfähig erklärt. Ist die Wampe darüber hinaus auch noch behaart, so empfiehlt sich für dessen perversen Besitzer am besten, neudeutsch ausgedrückt, die Sicherungsverwahrung.

Zum Glück zog man in Süddeutschland meist erst noch theologische Quellen zurate, bevor man sich ein definitives Urteil erlaubte. Was die Wampe anbelangt, so orientierte man sich dabei gern an den Ausführungen des Benediktiners Willibald Kobolt, der im frühen 18. Jahrhundert im Kloster Weingarten lebte und wirkte. Kobolt definierte den Bauch zwar ebenfalls als »eine Senck-Grub des Unflats«, was ihn jedoch nicht daran hinderte, ihn gleichzeitig als ein sehr nützliches und lebenskraftspendendes Organ zu würdigen. Eine rege Magentätigkeit widersprach in Kobolts Augen mitnichten der Frömmigkeit: »Gleichwie der Magen allzeit parat und offen stehet, die Speiß von dem Mund zu empfangen, und die empfangene aber nicht gleich wieder von sich giebt, sondern mit guter Weil verdäuet oder verkochet, und erstlich ihm selber zu Nutzen macht, also solle der Mensch allzeit fertig und bereit stehen, das Wort Gottes von dem Mund des Predigers nicht nur annehmen, sondern auch sorgsam in der Gedächtnuß behalten, und durch reiffe Betrachtung gleichsam verkäuen oder verkochen ...«

Der Christ hat Bauch, der bayerische Christ Wampe! Bis in die Wirtschaftswunderjahre des 20. Jahrhunderts hinein gehörte im ländlichen Raum Bayerns die Wampe darüber hinaus zu den Insignien ökonomischer und sozialer Macht. Sozialen Raum einnehmen konnte nur der korpulente, sich der Welt selbstbewusst entgegenwölbende Körper. Nur die Wampe verschaffte dem Körper das nötige Profil, um glaubwürdig seine Machtansprüche zu vertreten. Weder als Großbauer noch als Wiesnwirt, Baulöwe oder Ministerpräsident konnte man sich im Zeichenfeld der bayerischen Körperkultur eine bauchlose Frontfassade leisten. Und auch die Pauperes Christi, die »Armen Gottes«, die Mönche, überzeugten mit ihrer frommen Fettschicht. Von einschlägigen Berechnungen wissen wir heute, dass europäische Mönche im Mittelalter tagtäglich – secundum carnem – durchschnittlich 5000 bis 7000 Kalorien zu sich nahmen, an Festtagen sogar noch erheblich mehr. Hans-Jochen Vogel, sicherlich einer der intelligentesten Politiker, die Bayern je besaß, konnte machen, was er wollte: Sein kümmerliches Akademikerbäuchlein hatte gegen den Powerranzen eines Franz Josef Strauß keine Chancen.

Doch dann kam irgendwann er, der Waschbrettbauch. Waschbrettbäuche gehören ungefähr seit den neunziger Jahren international zu den stilbildenden Ikonen des männlichen Mittelkörperbereichs. Kultur- und mentalitätsgeschichtlich bilden sie eine Fortführung der frühbürgerlichen Antibauchphilosophie unter verschärften Bedingungen. Auch wenn ihre Apologeten heute unheimlich cool, unheimlich dynamisch und unheimlich fortschrittlich auftreten, bleiben die alten Denkmodule im Dienst und werden radikalisiert. »Jeder hat den Bauch, den er verdient …«, heißt es im *Bauchmuskelbuch* des Männermuckimagazins *Men's Health* apodiktisch. Und weiter: »Wer zu spät kommt, den bestraft der Bauch. Allein Ihre Lebensweise und Einstellung entscheiden darüber, ob aus Ihrem Bauch ein Waschbrett wird oder nicht!« Der Waschbrettbauch stellt klare Verhältnisse her: Dank seines Muskelpanzers trennt er den Körper, das Ich von der Welt. Dies erlaubt es dem gut durchtrainierten Bauchmuskel-Ich, sich als autarkes, entscheidungskompetentes Subjekt in

der Welt der Objekte optimal zu positionieren. Der Waschbrett-
bauchinhaber lässt sich nicht auf der Nase herumtanzen. Seine
Ziele und Erfahrungsspielräume sind klar definiert. Alles an ihm
ist Wille und Norm. Woraus letztendlich folgt: Muskelbäuche haben Erfolg.

Andererseits – gut möglich, dass gerade deshalb ein chinesi-
sches Sprichwort lautet: »Hüte dich vor Männern, deren Bauch
beim Lachen nicht wackelt.« Waschbrettbäuche wackeln beim
Lachen nicht, Wampen indes sehr wohl. Was kann, was darf, was
muss man daraus schließen? In jedem Fall die Vermutung, dass
ein Fest mit Bauchmuskelbesitzern etwas anders aussieht als ein
Fest mit Wampenträgern. In diesem Zusammenhang erhebt sich
beispielsweise die Frage, ob bei einer Bauchmuskelparty intensiv
gelacht wird. Kann man lachen, wenn man nichts als kalorienar-
mes Brainfood und natriumarmes Mineralwasser zu sich nehmen darf? Wohl eher nicht!

Die Wampe indes verschlingt die Welt und lässt sich von ihr
verschlingen. Sie kapselt sich nicht wie der Waschbrettbauch systematisch von jeder Art von Welt ab, sondern gibt sich ihr ohne
Wenn und Aber hin, lässt sich von ihr umarmen und verführen.
Für die Wampe zerfällt das Sein nicht in Subjekt und Objekt, in
Ich und Nicht-Ich, sondern gleicht einem orgiastischen Prozess
ständiger Vereinigung und Vermischung, Einverleibung und Ab-
sonderung. Genau hier scheint unabhängig von allen Gesund-
heits-, Gesellschafts- und Schönheitsnormen die eigentliche
Trennungslinie zwischen Dickbauch und Nichtbauch zu verlaufen: Der Dickbauch liebt die volle Welt, der Nichtbauch die leere.
Der Dickbauch liebt das Ganze, der Nichtbauch allein sich selbst.
Während der von der Welt abgetrennte Nichtbauch narzisstische
Leistungsonanie betreibt, suhlt sich der Dickbauch mehr oder
minder hemmungslos in der großen, schlammig-schlüpfrigen,
schmutzig-rutschigen, glitschig-qualligen, keimintensiven Pfüt-
ze, genannt »Welt«. Keine Frage, das ist gefährlich. Aber ebendeshalb und nur deshalb kann er lachen! Lachen über sich, die

anderen, die Welt sowie deren Fettgehalte, Cholesterin- und Moralinwerte ...

Für Menschen mit Minderwertigkeitsgefühlen stellt die Lachwampe ein therapeutisch hoch wirksames Mittel dar: Sie reduziert narzisstisch-egozentrische Verknöcherungen und lenkt die Aufmerksamkeit wieder verstärkt auf die Welt und ihre mannigfachen Genusspotenziale hin. Dies fördert die Entstehung neuer Erfahrungsspielräume. Das Aperçu »I gang so gern in'd Kampenwand, wann i mit meina Wampen kannt« thematisiert weniger die Trauer über den vermeintlichen Verlust alpiner Bewegungsfreiheit als vielmehr die wiedergefundene Freude an ebenerdigen Gastwirtschaften.

Dass der Lachbauch auch kreative Talente besitzt, scheint darüber hinaus eine interessante Studie des Kunsthistorikers Gustav Friedrich Hartlaub und des Arztes Felix Weissenfeld aus dem Jahr 1960 zu belegen. Beleibte Maler wie der Frührenaissancekünstler Fra Filippo Lippi, Claude Monet oder Lovis Corinth seien typische Lachbäuche gewesen, fröhliche Sinnenmenschen, unbekümmerte Weltkinder, die in den Dingen und Farben ringsumher aufgingen. Allein ihr dickes, urwüchsiges Selbst- und Weltvertrauen machte ihre Werke so frisch und authentisch.

8. In Gelsenkirchen

Frische und Authentizität dürfte in erheblichem Maße dafür verantwortlich zeichnen, dass die Wampe außerhalb Bayerns so aufmerksam rezipiert wird. Die republikweite Rede von den »aufgeblasenen« Bayern spiegelt dies beeindruckend deutlich wider. Kaum vermeldet ein Halboffizieller irgendeiner bayerischen Institution wieder einmal ein Rekordergebnis auf irgendeinem Acker menschlicher Aktivität, schon wird besagte Aufgeblasenheit vielstimmig intoniert und kommentiert. Was anderes jedoch wird dadurch ausgedrückt als ein hinter vordergründiger Distanziertheit kaschiertes Kompliment? Was anderes als eine mit spitzen Empörungsvokabeln garnierte Liebeserklärung? Was anderes als eine mit Dornen drapierte Kapitulation? Längst schon weiß ganz Deutschland, dass es an Bayern nicht vorbeikommt. Weder wirtschaftlich noch politisch noch – und hier beginnt die Sache wirklich zu dampfen – mental. Zu tief hat sich Bayern in den letzten 1500 Jahren sowohl innerdeutsch als auch im fremdsprachigen Ausland in das kollektive Gedächtnis eingebrannt, als dass es als eine von grenzdebilen Bauern besiedelte Lappalie am südlichen Ende der Berliner Republik wahrgenommen werden könnte. Bayern ist ein »gwamperter Uhu«. Diesen Ehrentitel hat es sich verdient. Auf ihn darf es stolz sein.

Und dies nicht nur, weil es dem angekränkelten bayerischen Selbstbewusstsein wieder auf die Beine hilft, sondern auch und vor allem, weil es Ähnliches dem deutschen Nichtbayern angedeihen lässt. Auch er profitiert von Bayerns Wampenhaftigkeit heimlich, still und leise. Was, wenn nicht die bayerische Aufgeblasenheit lässt ihn, den »distanzierten Deutschen«, der jede Nähe zu kitschiger Deutschtümelei tunlichst zu meiden versucht, im Fall der Fälle ein wenig ikonografisches Selbstvertrauen wagen? Schwarz-Rot-Gold? Schwarz-Rot-Gold ist und bleibt vorbelastet und insofern eine No-go-Area. Fußballfans mögen dies in jüngster Zeit vielleicht anders sehen, genau deshalb jedoch sind sie Fußballfans. Dem aufgeklärten Bürgertum fällt es nach wie vor schwer, sich mit schwarz-rot-goldenen Träumen, welcher Provenienz auch immer, in Einklang zu bringen.

Bleiben nur die Farben und Formen des Südens. So inakzeptabel sie auf den ersten Blick für eingeschworene Hessen, Niedersachsen und Nordrhein-Westfalen auch sein mögen, so mühelos lassen sie sich auf den zweiten Blick akzeptieren. Sind ja nur die Farben einer aufgeblasenen Kleinstrepublik. Was spricht in Rostock, Magdeburg oder Gelsenkirchen dagegen, mit dieser Kleinstrepublik ein kleinstklammheimliches Sympathieverhältnis zu unterhalten? Und eines Tages dann findet ein kleiner

Rostocker, Magdeburger oder Gelsenkirchener Bär im Fluss eine alte Bierflasche. Auf der steht »Bayern«, und sie duftet so herrlich – und sofort wird ihm klar, dass das schon immer das Land seiner Träume war und ist ...

Einrahmungen

Neuntes Kapitel, in dem wir zu guter Letzt auch noch die Geheim-
nisse der Freundlichkeit entschlüsseln, Globalisierungsgegner
einkesseln, auf dem Viktualienmarkt gepflegt shoppen gehen,
allzeit im Bild sind und uns zum krönenden Abschluss
bis zur Bewusstlosigkeit wieder rund saufen.

1. In Neuburg

Neuburg an der Donau ist ein sehr appetitliches Städtchen. Die
Hofkirche, das Residenzschloss, der Donaukai, das »Birdland« –
Bayerns zweitältester Jazzclub –: All das sind beachtliche Gründe, Neuburg an der Donau im Rahmen einer Lustreise von München nach Nürnberg beziehungsweise vice versa nicht links
liegenzulassen. René Descartes revolutionierte, auf einer Neuburger Ofenbank sitzend, 1619 in einer einzigen Nacht die
abendländische Philosophie.

Und dennoch hat Neuburg an der Donau ein Problem: In einer
Kundenbefragung eines niederbayerischen Marktforschungsins-
tituts zum Thema »Freundlichkeit«, durchgeführt in 128 Städten
zwischen 25 000 und 250 000 Einwohnern, errang Neuburg im
Jahr 2012 Platz ... 123! Der Bürgermeister riss sich vor Entset-
zen fast die Haare aus, der Vorsitzende der »Neuburger Werbege-
meinschaft« steht bis heute unter Schock. »Wie konnte das pas-

sieren?«, lautet die Frage, vor der die Neuburger seitdem mehr oder minder ratlos niederknien und gramvoll in sich gehen.

Wie gravierend das Problem ist, wird deutlich, wenn man sich vergegenwärtigt, dass in der postmodernen Arbeitswelt kaum noch etwas so wichtig, so substanziell ist wie eben Freundlichkeit. Der Grund lautet: Dienstleistung. Benötigte man früher zum Arbeiten in Landwirtschaft und Industrie vornehmlich Muskelkraft und später, im Zeitalter der Bürotätigkeit, Sitzfleisch und Schreibmaschinenkenntnisse, so heute ein strahlendes und blendend weißes Lächeln! Lächeln ist längst ein Massenphänomen. Auch wenn es keine gesicherten Zahlen gibt, darf doch stark angenommen werden, dass noch niemals zuvor in der europäischen beziehungsweise westlichen Kultur so viel gelächelt wurde wie heute. Weder die große Sphinx von Gizeh noch die Venus von Milo, weder der Augustus von Primaporta noch Jesus oder der Märchenkönig lächelten. Und ob das, was die Mona Lisa auf ihrem Porträt zeigt, wirklich ein Lächeln darstellt oder nur der Versuch ist, fehlende Schneidezähne zu verbergen, wird sich wohl nie mehr eindeutig klären lassen. Heute indes muss man einem Flugzeugabsturz, einem Terroranschlag oder einer Naturkatastrophe beiwohnen, um nicht permanent von lächelnden Gesichtern umstellt zu sein. Das lächelnde Gesicht ist die Ikone unserer Zeit, der Fetisch unserer Tauschprozesse, der in unsere Gesichtsmuskulatur einprogrammierte Dresscode. Am Anfang ist nicht mehr das Wort, die Tat oder der Glaube, sondern das Lächeln. Politiker lächeln, Promis lächeln, Nachrichtensprecherinnen lächeln, Wurstfachverkäuferinnen lächeln, Psychotherapeuten lächeln, Mafiabosse lächeln, Päpste lächeln, ja, selbst die Kellnerinnen im Hofbräuhaus lächeln ...

Über zwei Drittel aller abhängig Beschäftigten in Bayern haben bei ihrer Arbeit derzeit Kontakt zu externen Personen, seien dies Kunden, Mandanten, Klienten, Patienten, Besucher oder Bittsteller. Ohne aktives Mundwinkelanheben geht da gar nichts. Und auch wer keine externen Kontakte pflegt und tagein, tagaus ausschließlich vor einem Computerbildschirm sitzt oder an einem Fließband steht, hat zumindest interne Arbeitskollegen und Vorgesetzte, die von Zeit zu Zeit belächelt werden wollen. Bleibt die Frage: Kann das Bayern?

2. In the Air

Die Antwort ist nicht ganz leicht zu geben. Neuburg lässt Zweifel aufkommen. Und auch die lächelnden Kellnerinnen vom Hofbräuhaus führen bei näherem Hinschauen meist kein Service-, sondern lediglich ein Spottlächeln auf den Lippen, dies aber mit Würde und Gelassenheit. Wirklich besorgniserregend ist in diesem Zusammenhang jedoch der Umstand, dass Bayern keine Airline besitzt. Die brennende Frage lautet: Warum nicht? Ist es nicht seltsam, dass es zwar eine Air Berlin, aber keine Air Bavaria oder Bavarian International gibt? Eine Zeitlang existierte neben dem Scherzartikel Austrian sogar eine Tyrolean Airways: fliegende Tiroler ...! Und wo blieb die »BI«? Sie kam nicht. Kam sie etwa deshalb nicht zustande, weil – so Gerüchte – man kein Kabinenpersonal rekrutieren konnte? Weil es in Bayern einfach keine Männer und Frauen gibt, die auf internationalem Standard immer und in jeder Situation freundlich zu lächeln vermögen?

Das Paradebeispiel emotionaler Lächelarbeit im Bereich des Dienstleistungssektors liefern eindeutig die Flugbegleiterinnen und -begleiter. Dass sie Dienst leisten, ist unbestritten und äußert sich in Tätigkeiten wie Schwimmwesten an- und ausziehen, Speisen und Getränke servieren und abräumen sowie Ansagen machen. So einfach dies klingt, so schwierig gestaltet es sich in fliegenden röhrenförmigen Behältnissen, die mit extrem trockener Luft angefüllt sind und einen Luftdruck aufweisen, der in etwa einer Höhe von 2700 Metern über Normalnull entspricht. Der Lärmpegel liegt bei rund 80 Dezibel: Flugbegleiterinnen arbeiten also bei ständigem Lkw-Verkehrslärm auf dem Watzmann.

Da Lkw-Lärm auf dem Watzmann jedoch ziemlich pervers ist, sind auch die Arbeitsbedingungen von Flugbegleiterinnen nicht ganz unproblematisch.

Erschwerend kommen mehrere hundert, in langen Reihen neben- und hintereinandersitzende Bergfreunde hinzu, die zwischen einer und zwölf Stunden lang gegen Langeweile, Thrombose und Bewusstseinsstörungen ankämpfen. Dies tun sie mit analogen oder digitalen Hilfsmitteln – mit Gedrucktem oder Displays –, am liebsten jedoch mit kommunikativen: Sie bewerfen das Bordpersonal permanent mit allerlei Wünschen, Launen und Belehrungen. Und wenn dann der bei akuten Turbulenzen georderte Tomatensaft endlich auf der hellbeigen Urlauberhose angekommen ist, degenerieren sie in Sekundenschnelle zu Wutbürgern. Damit dergleichen Mutation nicht auch der diensthabenden Flugbegleiterin widerfährt, muss sie das böse Spiel auf Teufel komm raus mit guter Miene entschärfen und sich für die entstandenen Unannehmlichkeiten bei dem Fettsack auf Platz 23C tausendundeinmal entschuldigen. Auch wenn sie innerlich kocht, sie muss Mensch bleiben, ihren Ärger hinunterschlucken und – lächeln.

Zu den geschicktesten Emotions- und Interaktionsarbeitern gehören traditionell angeblich Frauen. Dinge wie positive Affektivität, emotionale Stabilität und spontane Empathie lernt man nicht von heute auf morgen, sie müssen über Generationen hinweg eingeübt werden. Und dies wurden sie in den traditionellen Frauenrollen sehr intensiv. Zumal in Bayern, einem Land, das immer von traditionellen Frauenrollen geprägt und deshalb trotz aller Männlichkeitsriten und Lederhosenlatzallüren im Grunde seines Herzens sehr weiblich war und ist. Weiblich sind *die* Maß, *die* Schweinshaxe und *die* Schnupftabakdose. Weiblich sind *die* Schönheit Bayerns, *die* Sonne Bayerns, *die* Berge Bayerns. Und dann gibt es da selbstverständlich auch noch *sie* – tausend Ehrentitel schmücken ihre Person: Dei Genetrix, Gottesgebärerin, Gottesmutter, Mutter der göttlichen Gnade, Mutter der göttlichen

Liebe, Regina Coeli, Himmelskönigin, Königin der Jungfrauen, Rosenkönigin, Königin vom kostbaren Blut, Ehrwürdiges Gefäß, Knotenlöserin, Schneeweiße Lilie der allerheiligsten Dreifaltigkeit, Taube des Friedens und der Versöhnung beim gerechten Gott ... Doch keiner reicht auch nur ansatzweise an ihre vornehmste Benennung heran: *Patrona Bavariae!* Allein im Erzbistum München und Freising tragen über 400 Kirchen ihren Namen und huldigen ihrer himmlischen Regentschaft. Sie ist die Herrin Bayerns, vor ihrem sanften Lächeln beugt sich jedes auch noch so männliche Knie. Gleichzeitig ist sie durch das Dogma ihrer leiblichen Aufnahme in den Himmel die schönste und duldsamste und gnadenbringendste Flugbegleiterin, die man sich überhaupt nur vorstellen kann. Und ihr leuchtendes Beispiel soll in Bayern keine Früchte getragen haben? Soll das Lächeln in Bayern nicht endemisch gemacht haben? Schwer vorstellbar!

3. In Haidhausen

Vielleicht muss man aber auch nur zwischen Lächeln und Lächeln, Freundlichsein und Freundlichsein unterscheiden können. Um ein guter Emotionsarbeiter zu werden, der seine Gefühle stets in eine angenehme Lippenpose zu transformieren vermag, gibt es laut Expertenauskunft grundsätzlich zwei Methoden: das sogenannte *surface acting* und das *deep acting*.

Das *surface acting* – das Oberflächenhandeln – bleibt, wie der Name schon sagt, an der Oberfläche: Man lächelt mehr oder minder unspezifisch vor sich hin und denkt sich seinen Teil. Das emotionale Oberflächenhandeln simuliert also, spielt etwas vor, was eigentlich gar nicht vorhanden ist, und beschränkt sich hauptsächlich auf das mechanische Aktivieren der Gesichtsmuskulatur. »Das Studium des Ausdrucks ist schwierig, da die Bewegungen häufig äußerst unbedeutend und von einer schnell vorübergehenden Natur sind ...«, klagte einst Charles Darwin in der Vorrede zu seinem 1872 veröffentlichten Buch über den *Ausdruck der Gemütsbewegungen bei dem Menschen und den Tieren*. Stellen Flüchtigkeit und Unbestimmbarkeit der Allerweltsgeste Lächeln den Forscher vor akute Probleme, so gewähren sie dem Alltagsmenschen die angenehme Möglichkeit, sich hinter ihnen zu verstecken. Mit einem halbwegs einstudierten Oberflächenlächeln kann man den meisten dummen Fragen und Anwürfen von Amerikanern, Chinesen oder Berlinern geflissentlich aus dem Weg gehen, ohne sich erklären oder die Finger verbrennen zu müssen. *Surface*-Lächeln ist schnell und flexibel einsetzbar, und es ist massentauglich. Es ist die Allzweckwaffe schlechthin, die Kalaschnikow im alltäglichen emotionalen Häuserkampf. Das Oberflächenlächeln ist ideal für den kommunikativen Quickie an der Fastfoodtheke. Es ist die perfekte McDonald's-Gesichtsmaske: viel Gewürz, aber wenig Geschmack.

Bayern freilich hat ein sehr ambivalentes Verhältnis zu dieser hoch standardisierten und routinierten Emotionsarbeit. Zwar weiß man genau, dass man sie benötigt, um im internationalen Freundlichkeitswettbewerb gegen eine starke Konkurrenz aus dem Ausland mithalten zu können, doch leider will sie nicht immer gelingen. Oft verrutscht die Maske in den unpassendsten Momenten. Häufig wirkt sie eher grimmig als freundlich. Die Herzlichkeit, mit der man beispielsweise an bayerischen Behördentheken bedient wird, besitzt mitunter etwas beinah Furchterregendes. Es gehört zum Wesen der Schminke, gern ein wenig zu dick aufgetragen zu werden.

Eine alternative Methode ist deshalb das sogenannte *deep acting*. Bei ihm ist nicht alles nur Schmiere oder schöner Schein, sondern tatsächlich auch Gefühl. Beim *deep acting* wird nicht nur an der Oberfläche gekratzt, sondern der Gefühlsarbeiter zwingt sich zu veritablen Eingriffen in seinen eigenen Gefühlsapparat, versucht, Teile seiner emotionalen Software gewissen äußeren Vorgaben entsprechend umzuprogrammieren. Beim *deep acting* sind deshalb neben der Körperoberfläche immer auch kognitive Prozesse involviert.

Nehmen wir beispielsweise an, Sie seien einer jener leidenschaftlichen Radfahrer, die nicht mit einem Fahrrad unterwegs sind, sondern mit einer Carbon-Straßenrennmaschine. Mit Ihrer Carbon-Straßenrennmaschine wollen Sie sich nach der Arbeit und vor Sonnenuntergang beim kleinen Trip durch Haidhausen noch mal so richtig austoben. Doch was ist das? Genau vor Ihnen auf dem Fahrradweg gurken zwei Öko-Muttis auf ihren Retro-Hollandrädern mit riesigen, schreienden Kinderanhängern herum. Selbstverständlich klingeln Sie wie wild und fahren so dicht wie möglich auf, doch die beiden Bio-Muttis lassen sich von Ihrem präpotenten Gebaren nicht irritieren. Sie wissen: Sie haben mitten in der demografischen Krise Akademikerkinder zur Welt gebracht, sie ernähren sich und ihre Familie konsequent ökologisch, und sie tragen praktische Funktionskleidung, die sie und ihre Anhänger bei jeder Licht- und Witterungslage unübersehbar macht. Mit anderen Worten: Die beiden haben jedes Recht der Welt, sich möglichst langsam und breit fortzubewegen, am besten noch nebeneinander fahrend und intensiv über das anstehende Sommerfest in der Kinderkrippe diskutierend.

Das probateste Mittel in dieser Situation heißt »kognitive Umdeutung« und besteht darin, dass Sie Ihre Spiegelneuronen aktivieren und sich in die Lage der beiden Bio-Muttis mit aller Ihnen zur Verfügung stehenden Empathie hineinversetzen. Großstadt ist Großstadt, und da muss es notgedrungen auch solche geben, die mitten in der City Dorfidylle spielen und sich wie Landeier durch den Großstadtverkehr bewegen. Hektik ist in ihren Augen eine Erfindung des Teufels und langsames Fahren eine Weltanschauung. Gut möglich, dass ihre Ehemänner ganz furchtbar unästhetische und hektische Jobs haben, sodass die Frauen einiges kompensieren müssen. Und schon nerven die beiden Schnarchfahrerinnen nicht mehr, sondern amüsieren ...

4. In Neuschwanstein

Eine zweite Methode der Gefühlsmanipulation besteht darin, sich in heiklen Situationen heimlich, still und leise aus der aktuellen Realität auszuklinken und seine emotionale Aufmerksamkeit entweder auf angenehme Erinnerungen oder ebensolche Erwartungen beziehungsweise Wünsche zu konzentrieren. Das befreundete Ehepaar aus Braunschweig beispielsweise wünscht sich bei seinem Wochenendtrip nach Bayern von Ihnen nichts sehnlicher als eine gemeinsame Besichtigung von Neuschwanstein. Obgleich es 35 Grad im Schatten und Hauptferienzeit ist, willigen Sie ein. Schon von Weitem hören Sie das hysterische Gesumme der Touristen, die das Schloss umschwirren wie Fliegen einen Kuhfladen. Im Sängersaal riecht es nach Schweiß und Sonnencreme, im königlichen Schlafzimmer wirft die Luft Blasen. Die Hitze, die Stimmen, die Ornamente machen Sie immer nervöser und erschöpfter, Sie merken, wie alles zu kreisen beginnt und die Ohnmacht langsam Besitz von Ihnen ergreift. Nur mit äußerster Konzentration gelingt es Ihnen, bis zum Ende durchzuhalten. Das befreundete Ehepaar aus Braunschweig freilich zeigt sich enttäuscht, obgleich schweißfrei und bei guter Kondition: Es vermisst das mechanische »Tischlein deck dich«, von dem es irgendwo gelesen hatte. Um jetzt nicht gewalttätig zu werden oder laut loszuheulen, heißt es: raus aus der Katastrophe, raus aus der Realität und rein in die herrliche Vorstellung, Ludwigs vermaledeites Mickymausschloss ließe sich samt Braunschweig und dessen Ehepaaren mit einer geheimen Mechanik für immer im Erdboden versenken. Und schon umspielt ein kleines, aber feines Glück Ihre Lippen.

Sich in andere hineinzuversetzen, sich aus der Realität herauszunehmen, die Realität umzudeuten, sich umzudeuten, all diese »Tricks« des *deep acting* helfen, emotionale Schwerstarbeit zu vollbringen und gleichzeitig makellos freundlich zu bleiben – nicht einfach nur dumm an der Oberfläche zu grinsen, sondern souverän seinen Gefühlshaushalt zu kontrollieren und zu regulieren.

5. In Deggendorf

Selbst seelische Widersprüche lassen sich derart effizient ent-schärfen. Stellen Sie sich folgende Konstellation vor: Sie sind von Kopf bis Fuß ein Bayer. Sie lieben dieses Land, Sie lieben diese Menschen, diese Sprache, diese Sitten. Sie lieben Deggendorf an einem verregneten Sonntagvormittag, Landshut während der Landshuter Hochzeit und die Freitagnachmittagsstaus an der Eschenrieder Spange. Weder Fronleichnamsprozessionen noch CSU-Veranstaltungen bringen Sie aus der Fassung. Und selbst die Lederhosen, mit denen die Menschen Ende September auf die Theresienwiese rennen, nur um dort einem längst korrumpier-ten Ritual beizuwohnen, haben für Sie etwas zutiefst Authenti-sches.

Gewisse Dinge jedoch sind Ihnen höchst zuwider: Dinge, die leider zu den bayerischen Hauptdevotionalien gehören, solche wie Blasmusik, Weißwürste oder der FC Bayern München. Wo-mit Sie ein klassisches Opfer eines Interrollenkonflikts sind. Bay-ersein ist ein komplexer Gefühlsmix, in dem intensive Affekte aufs Engste miteinander verwoben sind.

Zu den intensivsten Emotionen des Bayern gehört sicherlich seine Eigenliebe. Der Bayer mag sich. Aber er zweifelt eben auch an sich. Umso prekärer ist die Situation, umso dringender benö-tigt er Insignien seiner Eigenliebe: Blasmusik, Weißwürste und den FC Bayern! Wenn der bayerische Defiliermarsch erklingt, be-ginnt der Durchschnittsbayer vor Selbstherrlichkeit zu schwit-zen. Der Geschmack von Weißwürsten lässt seine Geschmacks-knospen vibrieren. Und ein Wochenende ohne Bayernsieg ist längst schon gesetzlich verboten. Der Bayer, der diesen oder ähn-lichen Instanzen nichts abzugewinnen vermag, hat ein Problem, ein Problem, das er vor sich und anderen geheim halten oder ver-leugnen muss.

Oder aber er selektiert sich mittels *deep acting* sein eigenes Bayern zurecht, lagert Undinge wie Blasmusik, Weißwürste und den FC Bayern still und leise in eine Art Bad Bank aus und konzentriert sich allein auf das Schöne zwischen Deggendorf, Landshut und der Eschenrieder Spange, frei nach dem Motto »Die Guten ist Töpfchen, die Schlechten ins Kröpfchen«.

Apropos Töpfchen, apropos Kröpfchen: Um das Optimale vom Suboptimalen trennen zu können, benötigt man geeignete Deutungsmuster, geeignete Interpretationsschemata, geeignete Rahmen beziehungsweise *frames*, mit deren Hilfe sich Relevantes von Irrelevantem möglichst effizient trennen lässt. Nicht nur in der Abfallindustrie ist »Trennung« ein zentraler Begriff. Auch im Schwarmverhalten von Heringen oder Staren spielt die Separation eine wichtige Rolle. Und natürlich erst recht im bayerischen Konstruktivismus. Auch hier muss sich das Gute in einem Topf sammeln und das Schlechte in einer Tonne entsorgen lassen können. Wer ein sauberes, aufgeräumtes, stringentes und liebenswertes Bayern haben will, braucht mehr als alles andere entsprechende Behältnisse beziehungsweise Gefäße. Gefäße der Freundlichkeit, Gefäße der Schönheit, aber eben auch – Mülltonnen.

6. Im Münchner Kessel

Für Mülltonnen der besonderen Art ist im Sonderspezialfall die bayerische Polizei zuständig. Ihren blitzsauberen Ruf hat sie sich in vielen akkuraten Mülltrennungsaktionen verdient. Eine davon ist als sogenannter Münchner Kessel in die Annalen eingegangen. Dabei handelte es sich um eine Sommerveranstaltung am 6. Juli 1992, genauer gesagt, um einen »Weltwirtschaftsgipfel« (WWG), ein Spitzensupergipfelereignis. »Die Welt schaut auf München«, hatte Tage zuvor bereits Bayerns damaliger Ministerpräsident Max Streibl erklärt und gefordert: »Zeigen wir uns von unserer besten Seite!« Alles in allem keine schwer verständliche Ansage. Was besagte Welt dann allerdings gezeigt bekam, waren auf der einen Seite Lederhosen, Dirndl, Trachtenhüte, Gamsbär-

224   Einrahmungen

te, Kuhglocken, Blasmusikinstrumente sowie ein Schaulaufen der immer gleich gewandeten und wandelnden internationalen WWG-Politprominenz, auf der anderen Seite ein- bis zweihundert Trillerpfeifen sowie vielleicht noch einmal die gleiche Anzahl an Bürgern, die lauthals »WWG, internationale Völkermordzentrale!« riefen.

Der Welt mag's egal gewesen sein, mitnichten aber den »ganz zufällig« anwesenden 5500 Polizisten, darunter USK-Truppen des bayerischen Innenministeriums sowie SEK-Einheiten aus dem gesamten Bundesgebiet. Mit fast chirurgischer Präzision wurde der pfeifende Wutmob vom Rest des Jubelvolks getrennt und in eine Seitenstraße abgedrängt, wo man ihn, den Wutmob, geschickt isolierte, also kesselförmig umstellte, und für weitere polizeiliche Maßnahmen – »präparierte«. Gegen Mittag wurden die ins »Kröpfchen« Beförderten sodann einer nach dem anderen verhaftet und ins Polizeirevier an der Ettstraße abtransportiert: 491 Personen mussten sich wegen »versuchter Nötigung« verantworten.

Für kurzzeitige Irritationen sorgte am Nachmittag jenes denkwürdigen Tages der diensthabende Untersuchungsrichter am Amtsgericht, ein gewisser Karl Puszkajler, mit der Frage, was eine versuchte Nötigung denn eigentlich genau sei. Die Polizei berief sich auf den »ohrenbetäubenden Lärm«, den die Störer veranstaltet hätten. Der Untersuchungsrichter, ganz offensichtlich kein bekennender Blasmusikfan, blieb skeptisch: Wenn die Erzeugung von Lärm Nötigung sei, dann müssten ja auch Marschmusik und lautstarker Jubel als Nötigung verstanden und polizeilich verfolgt werden. Wurde dies gemacht? Nein, natürlich nicht! Kurz nach Mitternacht kamen die letzten Festgenommenen frei.

Falsche Deutungsmuster, inadäquate Interpretationsschemata, untaugliche Mülltonnen? Bedeutete der Münchner Kessel eine Niederlage? Waren die präzisen Schläge (auf Köpfe, Rümpfe und Gliedmaßen), die virtuosen Kampfgriffe, die vollmundigen Versprechen (»Ich reiß dich entzwei, aus dir mach ich zwei Studenten!«), die reibungslosen Abtransporte, die schikanösen Identitätskontrollen, war das alles für die Katz? Nein, war es nicht! Der verrückte 6. Juli 1992 war noch nicht ganz vorüber, da verkündete Max Streibl in voller Kenntnis dessen, was der zuständige Ermittlungsrichter kurz zuvor beschieden hatte, auf einem – omen est nomen – »Bayerischen Abend«, einer »Rahmenveranstaltung«, inszeniert für in- und ausländische Journalisten, aus den tiefsten Eingeweiden seiner Überzeugung heraus: »Wenn einer glaubt, er muss sich mit Bayern anlegen und er muss stören, dass wir dann auch manchmal etwas härter hinlangen oder durchgreifen, das ist auch bayerische Art. Meine Damen und Herren, jeder muss wissen, wenn er nach Bayern kommt, dass er es mit Bayern zu tun hat!«

7. In Klein-Venedig

Ein etwas bekömmlicherer »Rahmen« ist demgegenüber der Wochenmarkt von XYZ. XYZ befindet sich je nach Geschmack, Temperament und Wohnort irgendwo zwischen Aschaffenburg und Garmisch-Partenkirchen. Mögliche Schauplätze wären beispielsweise der Wochenmarkt auf dem Passauer Domplatz mit der gewaltigen Kulisse des Stephansdoms im Hintergrund, der Bauernmarkt auf dem Theatervorplatz von Ingolstadt oder der Augsburger Stadtmarkt, teilweise überdacht, aber von hoher merkantiler Geschäftigkeit und mit einem kräftigen Schuss Hinterhofromantik garniert, oder aber natürlich der Münchner Viktualienmarkt, das Mekka des bayerischen Hochglanz-Marktwesens. Wie Engelsgesang sitzt der Frühling, wie Goldmohn der Sommer, wie ein üppiges Stillleben der Herbst und wie flockiger Eierschaum der Winter auf dem Viktualienmarkt. Weshalb man im Zweifelsfall auch durchaus etwas mehr für den leicht angefrorenen Mangold, die etwas dehydrierten Auberginen, den noch ein wenig zu holzigen Spargel zu zahlen bereit ist. Ambiente, Flair, Geschmack und Distinktion haben mit Lebensqualität zu tun, und Lebensqualität kostet.

Das Töpfchen beziehungsweise Körbchen, in dem solche und ähnliche Erkenntnisfrüchte gern eingesammelt werden, ist der »Einkaufskorb Vollweide Natur«. Es gibt ihn im gut sortierten Accessoire-Fachhandel neben Weinregalen, stummen Dienern, Quilts und anderem Luxus-Tutu. Er kennzeichnet den besserverdienenden Genießer, Gourmet, Connaisseur. Der »Einkaufskorbträger Vollweide Natur« wühlt nicht, wie sein Opponent, der sogenannte Schnäppchenjäger, in Discounterregalen herum, er bummelt, flaniert, spaziert an der feilgebotenen Warenpracht entlang. Ihm geht es nicht um schnelle, geschmacksverstärkte Bedürfnisbefriedigung, sondern um Kunst. Der Einkaufskorbträger Vollweide Natur stöbert in hochpreisigen Delikatessen herum wie der Bücherfreund in einer kostbaren Bibliothek. Er kauft nicht viel, aber teuer und kritisch. Der Akt der Auswahl wird zelebriert. Gerade bei den kleinen Dingen, so sein basisdemokratisches Bekenntnis, sollte man anspruchsvoll sein. Er weiß, was er sich und dem Szenarium des gehobenen Lebensmitteleinkaufs schuldig ist: Langsamkeit, Bedächtigkeit, Gelassenheit.

Da kann der Trubel um ihn herum noch so infernalisch gegen die mit Reneklodon, Goa-Bohnen, Horngurken oder malaiischen Mangostanen gefüllten Obstkisten branden, sorgfältig erkundigt er sich beim diensthabenden Gemüsefachverkäufer über die diversen Zubereitungsmöglichkeiten der feilgebotenen Tamarillos. Da mag der Pöbel hinter ihm bereits vor Ungeduld mit den Haarwurzeln knirschen, gewissenhaft lässt er sich auch noch über die gesundheitliche Verträglichkeit chinesischer Birnen aufklären. Und weil er gerade so nett im Gespräch ist, verrät er dem Obstfachverkäufer auch noch hinter vorgehaltener Hand und mit einem Augenzwinkern, wen er am Abend mit seinen exklusiven Einkäufen zu bekochen gedenkt. Die horrende Summe, die er schließlich zu begleichen hat, wertet er nicht als unangemessen, sondern als stille Anerkennung seines exklusiven Geschmacks.

Anschließend stöpselt er sich wieder sein iPhone ins Ohr und lauscht den Klängen einer Partita von Bach.

Der Einkaufskorb Vollweide Natur ist das tragbare Deutungsmuster für ein Bayern, das nicht auf »schnell und billig« beziehungsweise »ex und hopp«, sondern auf »solide und anspruchsvoll« setzt. Er formuliert eine Art Gegenentwurf zum Drahtkorb-Einkaufswagen des Schnäppchenjägers. Seine Lust am Premiumshoppen impliziert eine Revolte gegen die auf Masse konditionierte Trivialität des entfesselten Hyperkonsumismus. Seine Anspruchsattitüde stellt eine leidenschaftliche Attacke gegen jene Fastfoodmentalität dar, die in ihrem immer gierigeren, sofortorientierten Verlangen letztendlich immer anspruchsloser und unkritischer wird. Seit zwanzig Jahren geben die Bayern, gemessen an ihrem Gesamteinkommen, Jahr für Jahr weniger für Viktualien aus. Derzeit sind es nur noch gut 14 Prozent. Aus der langen Hungergeschichte Bayerns weiß man: Zur Herstellung eines Völlegefühls braucht es keine Alba-Trüffel, kein Kobe-Rind, keinen Blauflossen-Thun. Zur Not reichen ein halbes Dutzend Speckknödel aus der Tiefkühltruhe. Der Einkaufskorb Vollweide Natur widerspricht dieser Einstellung mit Luxus, Stil und Würde!

Während es überall auf der Welt nur noch um das *survival of the cheapest* geht, scheint Bayern dank des Einkaufskorbs Vollweide Natur einen Weg gefunden zu haben, sich der Aldisierung der Gesellschaft und ihrer nivellierenden Auswüchse zumindest teilweise zu entziehen. Und das nicht nur im alimentären Bereich, sondern auch jenseits des Tellerrandes. Das Museale und Pittoreske gehört substanziell mit zu den ästhetischen Rahmenbedingungen für das Wohlbehagen des Einkaufskorbs Vollweide Natur. Nur wo Fachwerkhäuser, schwibbogenüberspannte Gässchen und barocke Kirchenfassaden sind, fühlen sich Einkaufskörbe Vollweide Natur richtig wohl. Sie lieben das vermeintlich Echte, Autochthone und Gewachsene. Wie Touristen laben sie sich am Spektakel der Tradition. In der ökonomisch-soziologischen Fachliteratur spricht man bei dem Versuch, Dorf- und Stadträume in pseudomuseale Events zu transformieren, mittlerweile gern von der Venezianisierung des Raumes. Gemeint ist die systematische Ausrichtung einer Umgebung ganz nach dem romantisch-musealen Empfinden einer finanzkräftigen Klientel. Venedig ist das Urbild dieses Konzepts: eine mit Geschichte und Tradition vollgestopfte, permanent geldscheißende Freizeitmetropole.

München liegt von Venedig keine vierzig Flugminuten entfernt, Passau nennt sich das »bayerische Venedig«, und auch in Bamberg heißt die aufwendig restaurierte, ehemalige Fischersiedlung an der Regnitz »Klein-Venedig«. Zufall?

8. In Langenzenn, Lichtenegg und Lichtenfels

»Rahmenveranstaltungen« gibt es in Bayern en masse. Böse Zungen behaupten gar, Bayern bestünde längst schon ausschließlich aus Rahmenveranstaltungen. Neben einer illustren Bauern- und Wochenmarkt-, einer bunten Gastro- und einer umtriebigen Dirndlszene hat sich in den letzten Jahrzehnten hierzulande etwas entwickelt, was ambitionierte Profilneurotiker ganz besonders zu entzücken vermag: eine sich von Bad Kissingen bis Bad Reichenhall, von Wunsiedel bis Oberstdorf erstreckende, mehr oder minder lückenlose Festival- und Eventszene, die ihresgleichen auf dem blauen Planeten sucht und nicht findet.

Jeder kennt – zumindest aus der Fernsehberichterstattung – das hochsommerliche Treiben in Bayreuth, wenn sich erlesene Zeitgenossen bei tropischen Außentemperaturen stundenlang in einem klobigen Ziegelsteinbau versammeln und anschließend mit vom exzessiven Kunstgenuss entstellten Gesichtern zum Staatsempfang ins nahe Schloss pilgern. Noch ein klein wenig traditioneller und altehrwürdiger als Bayreuth sind die Münchner Opernfestspiele. Obgleich man die Eintrittskarte für diese

Veranstaltungsreihe keine zehn Jahre im Voraus bestellen muss, haftet auch ihr etwas sehr Elitäres und Exklusives an. Der Schmuck der Münchner Damen ist weniger protzig als in der Oberfrankenmetropole, dafür aber eindeutig teurer.

Begleitet werden diese beiden Flaggschiffe der gehobenen bayerischen Event-Industrie von einer Unzahl anderer, zum Teil sehr renommierter Groß- beziehungsweise Langveranstaltungen, die das gesamte Spektrum kulturellen menschlichen Wirkens abdecken. Zu nennen wären unter anderem die Internationale Jazzwoche in Burghausen, die Internationalen Hofer Filmtage, das Internationale Samba-Festival zu Coburg, die Internationale Orgelwoche in Nürnberg, das Internationale Figurentheater Festival in Erlangen, die Domspiele zu Bamberg, die Schlossfestspiele von Regensburg, die Schlosshofspiele in Roth, die Burghofspiele von Falkenstein, die Burgfestspiele von Neunburg und Lichtenegg, die Burgenfestspiele von Passau und Straubing, die Klosterhofspiele von Langenzenn, die Kreuzgangspiele in Feuchtwangen, die Waldfestspiele von Bad Kötzingen, der Kissinger Sommer, der Ebracher beziehungsweise Lichtenfelser beziehungsweise Oberstdorfer Musiksommer, der Kultursommer von Garmisch-Partenkirchen, der Schwäbische Kunstsommer in Irsee, der Festspielsommer zu Weißenburg sowie die Pegnitzer und Traunsteiner Sommerkonzerte.

Nicht vergessen werden sollten darüber hinaus die Ansbacher Bachwoche, die ihrerseits nicht mit den Aschaffenburger Bachtagen verwechselt werden will, die Weidener Max-Reger-Tage, die Tutzinger Brahmstage, die Rosetti-Festtage in Ries, das Augsburger Brecht-Festival, die Bamberger Calderon-Festspiele, das Richard-Strauß-Festival in Garmisch-Partenkirchen, das Oleg-Kagan-Musikfest in Kreuth, die Faust-Festspiele in Kronach sowie das Würzburger und das Augsburger Mozartfest.

Der um Würde und Identität bemühte Bayer kann im Regelfall nicht genug davon bekommen. Events faszinieren und elektrisieren ihn, schlagen ihn in ihren Bann, machen ihn willenlos. Ein eventloses Wochenende gleicht einem Super-GAU. Selbstverständlich könnte der um Würde und Identität bemühte Bayer wie jeder normale Verrückte auch an einem ereignislosen Wochenende in ein normales Kino gehen und sich dort einen großartigen Film anschauen. Allein – eine derartige Aktion ist affektiv nicht hinreichend unterfüttert. Sie ist steril, nicht sexy, kein Hingucker. Ihr fehlt das Flair des Besonderen. Ein Filmbesuch im Rahmen eines Filmfestivals besitzt demgegenüber eine ganz andere emotionale, kommunikative und kreative Wertigkeit. Man sieht und wird gesehen.

Natürlich könnte man einwenden, dass sich besagte »emotionale, kommunikative und kreative Wertigkeit« lediglich den umtriebigen Aktivitäten der einschlägigen Tourismus- und Freizeitwirtschaft verdankt: ein bisschen Remmidemmi, garniert mit vielen Flyern, Handouts und ein paar Häppchen vom örtlichen Cateringservice. Der Rest ist Willkür und Geschichtsklitterei. Was haben Mozart mit Würzburg, Bach mit Ansbach und Calderon mit Bamberg zu schaffen? Selbstverständlich nichts! Aber das ist nicht der Punkt. Der Punkt ist vielmehr: Kultur im Eventdesign schafft verführerische Rahmenbedingungen, und darum geht es dem um Würde und Identität bemühten Bayern letztlich: um den Rahmen!

9. Im Bild

Der Rahmen macht das Bild. »Ein Bild ohne Rahmen ist zwar auch ein Bild, sieht aber aus wie ein nackter Mensch«, sagte einmal der spanische Philosoph Ortega y Gasset. Wie die Kleidung den Menschen vor seiner Umwelt schützt, so der Rahmen das Bild. Ohne Rahmen kann das Bild kein autarkes Kunstwerk, keine imaginäre Insel sein, sondern wird an allen Ecken und Enden von seinem Umfeld verwischt, beispielsweise von einer hässlichen Blümchentapete. Der Rahmen ist insofern, wie Ortega sagt, ein »Isolator«. Je dicker und opulenter er ist, desto besser. Aber auch ein dünner, kalter, messerklingenartiger Aluminiumrahmen bewahrt messerklingenartig das Innere des Bildes vor einer Störung durch das Äußere der Welt.

Für einen um Würde und Identität bemühten Bayern gibt es kaum etwas Unerfreulicheres, als gestört beziehungsweise verwischt zu werden. Auch wenn er sicherlich kein Hardcore-Narzisst ist, wehrt sich sein Selbsterhaltungstrieb doch instinktiv gegen Einmischungen von außen. Ein entsprechender Rahmen ist für ihn von daher unerlässlich. Neben dem materiellen Bilderrahmen, der eine plane Oberfläche optisch abgrenzt und so den Blick des Betrachters auf das im Bild Dargestellte fokussiert, gibt es noch die immateriellen Rahmen. Sie umrahmen Dreidimensionales und können die verschiedensten Formen aufweisen. Eine Gerichtsverhandlung beispielsweise findet in einem ganz bestimmten institutionellen Rahmen statt, eine Hochzeit in einem ganz bestimmten zeremoniellen Rahmen. Ein Staatsbankett ist alimentär anders gerahmt als ein Fußballfernsehabend unter guten Freunden. Dort gibt es Rehrücken und Burgunder, hier Chips und Bier. Eine gewichtige Rolle beim Wiener Opernball spielt die vestimentäre Rahmung: Ohne Frack beziehungsweise langes Abendkleid erhalten selbst der Kaiser und die Kaiserin von China keinen Einlass.

Apropos Einlass, apropos Kaiser und Kaiserin. Zu den kompliziertesten Rahmen gehören die hierarchischen. Das heißt, früher war die Sache eigentlich ganz einfach: Gaben Herr und Frau Kaiser ein Fest, so durften alle kommen – alle bis auf das Volk. Der hierarchische Rahmen ließ nur Blaublütige ins Bild. Der Adel amüsierte sich exklusiv. Mit dem wirtschaftlichen und sozialen Aufstieg des Bürgertums jedoch verschoben sich die gesellschaftlichen Koordinaten, und die geselligen Zusammenkünfte wurden bunter. Nicht mehr nur die Abstammung bestimmte nun, wer Zutritt hatte und wer draußen bleiben musste, sondern verstärkt das Geld.

Mittlerweile haben sich eine dritte und eine vierte »Klasse« ins Bild geschoben, die Adel und Geld zwar nicht direkt verdrängen, aber nach und nach unterwandern: die Promis und die Funktionäre. Ohne mindestens ein grell geschminktes TV-Sternchen und einen dauerlächelnden Mandatsträger ist heute keine Festivität mehr gesellschaftlich relevant. Haben besagtes TV-Sternchen oder besagter Mandatsträger ein Dirndl an oder einen Seppelhut auf, umso besser. Dann kratzen sich alle Nicht-im-Bild-Seienden vor Neid die Haut wund, während der BR live und in voller Länge überträgt.

10. Auf der Wiesn

Den bayerischen Superrahmen schlechthin bildet bekanntlich die Wiesn. Er beziehungsweise sie wird nicht nur vom BR, sondern von mindestens tausend weiteren Sendern in alle Welt übertragen. Auch wenn (oder gerade weil) mindestens zwei Drittel der Wiesnbesucher keine Bayern sind, hyperventiliert auf ihr die bayerische Folklore wie nirgendwo sonst. Nirgendwo anders im intergalaktischen Raum-Zeit-Kontinuum geht es dann bodenständiger und hemdsärmeliger zu als auf ihr. Selbst noch der widerwärtigste Wolpertinger kann auf der Wiesn für ein paar Stunden seiner grauen Widerwärtigkeit entkommen und sich weiß-blau fühlen.

Nüchtern betrachtet ist die Wiesn selbstverständlich absolut hirnrissig, aber nüchtern betrachtet sie prinzipiell niemand. Schon lange vorm Anstich befinden sich viele Beteiligte im Rausch und tun Jahr für Jahr etwas völlig Absurdes: Sie stellen drei Monate lang riesige Hallen auf, nur um sie nach zwei Wochen Sauferei wieder mühselig abzubauen! Der postmoderne Sisyphos ist kein griechischer Held mehr, sondern ein polnischer Wanderarbeiter. Und wenn es dann endlich so weit ist und alle Hallen stehen, überflutet eine menschliche Tsunamiwelle die

Theresienwiese und setzt sie innerhalb von Minuten meterhoch
unter Alkohol. Sowohl im sozialen als auch im zerebralen Bereich
kommt es dadurch Jahr für Jahr zu schwersten Verwüstungen.
Doch sei's drum! Das Leben ist, wie Nietzsche einmal betonte,
hundertmal zu kurz für Langeweile, weshalb es selbst im ruhebe-
dürftigen Bayern mindestens zwei Wochen lang nach Action
schreit. Wenn dann kein Ruhestörer die Ruhe stört, wird Ruhe
störend. Will heißen: Die Wiesn ist Teil einer kollektiven Anti-
Ruhe-Therapie, die ihre Wirkung nur in der Selbstzerstörung effizient zu entfalten vermag: Nirgendwo anders erreicht das *deep
acting* tiefere Tiefen jenseits der Tischkante als auf der Wiesn.

Diese Tiefen können freilich nur deshalb so glühend genossen
werden, weil die Wiesn nicht nur einen institutionellen (Volksfest), einen zeremoniellen (Fahrgeschäfte, Bierzelte), einen alimentären (Brathähnchen, Bier) sowie einen vestimentären Rahmen (Tracht) aufspannt, sondern auch und vor allem einen
protektiven. Auf der Wiesn befindet sich der Wiesnbesucher in
einem von der Psychologie sogenannten Sicherheitszonenrahmen. Dieser markiert eine Enklave, ein Areal, einen institutiona-
lisierten Raum, in dem gefeiert, gespielt, sich amüsiert wird und
zu dem die Gefahren des »wirklichen Lebens« kraft sozialer Über-
einkunft keinen Zutritt haben. Ähnlich wie in einer Kirche ist die
Realität mehr oder minder suspendiert. Sorgen, Nöte und Gefahren haben auf dem Terrain der Wiesn ebenso wenig etwas verloren wie Langeweile, Frust und schlechte Laune. Wer auf die
Wiesn geht, um sich dort über seine Eheprobleme oder die latenten Gefahren des kulturellen Rassismus auszulassen, verletzt die
stillschweigenden Regeln einer Parallelwelt, in der allein die Gaudi und der Rausch das Sagen haben.

Selbstverständlich besteht der »Sicherheitszonenrahmen« im
Grunde lediglich aus einem Gefühl: dem subjektiven Empfinden,
keiner unmittelbaren Gefahr ausgesetzt zu sein und deshalb alle
Formen der Erregung nicht in Angst oder Bedrohung, sondern in
Lust beziehungsweise Gaudi konvertieren zu können. Nicht nur

der Bayer, sondern der Mensch an sich braucht dieses Sicherheitszonengefühl von Zeit zu Zeit, um leben zu können. Ohne dieses wäre er nackter als nackt. Eine der wichtigsten subjektiv gefühlten Sicherheitszonen stellt für die meisten Menschen ihr Zuhause, ihr Wohnzimmer, ihre Küche, ihr Bad dar. Und selbst wenn es nur eine Tonne ist, so wie einst beim griechischen Philosophen Diogenes, macht der Sicherheitszonenrahmen ein veritables Heim daraus. In seiner Tonne darf jeder Mensch Mensch sein, Mensch nach seiner ureigensten Vor- und Einstellung. Im Inneren seiner Tonne, seines Wohnzimmers, darf er alles ignorieren, was im rahmenlosen Draußen Gefahr bedeuten könnte.

Mit Blick auf die Wiesn bedeutet dies: Obgleich eine Parallelwelt betretend betritt der Wiesnbesucher immer auch irgendwie sein Zuhause. Dieser Widerspruch schafft Geborgenheit und Wärme, aktiviert aber gern auch das Verlangen nach ein bisschen Gefahr, nach einem im Zustand subjektiver Sicherheit genossenen Schauder, nach einem Stückchen Horror in Hauspantoffeln. Nichts graust traulicher, nichts erschreckt gemütlicher als die Geisterbahn. Genau darum gehört eine Fahrt in ihr zu den liturgisch mehr oder minder unverzichtbaren Kulthandlungen auf der Wiesn. Ihre geschmacklos-schaurige Fassade ist Kult, so wie fettige Pommes, pappige Zuckerwatte und rosarote Plüschtiere (als Insignien der Häuslichkeit) Kult sind.

Die Vorgänger der Geisterbahnen hießen »Grottenbahnen«. In ihnen reiste man einst durch dunkle Tunnel virtuell ans Meer, in die Berge, in Märchen- und Sagenlandschaften. »Zum Walfisch« hieß eine der berühmtesten Grottenbahnen zu Beginn des 20. Jahrhunderts im Wiener Prater. Der junge Hitler soll von ihr begeistert gewesen sein. Im Zeitalter des Tourismus reist man realiter ans Meer, in die Berge, in Märchen- und Sagenlandschaften. Den »Walfisch« braucht niemand mehr. Und auch die Geisterbahn hat, um ehrlich zu sein, längst schon ihren Zenit überschritten. Zwar gibt es sie noch immer auf fast jeder größeren Kirmes, aber Angst und Schrecken verbreitet sie schon lange nicht mehr. In diesem Genre haben Film und Fernsehen das Kommando übernommen: Nosferatu, Frankenstein, der Exorzist, der Musikantenstadl, Dahoam is Dahoam. Mit dem rot getünchten Pappmaché und dem fleischfarbenen Silikon der Geisterbahnen wird nur noch der Sicherheitszonenrahmen gefeiert.

Etwas intensiver fällt der Flirt mit der Gefahr bei der Achterbahn aus. Moderne Achterbahnen sind Paniksimulatoren mit integriertem Herzrasen und Nackenmuskelzerrung. Ihr einziger Zweck besteht darin, Menschen auf möglichst raffinierte und technisch sichere Art und Weise in den Genuss eines Schleudertraumas zu bringen und ihnen dadurch panikartige Lustschreie zu entringen. Es gibt Sit-down-Coaster, Stand-up-Coaster, Flying Coaster, Spinning Coaster, Water-Coaster und noch einige andere Foltermethoden. Die höchste ist knapp 140 Meter hoch, die längste 2,5 Kilometer lang, die schnellste 240 Stundenkilometer schnell, die steilste 121 Grad steil. Die bei diesen Gegebenheiten auftretenden extremen g-Kräfte sind imposant und belasten Wirbelsäule, Bandscheiben, den Kreislauf sowie die Nerven der Insassen gewaltig.

Dessen ungeachtet verbrachte ein gewisser US-Amerikaner namens Richard Rodriguez vor einigen Jahren insgesamt 49 Tage und Nächte in einer Achterbahn. Der Mann gilt seitdem als medizinisches Wunder. Mannheimer Ärzte, die seine Rekordfahrt beobachteten, fanden heraus, dass er nachts trotz Loopings in Tiefschlaf fiel. Tagsüber las er Zeitung. Womöglich von diesem respektlosen Umgang mit dem Stahlrohrmonster inspiriert, entwarf ein Doktorand der Philosophie am Royal College of Art in London jüngst eine Bahn mit absoluter Todesgarantie. Mit seinen sieben aufeinanderfolgenden, immer enger werdenden Loopings wirkt der sogenannte Euthanasia Coaster so stark auf den menschlichen Körper ein, dass dem Gehirn der Sauerstoff entzogen wird, da das Herz das Blut nicht mehr gegen die starken g-Kräfte pumpen kann. In dieser Achterbahn, die Gott sei Dank lediglich im Modell existiert, könne man sich, so ihr Erfinder, mit »Eleganz und Euphorie« aus dem Leben schleudern.

Die Vorläufer der Achterbahnen aus dem 17. Jahrhundert waren künstliche Berge, an denen man hinunterrutschen konnte. Im 18. Jahrhundert entwarfen vergnügungssüchtige Franzosen, Engländer und Amerikaner immer variantenreichere Berg-und-Tal-Bahnen, erst aus Holz, später aus Stahl. Die erste Achterbahn Deutschlands, die »Riesen-Auto-Luft-Bahn«, erblickte 1908 das Licht der Welt, und zwar in – München. Ein Jahr später, 1909, feierte dann eine Holzachterbahn auf der Wiesn Premiere.

Immer wieder gern zum Besten gegeben wird die Lebensweisheit, der zufolge das Leben eine Achterbahn sei. Sehr originell ist diese Metapher nicht. Außerdem übertreibt sie maßlos: Die hohen parabelförmigen Hügel – »Camelbacks« genannt – sowie die spektakulären Kurven, Umschwünge und Richtungswechsel der modernen Achterbahn zeichnen vielleicht das extreme Karriereprofil eines Profikillers oder eines Börsenzockers nach, sicherlich jedoch nicht den durchschnittlichen Lebenslauf eines bayerischen Beamten oder Angestellten. Wenn deren Leben mit einer Jahrmarktsinstitution in sinnbildlichen Zusammenhang gebracht werden kann, dann höchstens mit einer Würstelbude.

11. Im Schottenhamel

Besitzt eine Würstelbude hypertrophe Ausmaße und wird in ihr vor allem Bier ausgeschenkt, so heißt sie in Bayern nicht »Würstelbude«, sondern »Bierzelt«. Das älteste Bierzelt auf der Wiesn ist der »Schottenhamel«, weshalb es auch das jugendlichste Zelt ist. Wer das kapieren will, muss sich mindestens einmal dort in jungen Jahren totgesoffen haben. Bierzelte sind weder Wirtschaften noch Biergärten. Bierzelte sind synergetische Prozesse. Zu Hause und gleichzeitig in einer Enklave jenseits des wirklichen Lebens sitzen in Bierzelten einander weitgehend fremde

Menschen auf engstem Raum zusammen und lassen das, was in diesen Zelten gern als »Stimmung« apostrophiert wird, in flüssiger Form und hemmungslos in die Kernareale ihrer Gehirne fließen. Dabei kommt es schnell zu kognitiven Synergien.

Kognitive Synergien entstehen, wenn wir entweder gleichzeitig oder schnell hintereinander etwas völlig Gegensätzliches wahrnehmen. Ein Mann in Frauenkleidern kann beispielsweise eine kognitive Synergie auslösen, denn man sieht in ihm zwei konträre Sachverhalte gleichzeitig. In nüchternem Zustand bereiten derlei Impressionen eher Missbehagen. Im Alltagsleben meidet der Durchschnittsbayer Zweideutigkeiten. Er mag es nicht, wenn etwas »sowohl als auch«, »einerseits und andererseits«, »wischiwaschi« ist. Er weiß: Ein Mann ist ein Mann, eine Frau eine Frau, a Sau is' a Sau. Aus, Äpfel, Amen! Lediglich in Ausnahmefällen akzeptiert er deshalb paradoxe Konjunktionen. So zum Beispiel in des Ministerpräsidenten Stoibers Jahrhundertspruch: »Wer randaliert, fliegt raus, und wer kein Deutsch kann, kommt gar nicht erst rein!« Statt mit einer Disjunktion wurden die beiden Kernaussagen hier mit einer Adjunktion verbunden. Kein kaltes, ausschließendes »Oder«, sondern ein warmes, versöhnliches »Und«. Wenn das kein christliches Angebot an alle Integrationswilligen war! Der Bayer mag Zweideutiges nicht, auch weil er insgeheim ahnt, dass er in einer Lederhose selbst nichts anderes als ein »konträrer Sachverhalt« ist, der eigentlich rausfliegen und gar nicht erst reinkommen dürfte. Alles, was er will, ist, den Überblick zu behalten. Denn auch der Überblick verschafft Sicherheit und ist insofern ein Sicherheitszonenrahmen.

Im Bierzeltmodus jedoch, protektiert durch einen doppelten Schutzrahmen sowie jene flüssig inkorporierte Stimmung, besitzt gerade das gefährlich Zweideutige seinen besonderen Reiz. Wie in Geister- und Achterbahn will auch der Bierzeltbesucher ein bisschen Gefahr, ein bisschen Widerspruch, ein bisschen Chaos inhalieren. Letzteres bekommt er in einem Wiesnbierzelt nicht nur in Gestalt bayerisch maskierter Japaner, Australier, Russen und Preußen, sondern auch und vor allem in Gestalt bayerisch maskierter Bayern zu Gesicht. Bayerisch maskierte Japaner, Australier, Russen und Preußen sind bestenfalls komisch, bayerisch maskierte Bayern jedoch wirklich krass. Und schon nehmen die Dinge um ihn herum mehr als nur einen Rhythmus, mehr als nur eine Farbe, mehr als nur eine Form an, wodurch sich die gesamte Umgebung plus Bierzelt erst zu drehen und anschließend langsam aufzulösen beginnt und derart in einen kognitiv synergetischen Zustand ganz besonderer Art übergeht. (Mit Trunkenheit hat das nichts zu tun. Betrunken ist der Bayer eigener Definition gemäß erst dann, wenn er nicht mehr am Boden liegen kann, ohne sich festhalten zu müssen.) In diesem seltsamen Prozess plötzlich wiedererlangter Rundheit erfährt der Bayer für Sekundenbruchteile etwas völlig Unerwartetes und Verrücktes, nämlich dass die Selbstauflösung, der Verlust von Identität, das Sein als Wolpertinger, letztendlich nicht nur Pein, sondern auch Spaß bereiten kann.

Viele bayerische Bierleichen lächeln deshalb auch nach Stunden noch still, selig und in Vollendung der Technik des *deep acting* vor sich hin.

Ehrenrunde

*Zehntes Kapitel, in dem nach einem kurzen Exkurs
über die bayerischen Heilkräfte die Sieger bedauert werden,
währenddessen sich die Verlierer mit lautem Quaken
nach Nördlingen zurückziehen, wo sie an einem sonnigen
Sonntag den endgültigen Sieg erringen.*

1. In Mariabrunn

Natürlich glaubt der Bayer grundsätzlich an ein »Leben danach«, ein Leben nach der Wiesn, nach der Alkoholvergiftung, nach der Leberzirrhose. Dies ist er sowohl seinem Glauben als auch seinem Land schuldig. Von Letzterem weiß er, dass es eine stark gesundheitsfördernde Wirkung besitzt. Nirgendwo sind die Frührentner rüstiger und lustiger als am Tegernsee. Dafür sorgen nicht nur die Kaffeehäuser von Rottach, Gmund und Bad Wiessee sowie die Seniorenheimatabende in den diversen Kurhäusern, sondern auch die landschaftlichen und klimatischen Gegebenheiten. »Zauber der Landschaft!«, schwärmte im 19. Jahrhundert Karl Stieler über die Topografie um den Tegernsee herum: »Diese blickt uns an mit den Augen ewiger Jugend, als ob die Welt seit tausend Jahren nicht älter geworden wäre.«

Parallel dazu unterbietet der Krankenstand bayerischer Arbeitnehmer seit Jahren den aller anderen Bundesländer um Längen. Bleiben im Saarland oder Sachsen-Anhalt durchschnittlich 26 von tausend Menschen wegen Krankheit tagtäglich zu Hause, so sind es im Freistaat gerade einmal neunzehn. Und dies, obgleich immer mehr bayerische Landkreise als Zeckenrisikogebiete eingestuft werden und der endemische Fleischsalat nach wie vor als das Hauptbrutgebiet der deutschen Haussalmonelle gilt.

Dass allein der Zauber der Landschaft für diese abnorme Heilkraft verantwortlich zeichnet, darf bezweifelt werden. Nicht übersehen werden sollte indes das Wirken großer Heiler. So wie es keinen Segen ohne Pfarrer gibt, so gibt es auch kein spektakuläres Heil ohne jemanden wie beispielsweise Theophrastus Bombastus von Hohenheim alias Paracelsus. 1524 heilte er zu Ingolstadt ein 23-jähriges, von Geburt an gelähmtes Mädchen innerhalb Tagesfrist, um anschließend in Nürnberg ein bedeutendes Werk über die Syphilis zu schreiben. Oder Justus von Liebig: Er heilte 1853 in München eine schwer an Typhus erkrankte Engländerin mit einem von ihm entwickelten, musartig eingedämpften Zaubertrank. Der Erfolg dieses Wundermittels war so überzeugend, dass es unter der Bezeichnung »Liebigs Fleischextrakt« ab 1864 industriell hergestellt wurde und das physische Wohlbefinden der gesamten Menschheit stärkte: Wie heute Coca-Cola-Flaschen, so beglückten damals die typischen Steingutbüchsen mit dem »edlen Saft vom Rind« den Globus. Katia Mann würzte damit regelmäßig ihre Suppen, was der deutschen Literatur zusätzliche Substanz verlieh.

Mit nichts als Wasser feierten demgegenüber die Herren Xaver Gumpert, Christian Oertel und Sebastian Kneipp große Erfolge über Leid und Tod. Gumpert eröffnete 1782 in der Münchner Müllerstraße, unweit des Angertors, eines der ersten bayerischen Gesundheitsbäder. Oertel reüssierte mit Kaltwasserkuren. Als 1836 in München die Cholera ausbrach, ließ König Ludwig I. höchstpersönlich den mittelfränkischen Kaltwassermessias in die Residenzstadt rufen. Sebastian Kneipp schließlich formte das schwäbische Dorf Wörishofen innerhalb kürzester

Zeit zum bayerischen Wellnessmekka, in dem mitteleuropäische Wohlstandsbürger mit viel Wasser und Bewegung aus ihren Stresskreisläufen befreit wurden. In Bad Wörishofen, wie sich das ehemalige Kuhdorf seit 1920 nennen darf, künden heute 22 Tennisplätze, zwei Achtzehn-Loch-Golfplätze, ein tropisches Thermalbad, ein Freizeitpark mit hochwertigsten Vergnügungsapparaturen sowie eine Unzahl von Kurkliniken und Sanatorien von der geheimnisvollen Größe der bayerischen Heilkunst.

Weniger Glück hatte die Gegend um Mariabrunn im Dachauer Hinterland. Außer einer Schlosswirtschaft und einem Biergarten für circa 800 Personen ist nicht viel übrig geblieben von dem einstigen Wunderheilbad der Amalie Hohenester, die als »Doktorbäuerin« von Mariabrunn in die Annalen der bayerischen Wasserheilkunst einging. In den sechziger und siebziger Jahren des 19. Jahrhunderts war die extrem geschäftstüchtige Frau vorübergehend fast so etwas wie ein Weltstar der Hydropathie. Bei ihr ließen sich die Schönen und Reichen im stark eisenhaltigen Quellwasser gegen »Unordnung des Gedächtnisses«, »Leibesverstopfung« oder »Zorn« behandeln. Zu ihren Gästen zählten unter anderem Zar Alexander II., die Kaiserin Sisi und der Baron von Rothschild. Nach dem Tod der Doktorbäuerin im Jahre 1878 jedoch versank Mariabrunn wieder sang- und klanglos im Dachauer Moor: Sic transit gloria mundi. In Aubing ist eine Straße nach ihr benannt.

2. Bei den Siegern

Der Zauber der Landschaft, die Kunst der lokalen Heiler und der Glaube können freilich nur dann Leiden und Gebrechen besiegen, wenn das Regenerationspotenzial der endemischen Bevölkerung auf dergleichen Remedien entsprechend zu reagieren bereit ist. Nach allem, was sich sagen lässt, stellt der Bayer diesbezüglich einen Glücksfall dar. Nicht nur auf Brezn, Wahlplakate und Kitsch spricht er ausgesprochen lebhaft an, sondern auch, und das ist das eigentlich Bemerkenswerte, auf seine defizitären Eigenschaften, auf seine Kanten, Ecken, Ungleichgewichtigkeiten und Widersprüche. Dem runden Naturburschen, der weiß, dass er eigentlich gar kein runder Naturbursch' ist, gelingt es überraschend mühelos, sich mit ein bisschen (*Deep-act-*)Lächeln, einem Einkaufskorb Vollweide Natur, ein paar Kilogramm Eventkultur und einem sorgsam inszenierten Wiesnbesäufnis so rund und sicher einzurahmen, dass ihn trotz aller Irritationen nichts Identitätsbedrohendes entscheidend umzuwerfen vermag.

Wenn man will, könnte man dafür auch der Anima sensitiva ein gewisses Maß an Mitverantwortung zuschreiben. Die Anima sensitiva verdankt sich einer Entdeckung des Arztes und Chemikers Georg Stahl aus Ansbach, der im frühen 18. Jahrhundert lebte, wirkte und spekulierte. Seiner Theorie zufolge steuert ebenjene »empfindende Seele« sämtliche Prozesse im menschlichen Körper. Auch wenn sie bislang physiologisch noch nicht zweifelsfrei nachgewiesen werden konnte, ein Gedankenexperiment ist sie allemal wert. Vielleicht existiert sie ja auch nur im Innersten von gebürtigen Bayern und erklärt insofern deren ausgeprägte Vitalität.

Maßgeblichen Anteil an der bayerischen Gesundheit scheint neben der Anima sensitiva jedoch mit Sicherheit auch der bayerische Minderwertigkeitskomplex zu besitzen. Wie berichtet, lässt er im Zweifelsfall keine Gelegenheit verstreichen, sich in jeder Hitparade kraftmeierisch in die Poleposition zu drängeln. Auch wenn er dadurch eher auf seine neureiche Streberhaftigkeit als auf seine geschichtlich gewachsene Authentizität verweist und Bayern unfreiwillig sowohl dem Neid als auch der Lächerlichkeit preisgibt, ist er bei genauerem Hinsehen doch nur der obsessive Reflex eines Verlierers. Dies mag hart klingen, wenn man gerade mal wieder Meister aller Klassen und Kategorien geworden ist und vor lauter Kraft kaum noch zu laufen imstande ist. Andererseits: Für einen wirklichen Sieger fehlt Bayern nicht nur das Format, sondern auch und vor allem der lange Atem. Auf die Dauer ist ihm sein Ehrgeiz, ähnlich wie seine Wut, zu anstrengend. Und überhaupt: Zu siegen heißt immer auch, verlieren zu können ...

Der ehemalige preußische Staatsphilosoph Georg Wilhelm Friedrich Hegel sagte, dass im Anfang allen Menschseins der Kampf auf Leben und Tod stehe, da das menschliche Ich das Ich einer Begierde sei, einer Begierde nach Anerkennung. Natürlich könne man sein Ich auch ohne Kampf im stillen Kämmerlein mit Eigenlobtransfusionen aufpäppeln, aber das sei ontologische Onanie. Wer der lästigen Arbeit entgehen wolle, sich selbst anhimmeln zu müssen, benötige die Anerkennung des Marktplatzes. Sieger seien, wie wir heute sagen würden, Mainstreamprodukte. Da dort freilich jeder nach besagter Anerkennung giere, sei Zoff letztendlich unvermeidbar.

Besagter Zoff führe, so Hegel weiter, entweder zu Leichenbergen oder aber zu »aufbewahrten Aufgehobenen«. Was die Leichenberge anbelangt, so nützten sie dem Sieger nicht viel, da Tote niemanden und nichts bewundern könnten. Also müsse man seinen Feind »aufheben«, das heißt unschädlich machen, ihn gleichzeitig aber auch »bewahren«, also am Leben lassen. Dies mache man am geschicktesten, indem man ihn verknechte. Als Knecht ist er erstens tot, zweitens am Leben und drittens dazu verdammt, durch seine Frondienste die Existenz des Siegerherrn anzuerkennen. Im Hegel-Jargon klingt das so: »Der Herr ist das für sich seiende Bewusstsein, welches durch ein anderes Bewusstsein mit sich vermittelt ist.« So verschachtelt das klingt, Sklaven, Leibeigene und Beschäftigte im Niedriglohnsektor wissen, wovon die Rede ist.

Hegel sagte des Weiteren, dass das Wesen des Ichs die Tat sei. Will heißen: Auch nach dem Kampf geht die Geschichte weiter. Wobei der Sieger vor allem das eine zu tun hat: seinen Siegerstatus genießen. Dies ist insofern nicht ganz unproblematisch, als zu viel Genuss einerseits zu Fettleibigkeit und Herzproblemen, andererseits zu Langeweile führen kann. Gegen Erstere gibt es

Wellnesskuren und Herzschrittmacher, gegen Letztere teure Autos, teure Reisen, teure Hobbys und teure Frauen.

All das kann zweifellos sehr viel Spaß bereiten, muss es aber nicht. Es kann auch furchtbar auf die Nerven gehen. Zumal jener Siegerstatus permanent aufrechterhalten werden muss. Es genügt nicht, sich einmal in Siegerpose zu zeigen und dann abzutauchen. Echte Sieger müssen entweder dauernd siegen oder aber sich dauernd als Sieger in Szene setzen. Beides ist kein Zuckerschlecken, sondern ein ewiges Besteigen von Siegertreppchen, ein ewiges Inhalieren von Scheinwerferlicht, eine ewige Lärmbelästigung durch Jubelschreie und Applaus. Die ständige Aufmerksamkeit des Publikums im Nacken, können Sieger nicht einfach mal für ein Wochenende ihre fleißige Siegerhaut gegen irgendeine x-beliebige faule *Loser*-Haut eintauschen und sich behaglich auf dieser niederlassen. Die Fans würden sie augenblicklich lynchen, denn Sieger haben immer strammzustehen beziehungsweise, sofern hingefallen, sofort wieder aufzustehen. So will es die Siegerlogik, so will es der Mainstream. Wie Tanzbären tanzen Sieger stets nach fremden Pfeifen. Und das, obwohl doch sie die Sieger, die Erfolgreichen sind! Kurzum: Sieger sind ganz, ganz arme Würstchen!

3. In Oberaudorf

Ganz typische Sieger sind Preußen. Auch wenn das Land durch das Kontrollratsgesetz Nummer 46 vom 25. Februar 1947 de facto und de jure aufhörte zu existieren, sind sie nach wie vor allgegenwärtig, verordnen und verwalten, beraten und befehlen, entwerfen Organigramme und quälen ihre Mitmenschen mit PowerPoint-Präsentationen. Es gibt sie in der Politik, in der Wirtschaft, im Sport und in der Kultur. Und natürlich auch ... in Bayern! Um es gleich zu sagen, wie es ist: In kaum einem anderen Land der Erde leben derzeit so viele Preußen wie in Bayern, preußische Bayern und bayerische Preußen, die tagein, tagaus nichts anderes tun, als zu schuften und zu arbeiten, Wachstum zu generieren und Renditen zu erzielen und Siege, Siege, Siege zu erringen.

Einer der preußischsten Preußen Bayerns überhaupt war (schon wieder) Edmund Stoiber, bayerischer Ministerpräsident von 1993 bis 2007. Alles an ihm hatte etwas extrem Streberhaftes und Siegertypisches an sich: seine dünnen Haare, seine dicken Krawattenknöpfe, seine metallenen Brillengestelle, seine erhobenen Zeigefinger. Im Businessanzug sah er wie ein echter Preuße, im Trachtenanzug wie ein verkleideter Bayer aus. Dabei wurde er angeblich in Oberaudorf geboren. Akten traute er stets mehr als Menschen, was ihm im Haifischbecken CSU nur zum Vorteil gereichte. Seine 60,7 Prozent bei der Landtagswahl 2003 dürften für die nächsten hundert Jahre zumindest auf politischem Terrain den Begriff »Sieg« definieren. Als der Oberpreuße Stoiber dann allerdings zögerte, sich auch als Preuße zu outen und nach Berlin zu gehen, sank sein Stern fast über Nacht. Weil er ein Bayer war? Weil er ein Preuße war? Weil er als Bayer nicht wusste, dass er ein Preuße war?

Oder sehen wir uns die ebenfalls bereits erwähnte Fürstin Gloria von Thurn und Taxis an! Sie ist alter (wenn auch angeheirateter) Adel und weiß, was sie sich und ihrer Stellung schuldig ist. Sie beherrscht das Siegersein sehr souverän. Auf die Frage »Was möchten Sie sein?« gab sie im FAZ-Fragebogen einst zur Antwort: »Ein Elefant im Porzellanladen!« Was macht ein blaublütiger preußischer Elefant im Porzellanladen? Er präsentiert sich beispielsweise in gewagtem Outfit und bleibt dennoch Frau von Welt. Er ergeht sich in gewagte Theorien über »gerne schnackselnde Schwarze« und die Nützlichkeit der Inquisition und verliert dennoch nie die Contenance, höchstens den Faden. Als Geschäftsfrau zollt man ihr Respekt, als Theologin und Schwangerschaftsberaterin ist sie gern gesehener Gast in Talkshows. Ihre Medienpräsenz umweht stets ein eiskalter Hauch von Entschlossenheit, wie man ihn nur dann sein Eigen nennen darf, wenn man das Rechthaben in den Siegergenen hat. Ihrer energiegeladenen Stimme zu widersprechen fällt deshalb alles andere als leicht.

4. Bei den Fröschen

Verlierer sind Verlierer. Zu genießen haben sie vordergründig nichts. Verlierer müssen die Sieger bewundern, ihre Füße küssen, an ihren Lippen hängen, ihre G8-Gymnasien besuchen und so tun, als wollten auch sie irgendwann einmal Sieger werden. Verlierer müssen sich als Masse bevormunden und beaufsichtigen, als »aufbewahrte Aufgehobene« disziplinieren und desinfizieren lassen. »Die Schmach der Subordination« kann anstrengend sein. Freiheit sieht nach außen hin anders aus!

Andererseits: Allein der Verlierer kann denken, was er will. Seine Niederlage stellt ihn in kein Schaufenster, auf kein Podest. Er steht immer nur im Schatten, im Schatten des Alltags, im Schatten seiner Defizite, im Schatten seiner Verliererbanalität. Im Dunkeln lässt sich gut munkeln, heißt es. Und genau das macht der Verlierer am liebsten: munkeln und schunkeln. Und dabei schafkopfen! Welche ist die höchste Karte beim Schafkopfen? Richtig, »da Oide«, der Eichel-Ober. In den 1819 von dem Volksaufklärer Johann Christoph von Aretin entworfenen »Teutschen Spielkarten für das Bayerische Volk« symbolisierte die Spielfarbe Herz »Bayerische Herzhaftigkeit und Liebe zu Fürst und Vaterland«, Gras bedeutet »Hoffnung«, Schellen stehen für »Wohlstand und Reichtum des Vaterlands« und Eichel für »Verdruss und Betrübnis«. Die Verlierer wissen, dass sie Verlierer sind.

Die Literatur liebt sie dafür. Mit Supermännern und Powerfrauen, mit Tausendsassas und Überfliegern weiß sie meist nicht viel anzufangen: zu hell, zu glatt, zu kompakt. Der Verlierer hingegen bietet alles, was Literatur seit mehreren Jahrtausenden spannend macht: Hass, Neid, Rachsucht, Inkonsequenz; er ist nachtragend, selbstgerecht, renitent, intrigant, unbeherrscht, unberechenbar, unbescheiden; er neigt zu Exzessen und Abschweifungen. Natürlich kann er auch von Zeit zu Zeit große Siege einfahren, aber er weiß: Siegen heißt auch verlieren können. Das ist das Holz, aus dem die Literatur ihre Heiligenfiguren schnitzt!

Und Bayern seine Bayern. Nicht ihre Rundheit macht sie rund, sondern ihre Eckigkeit. Nicht ihre Siegerallüren machen sie bayerisch, sondern ihre Schrulligkeiten und Verschrobenheiten. Der urige, fein herausgeputzte, strahlend runde Superbayer ist nichts weiter als eine Attrappe, ein Dummy, gemacht, um auf irgendwelchen Titelblättern, in irgendwelchen Vitrinen, auf irgendwelchen Gammelsdorfer Veranstaltungen zu posieren. Der echte Bayer hingegen ist falsch, weil er ein bayrisch sprechender Asterix ist, ein Indianer, der sein Pferd zu Tode reitet, ein ausgestopfter Wolpertinger, ein zorniger Stoiker, ein Maskengesichtsvirtuose, ein hyperrealer Panamese, ein CSU-Plakat, ein Aufschneider, ein Kitsch-Pisaner, eine aufgeblasene chinesische Lachwampe, ein *Deep-acting*-Lächler, ein USK-Polizist, ein Einkaufskorbträger Vollweide Natur, ein Wagnerianer, ein Rahmenfetischist, ein Achterbahnfahrer, eine Bierleiche. Kürzen wir diese endlose Gleichung an allen nur möglichen Stellen zusammen, so ergibt dies: Echt ist falsch und falsch eine Fälschung von echt, also echt. Oder so ähnlich. Oder ganz anders ...

Fest steht: Kein Sieger, kein Preuße wäre mit diesem Ergebnis zufrieden. Für Preußen müssen Ergebnisse stets kleine handliche Päckchen sein, die man am Ende einer komplizierten Überlegung, eines diffizilen Experiments, einer spannenden Sportveranstaltung oder eines blutigen Kriegs in die Tasche stecken und mit sich herumtragen kann, um sie im Bedarfsfall flugs zur Hand zu haben. Für den Bayern hingegen sind Ergebnisse Resultate. Das Wort »Resultat« kommt vom lateinischen *resultare*, was so viel wie »zurückspringen« heißt. Ergebnisse sind demnach keine kleinen, handlichen Päckchen, sondern eher dicke schleimige Kröten, die, will man sie ergreifen und in die Tasche stecken, augenblicklich in das Problem, die Frage, das Rätsel, die Endlosgleichung zurückspringen und von dort aus unverständliche Quakgeräusche von sich geben.

5. In Nördlingen

Unverständliche Quakgeräusche geben Bayern immer und überall gern von sich. Das liegt freilich weniger am gewöhnungsbedürftigen Klang des bairischen Idioms als vielmehr an ihrem Hang zum Sibyllinischen und Eigenbrötlerischen. Des Märchenkönigs Bekenntnis »Ein ewig Rätsel bleiben will ich mir und anderen« galt nicht nur für Seine Majestät, sondern trifft im Grunde auf jeden Untertan zu. Umfassende Erklärungen meidet er, von der Mode des »Outings« hielt er noch nie sehr viel. Das oft zitierte »Mia san mia« wird vorzugsweise als trotziges Bekenntnis zur eigenen Herrlichkeit interpretiert, ist aber tatsächlich eher die trotzige Absage an jegliche Art der Selbstoffenbarung. Ihrer einst prallen Sexualität zum Trotz sind Bayern in ihrem Innersten ausgesprochen »gschamat«, sprich: prüde.

Sehr konzentriert zeigt sich die bayerische Rätsel- und Schamhaftigkeit im schwäbischen Nördlingen. Aus Nördlingen stammt Gerd Müller, der genialste Torschütze der europäischen Fußballgeschichte. Obgleich er zwischen 1964 und 1978 über 500 Tore für den ruhmreichen FC Bayern schoss und alle Titel gewann, die man als Fußballer gewinnen kann, weiß bis heute absolut niemand, wie er dies bewerkstelligte, am wenigsten er selbst. Müllers Kommentar: »Wenn's denkst, is' eh zu spät!«

Aus Nördlingen stammte darüber hinaus Maria Holl. Sie war eine erfolgreiche Gastwirtin, hatte allerdings das Pech, Zeitgenossin des bereits erwähnten Hexenfanatikers Kurfürst Maximilian I. gewesen zu sein. 1594 wurde sie der Hexerei bezichtigt und angeklagt. 62-mal wurde sie alsdann nach allen Regeln der Kunst gefoltert, doch kein Würgeeisen, keine Schädelklammer, keine Knieschraube und keine Streckbank konnten ihr gerichtlich verwertbare teuflische Indiskretionen entlocken. Allein zu Gott bekannte sie sich ein ums andere Mal. Und so geschah etwas, was eigentlich nicht geschehen durfte: Am 11. Oktober 1594 wurde sie freigesprochen. Die Holl rächte sich auf die grausamste vorstellbare Weise: Sie überlebte alle ihre Peiniger und starb erst 1634, vierzig Jahre nach ihrer Marter …

Die größte Attraktion Nördlingens freilich ist rund 2,7 Kilometer lang, ziemlich hoch und noch viel dicker. Die Nördlinger Stadtmauer. Sie ist vollständig erhalten und besitzt, als einzige Stadtmauer Deutschlands, einen durchgängig begehbaren und zudem überdachten Wehrgang. Schlendert man auf diesem um das Städtchen herum, so begreift man mit etwas Glück irgendwann nicht nur das allgemeine Wesen mittelalterlicher Stadtmauern, sondern zusätzlich noch das Wesen der bayerischen Introvertiertheit. Hier will sich jemand nicht nur nach außen hin schützen, wie das alle Stadtmauern dieser Welt möchten, sondern dezidiert »Er, Sie, Es« selbst sein. Auch wenn dieses »Er, Sie, Es« keine klar erkennbaren Konturen vorzuweisen hat und aus sich selbst heraus keine Einheit, keine Ganzheit, keinen schlüssigen Zusammenhang ergibt, ist es doch stets auf sein Inneres fokussiert, auf all die verschachtelten kleinen Häuschen, die verwinkelten engen Gässchen, die jeder Stringenz, jeder Harmonie, jeder Logik spottenden Ecken, Kanten und Knoten. Selbst wer über einen verlässlichen Orientierungssinn verfügt, wird sich an Nördlingen lange die Zähne ausbeißen, bis er auf dem kürzesten Weg von der Herren- zur Henkergasse oder vom Schäffles- zum Tändelmarkt gelangt. Mit etwas Fantasie fällt es insofern nicht schwer, in Nördlingen einen genuinen Wolpertinger zu erkennen, sehr alt, sehr scheu, sehr vielgestaltig, sehr authentisch. Kein Wunder, dass auch Filmregisseure die Stadt lieben: Hinter jeder Ecke lauert eine neue Geschichte, eine neue Perspektive, bläst ein neuer Wind.

Das Verrückteste an Nördlingen: Die es umarmende, es schützende, es in seiner Eckigkeit zusammenhaltende, es abschottende und vor der Außenwelt keusch verbergende Stadtmauer ist – kreisrund! So rund wie die Sonne, der Äquator, der Trinkrand eines Maßkruges, die Versprechen der CSU kurz vor dem Wahlsonntag. Nördlingens Stadtmauer von oben herab, aus der Vogelperspektive, zu sehen ist ein Aha-Erlebnis der besonderen Art: Was man sieht, ist ein in das Chaos dieses Konglomerats unauslöschlich eingebrannter Kreis, ein Ring, der beweist, dass es eine bayerische Rundheit gibt, auch wenn diese aus einem Gewirr von Gassen, Dächern, Gärten und Plätzen besteht.

6. Noch einmal in Mauritius

In diesem Wirrwarr kann man sich nicht kreisförmig fortbewegen. Die Gassenführung erlaubt dies nicht. Und dennoch herrscht in Nördlingens verschlungenem Inneren fast ganzjährig Radzeit und Nestraum, jene beiden für den runden Bayern, kantisch formuliert, so typischen »Anschauungsformen«. Wir erinnern uns: Vor zehn Kapiteln saßen wir in einem Schnellimbiss im superhektischen Regensburger DEZ und entdeckten dort einen Typen, der, obgleich ebenfalls in jenem Schnellimbiss im superhektischen Regensburger DEZ sitzend, den Eindruck erweckte, als sei er soeben vom Himmel gefallen. In Ermangelung spezifischer Kriterien für eine genauere Zuordnung konzentrierten wir uns auf seine fast unverschämt in sich ruhende Körperlichkeit, die uns auf eine sehr mittige Seele schließen ließ, die nur dem zu eigen sein konnte, der im krassen Gegensatz zur Hektik eines Einkaufszentrums rund in sich zu ruhen vermochte. Wir erahnten, dass diese Konstellation unmittelbar mit seinem Zeitgefühl zusammenhängen musste, mit einem aus prähistorischen Zeiten stammenden Respekt vor den runden, weil zyklisch wiederkehrenden Zeitmaßen des Pflanzens und des Erntens. Wir verstiegen uns deshalb zu der Behauptung, dass die temporäre Grundhaltung des Bayern rund sein müsse, und nannten diese »Radzeit«.

Ähnliches taten wir, als wir in Mauritius urlaubten und uns neben der Zeit auch mit dem Raum zu beschäftigen bemüßigten. Die Bacardi-Strände und die tropische Hitze setzten uns gewaltig zu und infizierten uns mit dem Gedanken, dass eine runde Zeit auch einen ebenso runden Raum benötige. Zeit und Raum gehören schließlich zusammen. Bei der Frage nach der Beschaffenheit dieses harmonisch in die Radzeit integrierten Raums erinnerten wir uns an die Form des Nestes. Allein die Form des Nestes kann einen wie auch immer gearteten Raum zu einer runden Heimat machen. Zu einer Zone, in der das Bedürfnis nach Geborgenheit, Obhut und Zurückgezogenheit aufatmen kann. Nester sind Räume, in die man zurückkehrt, zumindest wenn man ein Vogel oder ein französischer Philosoph ist. Gaston Bachelard: »Man kehrt dahin zurück, man träumt davon zurückzukehren, wie der Vogel in sein Nest zurückkehrt.«

Im weiteren Verlauf unserer Irrfahrt durch die bayerische Seele freilich erwiesen sich Radzeit und Nestraum bei Weitem nicht als so idyllisch in sich ruhend wie im Chiemsee und im Indischen Ozean erträumt. Überall zeigten sich Kratzer, Schrammen und Risse, deren kantige und eckige Bruchränder ein wuseliges, mit sich und seiner Identität ringendes, Mythen erzeugendes und in Mythen gefangenes, von zahlreichen Idiosynkrasien inspiriertes und gequältes Wesen offenbarten. Dieses innere Wesen zwingt die Bayern zu ständigen Improvisationen. Doch nur wer ständig improvisiert und sich dabei auch mal verirrt, kann von sich behaupten zu leben. Und nur wer lebt, kann im Bedarfsfall Nester bauen.

Nördlingen ist, wie so viele andere Kleinstädte und Ortschaften Bayerns, im wahrsten Sinne des Wortes: ein Nest. Das Ei des Kolumbus entdeckt man hier dennoch nicht, der Puls der Zeit schlägt definitiv anderswo. Wenn man, sagen wir an einem sonnigen Sonntagnachmittag, am Schrannenplatz sitzend, genauer hinhört, so kann man höchstens die Provinzialität knistern hören. Je nach Situation und Stimmungslage vermag dieses Geräusch zu becircen oder aber in den Wahnsinn zu treiben. Den jungen Mittelstürmer belastet es eher, weshalb der geniale Müller-Gerd denn auch bereits im Alter von neunzehn Jahren in München kickte. Für den etwas reiferen Bayern indes kann sich das Rauschen der Provinz, zumindest an sonnigen Sonntagnachmittagen, von verwehten Kirchturmglockenklängen begleitet, durchaus wie eine Erlösung anhören. Eine Erlösung aus den Fängen der Welt, die weit, weit weg, irgendwo jenseits der Stadtmauern vor sich hin pulsiert. Woraus folgt: Auch wenn man alles andere als ein authentischer Superbayer ist, kann man im verschachtelten und vieleckigen Nördlingen, wie in so vielen anderen verschachtelten und vieleckigen Nestern Bayerns, lernen, zumindest einen sonnigen Sonntagnachmittag lang, ein verdammt runder Bayer zu sein. Dass die euklidische Geometrie in Bayern nur bedingt Geltung besitzt, wurde bereits erwähnt.

Und wenn der Sonntagnachmittag ganz besonders sonnig und das Knistern der Provinzialität im Duett mit den Kirchturmglocken ganz besonders melodiös und die Selbstbefindlichkeit ganz besonders kugelförmig ist, dann gibt es keinen ersichtlichen Grund, warum man nicht einfach sitzen bleiben und das Universum um sich kreisen lassen sollte, egal, ob man ein Sieger oder ein Depp, ein Sockelsteher oder ein Eckbanksitzer ist.

Übrigens: Da Nördlingen im Gegensatz zu Frauenchiemsee und Mauritius von Mauern und nicht von Ufern beziehungsweise Stränden umgeben ist, steht es weder bei Flugtouristen noch bei Schiffchenausflüglern sonderlich hoch im Kurs. Auch vom runden Bayern-Porno Ruhpolding ist es glücklicherweise ziemlich weit entfernt. Eine preußische Masseninvasion musste es nie über sich ergehen lassen. Obsessive Romantiker wiederum bevorzugen das benachbarte Dinkelsbühl, dessen Kopfsteinpflastergässchen an manchen Wochenenden an akuter Obstipation leiden. Ganz anders vor dem Geburtshaus vom Müller-Gerd: Dort bildeten sich früher keine Schlangen und heute auch nicht.

Mit anderen Worten: Es könnte durchaus sein, dass bei so viel pittoresker Ruhe und idyllischer Gemütlichkeit selbst der dogmatischste und rigoroseste Trachtenallergiker irgendwann auf die tollkühnste aller tollkühnen Ideen verfiele. Warum nicht? Wir sind im stillen Bayern, im Bayern hinter den sieben Bergen des Kitsches und der Eventkultur bei den sieben Zwergen der Provinz! Wo, wenn nicht hier, dürfte man abseits der großen bayerischen »Würstelbuden« und »Kleinode« das Unmögliche wagen und vielleicht doch noch einmal, sofern keine gesundheitlichen Einschränkungen vorliegen, in eine Lederhose steigen? Wo, wenn nicht jetzt und heute, da die Sieger, Stars und Spitzenreiter unter ihren Konfettiduschen stehen, könnte man es wagen, in aller Radzeitruhe noch einmal seine Wampe über den Bund einer Hirschledernen hängen zu lassen und sich dabei so richtig rund und fett zu fühlen? Wäre doch gelacht, wenn man diese verdammte Schildkröte nicht doch noch einholte! Verlieren heißt schließlich auch, Himmel, Arsch und Zwirn, siegen zu können ...

DAS HEILENDE BAND
ZWISCHEN MENSCH
UND NATUR

Nach seinem Bestseller „Der Biophilia-Effekt" tritt Clemens G. Arvay nun den wissenschaftlichen Beweis für die Heilkraft der Natur an: Auf welche Weise stärken Pflanzenstoffe im Wald das Immunsystem? Welche Anti-Krebs-Wirkstoffe aus der Natur könnten auch in Medikamenten eingesetzt werden? Was tragen Tiere zur Herzgesundheit bei? Ein wegweisendes Buch, das unser Verständnis von uns selbst und unserer Verbindung mit der Umwelt revolutioniert.

ISBN 978-3-570-50201-3

RIEMANN
VERLAG

WWW.RIEMANN-VERLAG.DE

EIN ZYNISCHES GESCHÄFT

DR. ANTON HOFREITER

Wie die Massentierhaltung unsere Lebensgrundlagen zerstört und was wir dagegen tun können

FLEISCH
FABRIK
DEUTSCH
LAND

Die industrielle Massentierhaltung nimmt trotz des Biotrends immer gewaltigere Ausmaße an. Das schädigt nicht nur unsere Gesundheit, sondern zerstört die Umwelt und quält Tiere. Dr. Anton Hofreiter deckt die verheerende Funktionsweise der Fleischfabrik Deutschland auf und zeigt, welche realistischen Stellschrauben betätigt werden müssen, um Tierschutz zu verbessern, die Artenvielfalt zu erhalten und gutes Essen für alle produzieren zu können.

ISBN 978-3-570-50202-0

RIEMANN
VERLAG

WWW.RIEMANN-VERLAG.DE